文春文庫

第四の壁

アナザーフェイス3

堂場瞬一

文藝春秋

第四の壁
アナザーフェイス3◎目次

第四の壁

アナザーフェイス3

【第四の壁】　［*Fourth wall*］

舞台正面に存在すると想定される、目に見えない壁。観客は明らかにこの壁の存在を忘れて俳優を見る。

（テリー・ホジソン著　研究社出版刊『西洋演劇用語辞典』より）

第一部　消えたスポットライト

1

経験は感動を薄くする。

そんなことを言ったのは誰だっただろう。大友鉄《おおともてつ》は、思考が漂うに任せた。例えば映画なら、繰り返しての鑑賞に堪える作品は滅多にない——そういう意味に解釈している。

駄目だ、集中しないと。夢厳社《むげんしゃ》の芝居「アノニマス」は、ストーリーも登場人物のキャラクターも頭に入っているが、かつて自分が演じた芝居を客席から観るのは、貴重な経験なのだ。それに劇団創立二十周年の記念公演でもあるのだし、しっかり目に焼きつけないといけない。それが、かつての仲間たちに対する礼儀ではないか。

「恨まれているのは分かっている。恨まれなければ、人を支配できない」

ほんの数メートル先の舞台で、笹倉逸朗《ささくらいつろう》が、どこか諦めたような口調で独白していた。演じているのは、独善的な劇団代表の「伏見《ふしみ》」。淡い茶色のタートルネックセーターに革のジャケット、濃紺のジーンズという格好である。

「この劇団に、今一番必要なのは何だ？　目標に向かって一直線に進んでいく集中力だ。だが、その集中力は――」

笹倉が一瞬言葉を切る。台詞をつなげるタイミングを間違えたのだ、と瞬時に分かった。だが大友は、決して白けた気分にはならず、いつの間にか笹倉の演技にのめりこみ始めていた。第一部の山場は間もなくである。

「――集中力は、言葉で身につくものではない。時には暴力も必要だ。それが分からない者は、去ればいい！」

「そうやって、一人もいなくなったらどうするんだ？」

嘲《あざけ》りの台詞。舞台の上手に光が当たり、もう一人の登場人物の姿が浮き上がった。芝居が始まってから四十五分、初登場である。歓声が上がる訳でも拍手が起きる訳でもないが、小さな劇場の空気がぴりぴりと緊張するのが大友には分かった。今回の公演の目玉、真打ち登場である。

「火浦《ひうら》……」

笹倉が――いや、伏見がそちらをちらりと見て、名前に呪いがかかっているように吐き捨てる。「火浦」役の長浜護《ながはままもる》は唇を少し歪めたまま、二歩だけ伏見に近づいた。二つのスポットライトが交わりそうになる。

「あんたは、自分がどれだけ嫌われているか、分かってないんだよ」長浜はしばらく舞台に立っていないはずだが、台詞回しは堂々としたものだった。声も腹の底から出ている。

「分かっている。だが、好かれるとか嫌われるとか、そんなことはどうでもいい。もっと大事な問題もある」

「劇団のレベルアップ？」

「そうだ」伏見が大袈裟にうなずく。「他に何を望む？」

「金」火浦が右手を高々と掲げ、人差し指をぴんと立てた。「女、名声、尊敬……」次々と指を立てていく。

「そんなものに興味はない！」伏見が乱暴に切り捨てる。「俺は芝居の本質を追求する。他には何も望まない」

「そのために、ついてこられない人間は切り捨てるわけか」

「当たり前だ」それまで顔だけを火浦に向けていた伏見が、体ごと向き直った。「芝居に全てを捧げられない人間は、この劇団にはいらない」

「間違いなく、そのうち全員いなくなるな」火浦が肩をすくめる。

「それもいいだろう」自信たっぷりに伏見がうなずく。「そうしたら、また新しい仲間を集めてやり直すだけだ」

「仲間？」火浦が大きく両手を広げる。それだけで、客席の全ての視線を集めてしまったようだった。「仲間って何だよ？　対等の立場で、共通の目的に向かうのが仲間だろう。お前が欲しがっているのは奴隷だ。自分の言う通りに動き、逆らわない、魂のない泥人形だ」

「それのどこが悪い？」

「芝居は一人ではできない。だけど、お前に必要なのは仲間じゃないんだ。イエスしか言わない人間が欲しいだけだろう」

「その通りだ。この劇団は、俺そのものだから」

「だったら、俺は必要ないな」火浦が肩をすくめる。

「好きにすればいい」言葉を切って、伏見が乾いた笑い声を上げた。「映画でもテレビでも、どこでも行けばいい。だがお前は、ここを辞めたら舞台には二度と戻れないだろうな。お前の芝居には魂がない。映画やテレビでは誤魔化せても、生の舞台では、ただの人形だということがばれてしまう」

「何だと！」火浦が伏見に詰め寄り、胸ぐらを摑む。二人の顔がくっつきそうになり、同時にスポットライトが交わった。二人の姿が、暗い舞台の上で一層白く浮かび上がる。

「だったらあんたは何なんだ。独裁者！　恐怖政治！　あんたがやりたいのは芝居じゃない。ただの王様ごっこだ！」

伏見が両手で軽く火浦の胸を突くと、火浦は二、三歩後ろへよろめく。しかし火浦は後ろ手を組み、自信たっぷりの笑みを浮かべた。

「どっちが正しいかは、歴史が証明してくれる」

「大袈裟なんだよ、お前は」伏見も笑ったが、その声は震えていた。「たかが芝居だ。歴史もクソもない」

「あんたは芝居が分かっていない」

「お前は人生が分かっていない」

睨み合い。見えない火花が散るのを、大友は間違いなく感じた。ワンマンな劇団代表と看板役者の衝突。完全に芝居だと分かっているし、この先の展開も知っているのに、呑みこまれてしまう。

十分な沈黙を観客の頭に染みこませ、火浦が後ずさった。ゆっくりと踵《きびす》を返すと、立ち止まろうとして一瞬動きを止め、しかし立ち止まりはせず、大股に舞台の右側に歩いて行く。その間、まったく足音がしなかった。最近の高性能なマイクは、床の軋《きし》み音まではっきり拾ってしまう。それが鬱陶しいノイズに聞こえることもあるのだが、彼は音を立てない歩き方を意識しているようだった。そういえば、本番前に彼が舞台のあちこちを歩き回り、床の具合を確認していたのを思い出す。異音がする場所を確認して、頭に叩きこんでいたのだろう。あれはまさに、プロとしての準備だった。舞台に立つのは久しぶりのはずなのに。

消える寸前に、火浦が立ち止まる。一瞬振り向きかけた横顔に憎悪が浮かんだ。次の瞬間にはスポットライトが突然消え、その姿が闇に溶ける。客席の緊張感が最高潮に達するのを、大友は感じ取った。さすが、火浦――ではない、長浜は役者が違う。今の短わった。俺を見ろ。俺だけに集中しろ。

向ける。その大きな背中は無言で観客席に強いメッセージを伝えた。ゲストの出番は終

い出番で、この場を完全に支配してしまった。

一方の伏見——笹倉も、負けていなかった。緊張感が次第に緩まる中、客席に背中を

「馬鹿馬鹿しい」観客席に背中を向けたまま吐き捨てる。「役者は役者。只の駒だ。あの男はそれが分かっていない。この劇団は俺の物だ。俺こそがこの劇団の頭脳、身体《からだ》なのだ。俺がいれば、この劇団はアイデンティティを保つ。一人きりになっても、すぐに再出発ができるのだ。そうだ、全員、馘《くび》だ！　ゼロから劇団を作り直す！」

大股に前へ——舞台の後方へ歩き出す。すぐ目の前は黒い壁だ。大友は当然、次に起きることを知っていたが、思わず固唾を呑んでしまう。隣に座る優斗《ゆうと》も、子どもらしい勘で何かを感じ取ったのか、身を硬くした。その隣に座る聖子《せいこ》——亡くなった妻の母親だ——はどうだろう。珍しく大友の誘いに乗ってこの芝居を観に来たのだが、退屈していないだろうか。

突然、伏見の歩みが止まる。黒い幕のすぐ手前まで来たのだと大友には分かっていたが、他の観客には、透明な壁にでもぶつかったように見えたはずだ。

短い、押し殺したような声。大友は軽い衝撃を覚えた。元々は、引き攣るような叫び声を上げる場面である。ところが伏見の声は、本当に刺された人間の、くぐもった悲鳴に聞こえた。

「が……」絞り出すような声。伏見が数歩後ろに下がった。下半身は今にも崩れ落ちそうで、脚が震えている。迫真の演技だ。さすがの大友も、目の前で人が刺される場面を見たことはないが、おそらくこんな感じになるだろう、と納得させられる。

伏見がゆっくりと、あお向けに倒れた。背中が床を打ち、次いで頭。手を使わないで倒れるには、それなりの技術が必要なのだが、伏見はまったく自分の体を庇《かば》おうとしなかった。後頭部が床を打つ音が鈍く響く。胸に、柄の長いナイフが刺さっていた。まさに急所、すぐに力なく落ちてしまう。右手を震わせながら天井に向けて伸ばしたが、胃から上に突き上げ、心臓を直撃する刺し方だ。

場内、暗転。幕が下りる音がかすかに聞こえてきた。優斗が、大友の手を握ってぎゅっと力を入れる。気の弱い優斗のことだ。本当に目の前で人が殺されたと思ったのだろう。

「大丈夫だから」

顔を近づけて耳元で囁く。その瞬間、客電が点いて客席が明るくなった。第一部、終了。これから短い幕間だ。客席のあちこちで人が立ち上がり、緊迫した空気が解《ほぐ》れてざわめきが駆け巡る。

「優斗、トイレは？」

「行きたい」

「一人で行けるか？」

「私が一緒に行くわ」聖子が声をかけてきた。今日は着物姿――普段も着物が多いのだが、下北沢にあるこの小劇場では、彼女は明らかに浮いていた。客の平均年齢は三十歳ぐらいだし、ドレスアップしている人間はほとんどいない。

「お願いします……あの、面白いですか？」

「面白いわよ」聖子が愛想笑いではない笑みを浮かべた。「私は、長浜さんが見られただけで満足だし」

「ファンだったんですか？」長浜は劇団を卒業後、まずテレビドラマで頭角を現し、最近は活動の場を映画に移している。

「だって、格好いいでしょう。役者が違うわよね」

「今も一人で場をさらってましたね」

「そうね……じゃあ、ちょっと」

聖子が優斗の手を引いて立ち上がる。二人の背中を見送って、大友は黒い幕にぼんやりと目をやった。今、この幕の裏側では、第二部に向けて大慌てで準備が進んでいる。美術担当の古橋《ふるはし》も、フル回転だろう。昔は一番仲が良かった仲間だ。大友が、警察官という芝居とはまったく違う世界へ進んでしまったのに対し、古橋はずっと劇団に残り、アルバイトをしながら活動を支えてきた。その努力には頭が下がると同時に、かすかな羨ましさを感じる。芝居をやめ、警察官を選んだ自分の判断は正しかったのか。今更あの世界――数メートル先の舞台に戻れるわけもないのだが、わずかに気持ちが揺らぐ。

幕間の十分は短い。ここは、下北沢の劇場の中でも小さい方で、トイレはいつも混み合うのだ、と思い出した。二人とも、無事に帰って来られるといいのだが。

幕がかすかに揺れた。おいおい、そこに触らないようにするのは基本だろうが。苦笑しながら、大友は膝に肘をつき、身を乗り出した。古びた椅子がぎしりと音を立てた瞬間、大友はかすかな違和感を感じた。違和感……ではなく臭いだ。刑事になってからすっかり馴染みになった血の臭い。何だ？　誰か怪我でもしているのか？　よほど大量の出血でないと、こんな風には臭わないはずなのに。さらにもう一つ、なじみの臭いを嗅ぎ取った。アンモニア臭……血とアンモニア。二つの組み合わせが意味するのは死だ。人は突然死を迎えた時、膀胱や肛門が緩んで、排泄物をまき散らすことがある。

立ち上がり、周囲を見回す。客席は立ったり座ったりする人が多くざわついているが、異常は見当たらない。腰を下ろそうかと思った瞬間、低く抑えた女性の悲鳴が上がる。場所は……幕の向こうだ。大友は再び立ち上がり、舞台に向かいかけたが、すぐに足を止めてしまった。幕の端がわずかに開き、そこから箕輪早紀《みのわさき》が顔だけを見せている。顔面は蒼白で、黒い背景に白い生首が浮かんでいるようにも見えた。

「テツ君」

一瞬で大友を見つけ、か細い声で呼びかける。その声の調子だけで、大友は異変に気づいた。早紀が今度は右手を突き出し、小さく手招きする。大友は事件の度に感じるざわっとする感覚を背中で味わいながら、大股で舞台下手の袖に近づいた。

「どうした」

「大変なの」

それは分かっている。聞きたいのは、何故大変なのか、だ。大友は舞台に上がる前に、早紀の顔を素早く観察した。第二部の開幕を前に、メイクも衣装も済ませているから、どことなく素顔がぼやけている。それでなくても大きな目はさらに強調され、唇もどぎついぐらいに赤い。

「早く、こっちへ」

「どうしたんだ？」

「いいから、早く」早紀が素早く客席に視線を投げた。異例のことである。幕間とはいえ、舞台上では客席とは違う世界が継続しているのだ。彼女はその暗黙の了解を自ら破ろうとしている。

大友は舞台脇の階段を駆け上った。嫌な予感が、次第にはっきりした形をとりつつある。幕の隙間を通り、早紀の脇をすり抜けるようにして舞台に上がる。小さな照明が点いているだけで薄暗い舞台の上は、かつて馴染んだ演劇の世界ではなく、まさに今、大友が生きる世界に変わっていた。

笹倉が死んでいる。舞台の正面にある透明な壁——第四の壁は消えた。

経験は動揺を抑えてくれる。大友は一切余計なことを考えず、遺体の脇にひざまずいて手首に触れた。はっきりしない。続いて首筋……やはり脈はなかった。

立ち上がり、少しだけ遺体から離れて現場の状況を視界に入れる。笹倉は、舞台の奥に向かって足を向け、高い天井を仰いで倒れていた。心臓の真下に、柄まで刺さったナイフ。流れ出した血は彼の下で赤い水溜りになり、悪いことに舞台の前方まで流れ始めていた。ズボンの股間は黒く濡れている。まずい……このままでは客席にまで垂れ落ちてしまうかもしれない。なにより絶対に優斗には見せたくなかった。

笹倉は両手を脇に投げ出し、大の字になっている。ナイフを引き抜こうともしなかったのは、ほぼ即死状態だったからだ。顔には苦しみはなく、啞然としているように見える。これは芝居のはずだ、どうして——彼の口からは出なかった断末魔の叫びが聞こえるようだった。

「中止にしないと」大友は周囲を見回して、低い声で言った。舞台の上であれこれ揉めているのを、客席には知られたくない。僕は役者じゃないんだから、そんなことを心配する必要はないんだがな、と苦笑したが、すぐに表情を引き締める。自分の仕事は果たさなければならない。

想い出を懐かしむ時間は終わった——始まってからわずか一時間で。

「でも……」早紀が遠慮がちに声を出す。

「駄目だよ。これは事件なんだ」

「笹倉さんは、この後出番はないのよ。だから、彼がいなくても……」

大友は無言で首を振った。そういう問題じゃない……しかしすぐに、自分が彼女と同じ立場だったら、同じように言っていたかもしれない、と思いなおす。夢厳社で芝居をやっていた学生時代、「Show must go on《ショーマストゴーオン》」という台詞が合言葉のように言われていた。何があっても、舞台は続けなければいけない。

だが、時は流れた。今の大友は、永遠に続くと信じていたことが、突然断ち切られる場合もあると知っている。そうやって死んでいった人が何人もいた。

「この現場は保存しなくちゃいけない」

「ちょっと待ってくれよ、テツ」美術の石本《いしもと》が声を荒らげた。「どうやって客に説明するんだ？」

「詳しいことを説明する必要はない。トラブルがあったって、それだけ言っておけばいいんだ。払い戻しになるかもしれないけど……」

「大事な二十周年記念公演なんだぞ」顔を引き攣らせながら、石本が大友に詰め寄った。「途中でやめるなんて、無理だ」

舞台に上がっていた役者たち、裏方たちが一斉に騒ぎ始めた。何なんだ、この連中……人が一人死んでいるんだぞ。大友はゆっくり首を振り、耳の高さに両手を挙げた。ぴたりと騒ぎが静まる。

「冷静になってくれ。笹倉さんは死んでるんだ。これは演技でも何でもない。これから捜査のために、現場を保存しなくちゃいけない。申し訳ないけど、刑事としてお願いする」

笹倉の遺体を取り巻いていた輪が、少しずつ広がる。大友は携帯電話を取り出し、取り敢えず警視庁の代表番号に電話を入れようとした。

圏外。クソ、こんなに古い劇場でも、電波遮断だけはきちんとしているわけか。この場に笹倉の遺体を残して外へ走るのは、今の状況では避けたい。ちらりと腕時計を見ると、既に休憩時間は過ぎていた。進行の遅れはよくあるが、あまりにも遅いと客も騒ぎ始めるだろう。

大友は、この場を仕切ってくれそうな人間を探した。代表の笹倉の次の立場にいるのは……分からない。大友が所属していた時代、夢厳社は単なる学生演劇の集団だったが、今は採算の取れるプロの集まりだ。人も組織もかなり変わってしまったので、誰を頼っていいのか分からない。

「ナンバーツーは誰ですか」

劇団員たちが顔を見合わせた。やがて、全員の目が一人の男に集中する。それに気づいたのか、男はおずおずと前へ進み出て、大友に軽く会釈した。

「あなたは？」知らない男だった。少なくとも、大友がいた頃に在籍していた俳優ではない。

「武智《たけち》です」

頭の中で、この芝居のパンフレットをひっくり返した。気づいて、思わず苦笑を漏らす。第二部から出てきて、最後に犯人を指摘する探偵役の男だ。ということは、大友が学生時代に演じた役を引き継いだことになる。異様な状況のせいかおどおどしているが、顔立ちは端正である。端正すぎて、舞台では目立たないかもしれない、と大友は思った。舞台俳優は、少しぐらい顔にアクがある方がいいのだ。

「あなたがナンバーツーですか？」

「そういうわけでもないんですけど、一応、幹事なので」

「分かりました。客が騒ぎ始めないうちに、公演中止を発表して下さい。気づかれると、いろいろ面倒です。今日は新聞記者もたくさん来ていますしね」

それがどうした、とでも言いたそうな疑問の表情があちこちに浮かんでいた。夢厳社はここ数年、若者の間で「最もチケットが取りにくい劇団」という評判を集めている。それが創立二十周年記念公演で、今最も旬の俳優、長浜が客演する——話題性は十分で、各社の芸能担当記者が、こぞって観に来ているのだ。記者がいればそれだけ、騒ぎが大きくなる可能性が高まる。

「しかし……」武智は踏ん切りがつかない様子だった。

「早くお願いします」大友は意識して声を低くした。愚図愚図《ぐずぐず》言っている場合ではない。この連中は、もしかしたらことの重大性に気づいていないのかもしれないが、大友はこれから巻き起こる混乱に対処するために、頭の中で必死にシナリオを書いていた。

「何と言ったら……」

「理由は何でもいいんです！」低いが強い声で、大友は命じた。慌てて武智が、幕の向こうへ出て行く。客席にざわめきが起きるのがはっきり聞こえた。幕間で役者が出て来るなど、異例のことである。マイクなしで、武智がよく通る声で話し始めた。

「ええと、申し訳ないんですが、先ほど重大なトラブルが発生しました。上演続行が不可能になりましたので、今日はここで終わりにさせていただきたいと思います。まことに申し訳ありません」

一斉にブーイング。野次や疑問が飛び交い、幕の向こうで武智が体を小さくしている様が目に浮かんだ。しかし大友が予想していたのと違い、武智は簡単には引かなかった。

「こちらの手違いですので、払い戻しはします。受付にデスクを置きますので、そちらで手続きをして下さい。本当に申し訳ありませんでした！」

ざわめきがさらに高まり、耐え難いほどのノイズに昇華して狭い劇場に反響し始めた。それを聞いている俳優たちの顔が、ゆっくりと蒼褪める。こいつらは、ブーイングに慣れていない。客席から送られるのはカーテンコールの拍手のみ。それが今、幕越しとはいえ、非難の嵐を浴びている。心穏やかでいられるわけがない。

武智が戻って来た。汗でメイクが滲み、顔は恐怖と緊張で引き攣っているが、気持ちは折れていないようだった。

「客は大丈夫ですか」大友は訊ねた。

「何とか。文句は言っていますが、暴動にはならないと思います」

「結構です。受付の人を増やして対応して下さい。理由を聞かれても絶対に言わないように、徹底して下さいね。受付に回らない人は、控え室に集合して、外へ出ないように。電話は……」禁止。そう言おうとして、大友は言葉を呑みこんだ。それが何を意味するか、自分が何を疑っているかを瞬時に理解したからだ。あまりにも恐ろしい……殺人犯はこの中にいる。

「石本と古橋は、申し訳ないけど、この現場を守ってくれないか」

「冗談じゃないよ」反発する石本の顔は真っ青だった。目の前にあるのが本物の死体で、長年つき合ってきた男が実際に死んでいる事実が、ようやく頭に染みてきた様子である。「こんな、死体のすぐ側で……」

「頼む」大友は頭を下げた。「劇場の中は携帯が通じないだろう。僕は、連絡を取らなくちゃいけない」

「ああ、そういうことか」石本がうなずいた。「逆だよ、それ。遮断システムの電源を切ればいいんだ。俺がやってくるから」

大友の返事を待たずに石本が駆け出すと、舞台上は急に静かになった。残っているのは二人——大友と古橋、そして死体が一つ。ちらりと古橋の顔を見ると、この場にいるだけで自分も汚染されるのではと恐れるように、顔色を失っていた。何か声をかけようかと考え、迷った末にやめる。死者を前にして余計なことを言うべきではない、という考えが先に立った。

笹倉……同じ大学で、大友の二学年上。昔から自信家で傲慢な男だった。夢厳社では演出を担当し、主役級で舞台にも立つ。彼にとってこの劇団が全て、いや、夢厳社は笹倉そのものだったと言っていい。

劇団と一体化していた男が、目の前で死んでいる。それが「アノニマス」の脚本通りの展開なのだと気づき、大友は自分の周囲が闇に包まれるような不安を感じていた。

2

「終わりなの？」優斗が不安そうに大友を見上げた。

「ああ、ちょっとトラブルが起きてね。残念だけど、お芝居はまた観に来よう」

「トラブルって何なの？」聖子が口を挟む。こちらは露骨に不満な様子を隠そうともしなかった。

「それはちょっと……」

「まさか、事件じゃないでしょうね」

大友は慌てて、唇の前で人差し指を立てた。文句をつける観客でごった返す狭いロビー。こんなところで余計なことを言ったら、変な噂が広まってしまう。しかし、大部分の観客は、尋常ではない事態を既に察しているだろう。所轄署から制服警官が何人も到着し、緞帳《どんちょう》の下りた舞台前に張りついて警戒しているのだから。劇場に制服警官――異様な光景であり、これで何もないと思う人がいたら、鈍過ぎる。

「とにかく、優斗をお願いします。僕はここに残りますから」

「じゃあ、やっぱり――」

「お願いですから、余計なことは言わないで下さい」

大友が頭を下げると、聖子がようやく引き下がった。好奇心は満たされないままだろうが、さすがに大友の仕事に関しては常識をわきまえている。二人を劇場の外へ送り出してから、大友は私服の刑事を探した。この付近の管轄は、世田谷北署。知り合いはいないはずだが、それは大友の一方的な思い込みだった。知った顔を見つけられないままうろうろしていると、逆に声をかけられる。

「大友君？」

声に振り向くと、一人の女性がコートのポケットに両手を突っこんで立っていた。腕には「捜査」の腕章。そういえば世田谷北署の刑事課には、女性の係長がいたはずだ。名前は……頭の中で名簿をひっくり返し、榛名美知《はるなみち》という名前に思い至る。

「榛名係長ですか？」思い切って声をかけると、美知が満足そうにうなずく。中肉中背の体型だが、コートが少し大き過ぎるようで、肩の線が落ちていた。顎のラインで綺麗に丸まった髪。目は細く、猜疑心の強い本性が透けて見える。年齢は四十歳ぐらいだろうか。

「あなたが現場にいたの？」

美知が近づいて来る。ようやく客席から人が完全にはけたところで、弱い照明の下、がらんとした空間の中で向き合うのは、ひどく不自然な感じがした。

「たまたまです」

「刑事総務課にいると、お芝居を見る余裕もあるのね」言い方に棘《とげ》があるわけではなく、心底羨んでいる様子だった。「お芝居なんて、もう何年も見てないわ」

「今回は特別ですから」

「特別？」

「二十周年記念公演ですし、私はこの劇団の……OBなので」

「あら、そうなの」美知が目を見開く。「役者だったんだ」

「学生演劇です。昔の話ですよ。この劇団も、昔はアマチュア劇団だったんです」

「あなたはどこで観てたの？」

大友は自分たちが座っていた席に美知を案内した。並んで座り、緞帳を見詰めながら事件発生当時の状況を説明する。美知は生真面目に、所々でメモを取りながら聴いていた。質問を挟まず、相槌も打たなかったが、ボールペンが紙の上を滑る音が心地好く、話を進める推進力になる。

「じゃあ、実際に事件が起きた時は、演技だと思った？」

「そうです」

「どんなに演技力があっても、実際に刺されるのと、刺されたふりをするのは違うと思うけど」美知が首を振る。

「演技力のある役者にかかれば、見分けはつきませんよ。特に笹倉さんは、客席に背中を向けていましたから」

「あなた、刑事？　それとも役者？」

非難めいた台詞に、大友は一瞬顔を赤らめた。しかし美知はそれ以上追及しようとはせず、手帳を畳んで立ち上がった。

「現場を見ましょう。そこでもう一度説明して」

さっさと立ち上がった美知の後に続く。彼女が何となく歩きにくそうにしているのに、大友は気づいた。怪我でもしているのだろうか。

「これが舞台なんだ」美知が感心したように言った。緞帳は閉じたまま。今舞台上を照らし出すのは鑑識が持ちこんだ照明だけで、本来の舞台――異空間の雰囲気とはほど遠い。やたらと天井が高い倉庫という感じだった。

美知が遺体に近づいて行く。背中を丸めるようにして立ち、目を瞑《つむ》って両手を合わせる。それからおもむろにしゃがみこみ、舐めるように遺体に視線を這わせた。

「胃の下から入ってるわね」

「ええ。上に突き上げて心臓を直撃だと思います」

「これは、どういう場面だったの？」

「彼が殺される場面ですよ」

「つまり、脚本通りに事件が起きた？」

「そういうことです」

「脚本では、どんな具合になってるの？」

「この場面は一人芝居なんです」大友は遺体から少し離れ、舞台奥の黒い幕に向き合って立った。「観客に背を向けて芝居をしているんですが、その最中に誰かに刺された、という風に見せかけるんです。実際は、自分で小道具のナイフを装着するんですけどね」

「そういう、芝居用のナイフがあるわけね」

「ええ。刺さったように見せるわけです」

大友は、天井から下ろされた黒い分厚い幕の上方を見上げた。笹倉が倒れている位置は、ちょうど幕の左右の切れ目でもある。この背後に隠れていて、突き刺すことは不可能ではない。芝居の最中には、裏側には誰もいないはずである。

大友は目を瞑り、芝居の流れを思い出していた。笹倉が幕に近づく――隙間から、予め用意されていたナイフが、刃を体に向ける形で出てくる――笹倉はそれを摑んで自分の胸に突き立てる――観客からは、笹倉の体が目隠しになって一連の動きが見えないのだ。

大友は足下を見た。ああ、昔と同じ仕掛けだ。黒く丸いスウィッチを踏むと、幕の奥に隠れていた台が前に出て、装着されているナイフが姿を現すようになっている。

「この奥は？」

いつの間にか横に来ていた美知が訊ねる。まったく気配を感じなかったことに大友は驚いていた。大友自身は決して鈍くはないのだが、彼女は気配を消すのが得意なのかもしれない。だとしたら、刑事としては優秀だ。

「分かりません。劇場によって仕組みが違いますから。入ってみますか？」

「そうね」

大友は中央付近の幕の合わせ目から、体をこじ入れた。裏側にはほとんど照明が届かず、薄暗い。目が慣れるのを待って、細長い空間の様子を視野に入れた。第二部で使われるセットの数々が出番を待っている。とはいっても、酒場の雰囲気を出すためのテーブルと椅子ぐらいで、雑然としていた。何しろ「アノニマス」は動きの少ない芝居で、ほとんど密室の中で話が進む。第二部では、誰が犯人なのかを巡って劇団員たちが延々と推理を繰り広げるのだが、その場所も酒場だ。

「大道具置き場ね」

美知が指摘する。薄い闇の中、彼女が意外と近くに——息遣いが感じられるほど——いるのに気づいた。意識してやっているわけではないだろうが、何となく居心地が悪い。

「そうですね。一部と二部でがらりとセットを変えますから」

美知が、ナイフ用の仕掛けに気づいた。それほど複雑な物ではない。床に細いレールを敷き、その上に木製の細い台座を載せた物だ。幕の向こう——客席側の床に設置された黒いボタンを踏むと、留め金がリリースされて、バネの力で前へ出るようになっている。幕にぶつかる直前で台座が止まり、ナイフだけが出てくるようにするのに、古橋がひどく苦労していたのを覚えている。

木の台の下には、ナイフが——偽物のナイフが転がっていた。

「これが、芝居用なのね」美知がラテックスの手袋をはめ、刃先に触れた。「尖ってないんだ」

「当然です。こんななまくらな模型で、いかにも刺されたように見せかけるのが、役者の力ですよ」

「そういう講釈は別の機会に」美知がぴしゃりと言った。「でも、ここにナイフが残っているということは、誰かが刺したのは間違いないわね」

「はあ」

可能性は、他に二つ、考えられる。自殺、あるいは誰かがナイフを本物にすり替えることだ。

大友はしゃがみこんで仕掛けを改めた。木製の台は本来、後ろ側が留め金で固定されている。ボタンを踏むと留め金が外れて前に出る仕掛けだ。

大友は立ち上がった。誰かが笹倉を幕の陰から刺す——その筋書きは簡単に想像できた。問題は、この程度なら誰でもできた、ということである。ただしその「誰でも」は、仕掛けを知っている劇団の関係者に限られる。

逆に言えば、容疑者は絞られるわけだ。

大友は暗い気分に浸りながら、幕の外へ出た。鑑識のライトに照らされた舞台は、目が潰れるほど明るい。その中にまだ横たわる笹倉の遺体は、いささか非現実的に見えた。ここが舞台であるが故に、笹倉は死んだ演技をしているだけではないか。今にも起き出し、大きく伸びをして、昔のように「ビールでも飲みに行くか」と言い出すのでは……あり得ない。いつまでも過去の感覚に酔っている場合じゃない。僕は役者ではなく、刑事なのだから。

「じゃあ、お疲れ様」美知があっさりと言った。いつの間にか、またすぐ横に立っている。体温が感じられるほど近い。「後は私たちが引き取るわ。すぐに本庁からも捜査一課が入って来るでしょう」

「僕もお手伝いさせていただきます」

「勝手なこと言わないで」美知が鼻に皺《しわ》を寄せた。「あなた、刑事総務課でしょう？ここにはたまたま、プライベートで来ていただけで、首を突っこむ権利も義務もないはずよ」

「僕は現場を見たんですよ。その瞬間に、警察官になったんです」我ながら説得力に乏しいと思いながら、大友は反論した。「それにこれは、劇団内の事件です。僕は、この劇団の内情もある程度知っている。お手伝いできることがあると思います」

「あなたの力を借りなくても結構。十分やっていけるわ」

「僕がいた方がスムーズになります」

「馬鹿言わないで」美知が首を振る。「好き勝手に捜査に手を出されたら、滅茶苦茶になるのよ」

「しかし――」携帯電話が鳴り出し、大友は小さくうなずいて会話をストップさせた。美知もさっさと立ち去ればいいものを、大友を徹底的に叩き潰すつもりなのか、電話の終わりを待つと決めたようだった。

一方大友は、いつもなら敬して遠ざけたい電話の相手を、今回ばかりは利用することにした。相手の言葉に耳を傾け、こちらからも短く事情を説明してから、美知に電話を渡す。美知は不審気に電話と大友の顔を交互に見たが、電話を耳に当てた途端、表情を強張らせて、ぴしりと背筋を伸ばすはめになった。

「指導官……」

虎の威を借る狐ということか。皮肉に思いながらも、大友はこの機会を最大限に利用することにした。

美知から電話を取り返した後、大友は客席に下りて、刑事部特別指導官の福原聡介《ふくはらそうすけ》に詳しく事情を報告した。

「衆人環視の中での事件か。まるで芝居だな」福原が鼻を鳴らす。

「自ら梯子《はしご》を上れ』カーネギーも言っている。『自ら梯子を上れ』

「まさに芝居の上演中でした」

「お前がやる気を見せるのはいいことだ。カーネギーも言っている。『自ら梯子《はしご》を上れ』と。本人がやる気を出さない限り、周りが何を言っても無駄だ」

「はあ」また格言癖が出た。何かあると先人の言葉を持ち出し、部下を説教するのが福原の悪癖である。最近ではオリジナルの格言まで作り始めて、周囲のさらなる顰蹙《ひんしゅく》を買っていた。もちろん本人は気づいていない。刑事部ナンバースリーを、面と向かって馬鹿にする人間はいないのだ。

「それにしても、気持ちが入り過ぎていないか?」

「否定できません」素直に認める。「昔のホームグラウンドですから。当時の仲間も、まだ劇団にいます」

「その世界のことは俺にはよく分からんが、ややこしそうだな」

「普通の世界ですよ。もしかしたら、関係者のエゴが普通よりもちょっとだけ強いかもしれませんが」

「自分こそが主役と思っているわけか」

「そんなところです」

「一課と所轄に根回しはしておく」福原が硬い声で言った。「とにかく、十分気をつけることだな。入れこむと、冷静さを失うことになる」

「分かっています」

「お前はあくまで刑事だ。それを忘れるな」

「肝に銘じます」

電話を切ったタイミングを見計らったように、緞帳の端から美知が顔を出した。

「ちょっと、控え室に来てもらえる？」

「分かりました」

この劇場の控え室は……一度外へ出ると、大回りになるはずだ。舞台の袖から行った方が早いと判断し、大友は短い階段を上がった。迷わず歩き出すと、美知がぴったりとくっつくようにしてついて来る。

「あなた、本当に指導官と特別な関係なのね」揶揄《やゆ》するような声が、背中からぶつかってくる。

「単なる上司と部下ですよ」

「そう？　指導官の私兵だって、もっぱらの評判よ」

大友は歩みを停め、素早く振り向いた。美知の鼻先が胸にぶつかりそうになる。

「これは戦争じゃありません。僕たちは捜査をしているだけですよ」

「分かってるわよ」ごく近い位置から大友の顔を見上げ、美知が挑発的に言った。「別に、指導官のやり方に文句があるわけじゃないし。ただ、噂は本当だったんだな、と思っただけ」

「噂は、大抵の場合は無責任なものですよ。あまり真面目に取らない方がいいです」

「でもあなたも、指導官を利用した」

「これでも、貸しの十分の一も返してもらっていません」

呆れた、とでも言いたげに美知が目を見開いたが、それは事実である。福原はしばしば、「特命」と称して大友に無理な捜査を押しつける。そのために、現場と軋轢《あつれき》が生じるのもしばしばだった。福原にすれば、妻を亡くし、男手一つで息子の優斗を育てている大友に、リハビリの機会を与えているつもりなのだろう。規則的な勤務で、家のことがしやすいようにと、自ら希望して刑事総務課に異動したのだが、福原にすれば、いずれは本来の部署、捜査一課に戻すつもりなのだろう。腕が鈍らないようにという気遣いなのだが、プラスとマイナスどちらが大きいかといえば、マイナスの方だ。嫌な思いやトラブルを背負いこまされたのを、ここで少しだけ返してもらうつもりでいた。福原にすれば、元々この事件の一報を聞いて、相当面倒なことになると判断したからこそ、電話してきたわけである。大友としては、渡りに船だった。

「とにかく、現場としてはあまりいい気分はしないということを覚えておいて」

「せいぜい気をつけます」大友はご機嫌取りの笑顔を作ったが、美知の険しい表情は変わらない。それなのに、二人の距離は相変わらずゼロに近かった。

「ちょっとよろしいですか？」

「何？」

「近過ぎるんですけど」大友は一歩引いたが、すぐに美知が距離を詰めた。

「コンタクトレンズを忘れたのよ」

「ああ」

大友は美知を先導して——彼女はほとんど背中にくっついていた——控え室に向かった。廊下は狭く、天井は高く、冷え冷えとした空気が流れている。古びて塗装が剝げかけたドアの向こうから、ざわざわとした声が伝わってきた。制服警官が一人、無表情でドアの外に立って警戒している。美知の顔を見ると、素早く敬礼した。

「人の出入りは？」

「ありません」

「中の様子はどう？」

「そっちは見ていません」

当たり前だ。どうも美知は基本にこだわり過ぎる、と大友は思った。言わずもがなのことまで、一々確認しないと前へ進めないようだった。

「どういう手順で行きますか」

「関係者を、ばらばらに事情聴取したいわね。口裏合わせをされないように」美知がドアに手を伸ばしかけ、動きを停めた。「この中、どうなってるの？」

「確か、単なる大部屋です。ここでメイクをしたりします」大友がこの劇場で舞台に立ったのは十年以上も前であり——出し物は「アノニマス」ではなかった——改装されて中の状態が変わっている可能性もある。

「だったら、ここは使えないわね。小さい個室があるといいんだけど」

「無理ですね。距離を置いて、お互いの声が聞こえないようにして、事情聴取するしかありません。客席の端と端とか」

「だったらこの部屋は、控え室として使った方がいいわね」

「ここは狭いですから、もう一つの控え室を使いましょう。そちらの方が広かったはずです」

「それであなたは？　事情聴取を手伝ってくれるの？」

「いえ」

否定すると、美知がくいっと眉を上げた。好き勝手にやるつもりかと、頭に来ているのだろう。

「控え室に潜りこみます。知っている顔もいますから、正式な事情聴取ではなく、さりげなく話を聴き出してみますよ。刑事としてではなく、昔の仲間として」

「そう……」何か言いたげに、美知が唇を舐める。昔の仲間と仕事を天秤にかけるつもりなのか、とでも言いたいのだろう。大友としては、そんな意識はなかった。自分は単なる刑事であり、芝居は学生時代の趣味に過ぎない。卒業してから、個別に昔の仲間と会うことはあったが、芝居との関わりは一切断ち切っている。その間に夢厳社は、学生劇団から、金の取れるプロに変わった訳だ。その裏に、笹倉の手腕があったのは間違いない。

広い方の控え室のドアを押し開けると、最初に目が合ったのは早紀だった。少し疲れた笑みを浮かべ、大友にうなずきかける。うなずき返してから近づいて行くと、小さく首を振った。その意味を捉えかね、大友はその場で歩みを止める。しかし拒絶ではなかったようで、早紀の方から歩み寄って来た。

「参ったわね」声には疲れが滲んでいる。

「座ったら?」

大友は折り畳み椅子を持ってきて、彼女に勧めた。瞬時躊躇《ためら》った後、早紀が腰を下ろす。それにしても相変わらず細いな、と思った。すらりと背が高いせいで、細さが一層強調されている。目を中心にメイクは派手だが、服装はごく普通のグレイのスーツだった。「アノニマス」での彼女の役どころはヒロイン、劇団の看板女優なのだが、地味目の衣装のせいもあり、今は化粧が派手なＯＬにしか見えない。

大友も別の椅子を持ってきて、彼女の斜め前に置く。横に座ると表情が見えないし、正面だと相手を警戒させてしまう。こういう状況では、この位置取りが正解なのだ。座る前に、飲み物を求めて部屋の中を見回す。どこの劇場の控え室も同じようなものだが、雑然としていた。団員たちが私物を置き、出番がない時に体を休める場所。中央に大きなテーブルを置き、その上にペットボトルのお茶やスナック菓子が置いてある。団員たちの荷物は、壁際にぐるりと置かれた折り畳み椅子の上に、乱雑に積まれていた。さすがに最近は控え室も禁煙になったようで、空気は綺麗だった。ただし、昔はお馴染みだった立ち上る紫煙の代わりに、あちこちでひそひそ話の輪が広がっている。一方で大友は、奇妙な違和感を抱いていた。涙がない。仮にも仲間が目の前で殺されたのだ、そろそろ衝撃による麻痺も薄れ、泣き出す人間がいてもおかしくないのに、何故か皆、声を潜めて話し合いながら、仲間たちの様子を窺っているようである。

大友は早紀にペットボトルのお茶を渡すと、自分も椅子に腰を下ろした。

「こんなことが舞台で起きるなんて、信じられない」早紀が首を振った。

「ああ」

「刑事さんでも、こういう経験はないわけ？」

「ないよ。こんなことは、推理小説の中の話だとばかり思っていた」

「あるいは『アノニマス』の中の話ね」応じておいてから、早紀がお茶を口にする。その手がかすかに震えているのに、大友は気づいた。

「そうだね」

どこから切り出すか……きちんとした事情聴取は、所轄と捜査一課の刑事たちがするだろう。僕の役目は彼女をリラックスさせ、事情聴取と思わせないで情報を引き出すことだ、と自分に言い聞かせる。

「でも、何かリアリティがないわ」

「あれが笹倉さんの芝居だって言われても、まだ納得できるかもしれない。覚えてる？二分、息を停めてたよね」

「ああ」早紀の顔の強張《こわば》りが柔らかく解けた。「初演の時でしょう？　びっくりしたけど、あれもプロの技よね」

「あの頃の僕たちは、プロじゃなかったけど」

「そうね」小さな溜息。「だけど、あの人は昔からプロだった」

「プロじゃないのにプロか。あの人らしいよね」

笹倉は、夢厳社の創設メンバーではない。笹倉が参加したのは、劇団創設から五年後だったはずだ。

大友が誘われて参加した頃は、本当に素人劇団で、今改めて考えれば、高校の文化祭で上演されるレベルの芝居だった。しかしその中で、笹倉だけは違っていた。大友はあくまで「学生演劇」「趣味のレベル」を自覚していたのだが、笹倉はいずれこの劇団で金が取れるようになると確信して、自分の全てを——金も時間も——注ぎこんでいた。その結果、大学は留年を繰り返して、結局中退してしまった。

「二分間の息停め」は、「アノニマス」初演の時の出来事だった。笹倉は今日と同じ、劇団の主宰者である「伏見」役を演じたのだが、刺されて倒れた直後に、照明が消えなくなってしまった。スタッフが何とかするまでの二分間、彼はひたすら息を停めて、その場で「死んでいた」のである。あれが夢厳社の——笹倉の伝説の始まりだったかもしれない。

「笹倉さん、今日はどんな様子だった？」

「いつも通り」

「二十周年なのに？」

そういえば、この公演への招待状も淡々としたものだったな、と思い出す。今でも毎年交換している年賀状では、墨痕鮮やかに自筆でメッセージを書いてくるのに、招待状は単に印刷されたものだった。いつも一言多いというか、思わず苦笑してしまうような熱い男なのに、よほど忙しかったのか。

「一人でほとんど全部切り盛りしてたから。そういう張り切り方は、昔と変わらないっていう意味よ」

「そうか」

「何でも自分で抱えこんで、コントロールできないと怒鳴り散らして」早紀が苦笑した。

「そうだったね」大友は彼女の苦笑につき合った。「アノニマス」の伏見は、まさに笹倉をモデルにしている。今考えてみると、よくこの役を受け入れた——脚本にOKを出したものだと思う。自分のことを揶揄されたと激怒してもおかしくないのに。もっとも笹倉は、劇団員の演技や事務的な問題については、神経質と言えるほど細かい男だったのに、変なところで鷹揚《おうよう》だった。舞台の内容そのものに関しては、「面白ければそれでいい」というスタンスである。「アノニマス」の脚本初稿を読んだ時に、いきなり声を上げて笑い始めたのを、大友ははっきりと覚えていた。

「最近、劇団の中はどうだったのかな」

「どういう意味？」早紀が目を細める。顔立ちが綺麗な分、やけに怖かった。これすら演技かもしれないが。

「昔からぎすぎすしてたじゃないか。僕がいた頃はアマチュアだったから、まだ甘さがあったけど、今はこれで金を儲けてるわけだろう？　利害関係が絡むと、いろいろ大変なんじゃないかと思って」

「それでも、最近は余裕ができたわよ。それぞれ外で仕事もあるし」

最たる存在が早紀だ。彼女は夢厳社に所属したまま、長くテレビの世界で活躍している。主役級ではないが、癖のある脇役を任せると、その場の空気をさらってしまうような存在感を持っていた。

「君も忙しいんだ」

「まあまあ、ね」

「ご謙遜じゃないのか？」

「そういうの、自分の口から言うようなことじゃないでしょう」

ぎしりと音を立ててドアが開いた。顔を上げてそちらを見ると、長浜が顔を覗かせている。いかにも不安そうに、自分がこの部屋に入っていいかどうか、迷うような態度。それすら演技ではないか、という疑いは消えなかった。

3

立ち上がり、大友はドアを大きく開けた。長浜が一歩下がり、大友のためにスペースを空ける。

「中へ入りたいんじゃないか」

「遠慮するよ。お前こそ、外に出たいんだろう?」長浜が訊ねる。

「そういうわけじゃない。お前の顔が見えたから」

「ああ」どこかぼうっとした声で言い、長浜が煙草を取り出した。「煙草、つき合わないか?」

「僕は吸わないよ」

「一人になりたくないんだ」

「控え室にいればいいじゃないか」

「ここじゃ煙草が吸えないだろう」

誘うなら、マネージャーでも誰でもいるのではないか。そう思ったが、大友は彼につき合うことにした。どうやら演技ではなく、本当に戸惑っているらしい。

昔は――それこそ大友が舞台に立っていた頃は、小さな劇場ではどこでも煙草の煙が渦巻いていたものだ。今はほとんど禁煙で、喫煙場所が一か所か二か所だけあるようになってしまった。大友のように煙草を吸わない人間にはありがたい話だが、喫煙者にとっては、まず劇場で喫煙場所を確認するのが最優先事項になっている。

この劇場の喫煙室は、ロビーの隅にある。ガラス扉で区切られた場所は、そこだけまだ新しかった。足止めを食らったスタッフたちが何人か、所在なさげに煙草をふかしている。長浜が入って行くと、自然に灰皿の前の特等席が空いた。スターに対して遠慮する空気がはっきり感じられる。今日の彼はまだ舞台衣装——型崩れしたジャケットに膝の抜けたジーンズというだらしない格好なのに、やはり発するオーラは独特の物だった。

狭い喫煙所の真ん中にある排煙装置に肘をつき、長浜が煙草に火を点ける。ジッポーの蓋を開け閉めする冷たい金属の音すら、効果音の一つのようだった。排煙装置では間に合わず、喫煙室の中は空気が薄っすらと白く染まっている。大友は閉口したが、話を聴くチャンスなので何とか我慢した。

「探偵としては、どうなんだ」いきなり、長浜が切り出してきた。「アノニマス」のオリジナルキャストに引っかけた話なのだとすぐに気づく。

「まだ何も分からないよ」

「そうか？」

「これは芝居じゃないから」大友は肩をすくめた。

「脚本上は、あと一時間で全部解決するんだけどなあ」

「実際はそういうわけにはいかない」

「そうか」つまらなそうに言って、長浜が煙草の煙を噴き上げる。

大友は目を瞬かせた。さすがに煙が目に染みる。これならいっそ、自分も煙草を吸ってしまえばいいのだが、眩暈《めまい》がして話などできなくなるだろう。

「あの時、近くに誰かいた？」

「知らないけど、いなかったんじゃないか？　あの芝居は一人芝居で、あのまま第一部が終わる予定だったんだから。そんなことより、自殺じゃないのか」長浜が煙草をくわえたまま、ぽつりと言った。

「どうしてそう思う？」

「それが、結論として一番簡単じゃないか」

「そもそも笹倉さんが自殺するような動機、あるのか？　遺書でも見つかったのかよ」

「さあ」長浜が首を傾げる。そろそろ渋みが忍びこんできた顔に、子どものような無邪気さが混じる。「あの人のことはよく知らないから」

「連絡、取ってなかったのか？」

「基本的に、一緒に仕事をすることはなかったし」

「それ以外でも、さ」

「個人的につき合いたい人でもないし、ちょっと別の世界だからな」

さらりと言ったが、はっきりと傲慢さが感じられる台詞だった。確かに夢厳社は今、「最もチケットが取りにくい劇団」と言われているが、それでも関係者の生活は楽ではないはずだ。芝居は何かと金がかかる。舞台以外でも活躍する早紀たちを除いては、かつかつの生活だろう。さすがにアルバイトをしている人間はいなくなったようだが……。

一方長浜は、劇団と袂を分かって以来、ずっと表舞台を歩んできた。学生時代は、夢巌社に籍を置きながら、雑誌のモデルとして活躍。テレビドラマに出始めた頃は、どこにでもいるハンサムな脇役でしかなかったが、NHKの連続ドラマでチャンスを摑んだ。冷徹な殺人者役だったのだが、父親が刑事という特殊な状況の中、崩壊した親子関係を見事に演じ切って、一気に「演技派」の評判を得たのだ。その後はテレビドラマの主役級で遇され、三十代に入ると活躍の場を映画に移した。人気の面でも収入の面でも、劇団の連中とは一線を画す存在になったといっていい。

「でも、たまには呑んだりとかしてなかった？」

「ないな」

「お前、夢巌社に恨みでもあるのか？」

「考え過ぎだよ」長浜が喉の奥で笑う。「単に、接点がなくなってただけだ。今は忙し過ぎるし……ここを辞めた時だって、ごく自然に、だからな」

「テレビドラマのオーディションに合格して、ね」あの時の騒ぎは、大友もよく覚えている。笹倉が、苦虫を嚙み潰したような表情を浮かべていたことも。

「それがたまたま、大学の卒業時期と重なってただろう？　こっちとしては、就職するような感覚だったんだよ」

「じゃあ、笹倉さんとは……」

「卒業してから一度も会ってない……会ってなかった」すぐに訂正し、煙草を揉み消す。新しく一本を取り出し、火を点けないまま、掌《てのひら》の上で転がした。

「じゃあどうして、今回の出演依頼を受けたんだ？」

「事務所がね」それで全て分かるだろうとでも言いたげに、長浜が肩をすくめる。「最近、舞台ともご無沙汰だったし」

「やっぱり映画とは違うんだろうね」

大友は、長浜が主演でリメークされた「野良犬」を、去年観たのを思い出した。

「全然違う。緊張感がね……うちの事務所は、変に熱いところがあってさ。舞台の緊張感を忘れちゃいけないっていうのが社長の方針なんだ。そんなこと言われたら、こっちとしては逆らえないじゃないか」

「本当は出たくなかったんじゃないか」

「まあ、出るとなったらちゃんとやらないとね」

微妙な言い回しだ……要するに、夢厳社など眼中にないということか。事務所が強引に勧めなかったら、この話は進まなかったかもしれない。

「笹倉さん、張り切ってただろう」

「それはまあ、あの人のことだから。昔と同じだったよ」長浜が苦笑する。学生時代を思い出したのだろう。気に入らなければ平気で手を上げ、芝居の話になると一晩中でも熱く語るのが笹倉という男だった。

「お前は、笹倉さんに会ってなかったのか？」長浜が逆に質問してきた。

「ああ。いろいろ忙しくてね」

「そうか。優斗君、何歳だっけ？」

「九歳。三年生になった」

「まだ手がかかるな」

「そろそろ親離れしてくれないと困るんだけど」

「子育てしながら仕事も、か。それはそれで大変だよな」

この男が言うと、心底慰められる。だが、それに騙されてはいけないと大友は気持ちを引き締めた。これも演技かもしれないのだ。リアルと嘘の線引きが、本人にも分からなくなってしまっているのではないだろうか。

「それで、久しぶりの夢厳社の舞台はどうだった？」

「相変わらずだよ」長浜が苦笑した。「まあ、笹倉さんも少しは丸くなったけどさ」

「稽古は大変だったのか」

「俺は、この芝居のことは結構覚えていたけどね。変な話だよな。十年以上前に一度やっただけなのに、細かいところを妙に覚えてるんだ。記憶ってのは、よく分からないな」

「年取ってきたんじゃないか？」

「よせよ」大袈裟に手を振って、長浜がもてあそんでいた煙草に火を点けた。目を暗い光が過《よ》ぎる。「だけど、面倒なことになったな」

「申し訳ないけど、しばらくは警察の人間が張りつくと思うよ」

「まさか、俺が容疑者だっていうんじゃないだろうな」長浜の顔が引き攣る。

「犯人が捕まるまでは、いろいろ面倒なことがあるんだ」

「お前が俺を調べるのか？　だったらお手柔らかにお願いしたいな」

「僕は担当しないと思う。今日はたまたま、招待券を貰って観に来たんだ。今は、ちょっと手伝っているだけだからね。事件直後は、現場は混乱するから、人手が必要なんだ」

咄嗟に大友は嘘をついた。本当は、これから積極的にかかわっていくつもりである──普段よりも。

「お前に調べられたら、変な感じだろうな」長浜が緊張した笑みを浮かべる。右目の下が軽く痙攣していた。

「だと思うよ。僕も、今は完全に刑事だから」

「何だか怖いな」長浜が肩をすくめる。

リラックスさせるために笑いかけながら、大友はロビーに動きがあるのに気づいた。美知が、誰かを探してうろうろしている。大友は喫煙室を出て、新鮮な空気に感謝しながら、彼女に向かって手を振った。美知が、すぐに駆け寄って来る。

「誰か、お探しですか？」

「長浜さんは？」手帳に視線を落としながら訊ねる。「長浜護さん」

「そこで煙草を吸ってますよ」大友は喫煙室を指差した。

「事情聴取の順番だから。ちょっと呼んで来てくれる？」

「榛名さんが担当するんですか？」

「違うけど、どうして」美知が疑わしげに目を細める。

「いや……」長浜護の名前を聞いて何とも思わないのだろうか。名の知れた俳優なのだから、すぐにぴんときそうなものだが。そう考えた直後、長浜はここ数年、映画にしか出ていないのだ、と気づいた。テレビの露出度と映画のそれはまったく違う。映画好きな人ならともかく、今の長浜は、「日本人なら誰でも知っている俳優」というわけではない。「劇団の、昔の看板俳優ですから」

「今は？」

「劇団は辞めてます」

「それで何をやってるわけ？」

「俳優ですよ」

意味が分からない、とでも言いたげに美知が首を捻《ひね》る。

「今は主に、映画に出てます。観たことないですか？ 去年、黒澤明の『野良犬』のリメークで話題になったんですよ」

「映画を観ている暇なんか、ないから」冷たく言ってから、美知が「さっさと連れて来て」と命じた。

人はそれぞれ、違う世界を生きている。自分の世界が世間の標準だと思ったら大間違いだ。そんな当たり前のことを改めて思い知った大友は、踵を返して、三本目の煙草をくわえたばかりの長浜を呼び出した。

舞台に上がる。笹倉の遺体は既に運び出されており、緞帳も上がっていた。笹倉が倒れていた場所にはまだ血溜りが残っていて、鑑識の活動が続いていたが、それを除けば大友がかつてよく知っていた世界だった。いや、違う——まだ現実と芝居の線引きができていない。床を這うように動き回っている青い制服姿の男たちの存在も、現実感を呼び戻してはくれなかった。これはまさに、「アノニマス」の一場面そのままだ。

大友は、自分が演じた舞台の様子を思い出していた。第一部の最後で、「伏見」が殺される。第二部の頭では、舞台の左側で、数人の鑑識課員たちが床を這うように動き回っているのだ。台詞もない、背景のような存在の役者たちが演じる。ライティングが切り替わって舞台の右側を照らし出すと、主宰者を失った劇団員たちが、酒場であれこれ推理を繰り広げる場面になる。

舞台の中央に立ち、客席を見回す。一番前が一番広く、後ろに向かってすぼまる漏斗《ろうと》状の作り。緩やかに階段を上がるような傾斜が作られている。客がいない、がらんとした空間も、お馴染みの物であった。稽古ではいつもこんな感じだったのだが、今日はいつもと勝手が違う。背後で、鑑識課員たちがざわざわと動く音が、芝居ではあり得ないBGMになっている。ポケットに両手を突っこみ、目を瞑って意識を集中する。

これが殺人なら、間違いなく怨恨が動機だ。人を殺そうとする人間は、大抵正気をなくしている。場所や時間を選んだりせず、ついかっとなって衝動的にやってしまった、というケースがほとんどなのだ。わざわざ殺人の舞台を準備して、そこで犯行に及ぶことなど、まずあり得ない。犯行を隠すためにアリバイ工作をする暇さえ、実際にはほとんどないのだ。衆人環視、舞台上で実際に事件を起こすとなると、犯人には明確な意図がある。これが本当の劇場型犯罪か――と大友は皮肉に思った。本当は「劇場犯罪」と呼ぶべきかもしれないが。

目を開け、舞台を左手の方にゆっくりと歩いて行く。今は客席の灯りも全て点いているせいで、そこそこ明るいが、古い劇場なので椅子は色褪せており、どこかみすぼらしい感じがした。客で埋まれば、まったく違う派手やかな空間になるのだが……足元で床がぎしりと音を立てる。長浜は音を立てずに歩いていたな、と思い出し、プロの意識の高さを改めて認識した。

笹倉を恨んでいたのは誰だ？　だいぶ丸くなった、と長浜は評していたが、長年劇団の主宰者として君臨していれば、恨みを買うことも少なくなかっただろう。恨みの原因は金か、あるいはプライドの問題。叱責され、「辞めちまえ！」と言われて、へらへらしていられる人間などいない。そういうことは自分には関係ない話だ、とも思う。大学を卒業し、劇団を離れてから十年以上。今となっては、恥ずかしさの滲む想い出でしかない。経験としてもたらしてくれたものも多かったが、やはり過去は過去に過ぎない。

今回、招待状を貰った時も、少しだけ迷った。観に行こうと決めたきっかけは、優斗の存在である。子ども向けのアニメや映画だけではなく、しっかりした舞台を見せておきたい。内容を理解できるかどうかは別として、本物の迫力に触れさせておきたかった。

とんだ結果になってしまった……舞台を観ること以上に、かつての仲間たちと久しぶりに酒を酌み交わすのは楽しみだったのだが、今夜は果たせないだろう。

客席の真ん中の通路を、誰かが歩いて来る。古橋だ、とすぐに気づいた。うつむいているので表情は窺えない。少しサイズの大きいモスグリーンのM65タイプのフィールドジャケット——昔からの彼の作業着だ——のポケットに手を突っこみ、足かせがついたように重い足取り。長く伸ばした髪は昔と同じようにぐしゃぐしゃだが、天辺が少しだけ薄くなっている。年齢のせいだけではなく、気苦労が原因だろうと考え、可哀想になった。

舞台まで近づいて来ると顔を挙げ、無理に笑う。

「どうだい、探偵さん。もう事件は解決したか」

笑えない冗談だった。確かに大友は、最初に「アノニマス」が上演された時、最後に謎解きを披露する探偵役を演じた。あまりにも鮮やかな謎解きは、黄金時代のミステリのような嘘臭さに満ちている、とかすかに不満を抱いたのを思い出す。特に刑事になってからは、リアリティのなさが気になった。事件は、パーツがはまるようにぴたりと解決するものではないのだ。どこかにいびつなパーツを無理矢理はめたり、あるいは穴が空いたままの部分から全体像を推測しなければならないことも多い。数学の問題を解くように事件が終わると、むしろ不自然に感じてしまう。刑事になってから、大友はいわゆる本格物のミステリをまったく読んでいない。

「そう簡単にはいかないよ」大友はしゃがみこんだ。舞台は高い位置にあるから、それでも小柄な古橋を見下ろす格好になる。

「冗談じゃないぞ、こんなことって……」古橋の顔色は、不自然なほど蒼かった。劇団員たちが、この事件にあまり現実味を感じられないような状況の中、彼だけは本物の恐怖を味わっているようだった。

「ああ」慰めの言葉を思いつかず、大友はうなずくにとどめた。

「ちょっと、いいか」

古橋が手招きをする。大友は片膝をついてさらに姿勢を低くし、彼に近づいた。

「俺、疑われてるみたいなんだけど」

少し神経質になり過ぎではないか、と思った。疑われている……確かに古橋は小道具を担当していて、芝居用のナイフを用意する立場にあった。しかし少し考えてみれば、あの程度の小細工は、この芝居に関係している人間なら誰でもできると分かる。

古橋は煙草をくわえたまま、一旦劇場の外へ出ようとしたので、大友は止めた。それが彼の癇に障ったらしい。

「何だよ、お前まで俺を疑ってるのか？」

体がぶつかりそうな勢いで突っかかってくる。大友は彼の両肩に手を置き、慎重に距離を置いた。掌に、彼の体が震える感触が伝わる。そのまま、素早く周辺の状況を見渡した。ロビーには他の劇団員も、刑事たちもいる。話ができる状況ではないし、喫煙室も満員だ。

「違うよ。外へ出ると、いろいろ煩《うるさ》いんだ」

「だけど……」

「どこか、劇場の中で話ができる場所はないのか？」

「話ぐらい、どこでもできるだろう」古橋は冷静さを失っている。自分が置かれた状況を把握できていないようで、不安が全身から滲み出ていた。

「いいから。ここじゃ、煩さ過ぎて話もできない」

「……じゃあ、屋上にしよう」

「行き方、分かるか？」

「ついて来いよ」

古橋が体を捻って大友の手を振り払い、大股で歩き出した。小柄な男なので、追うのはそれほど大変ではなかったが。

「大友君」

呼びかけられ、振り返ると、美知が険しい顔でこちらを見ている。まずい……あの顔は、本気で古橋を疑っている。大友は素早くうなずき、きちんと押さえておく、と目で合図した。美知は何とか納得してくれたようで、そのまま踵を返して去って行く。

古橋はホールの端にある非常口を押し開け、中に姿を消した。慌てて後に続き、暗い階段を上がる背中を追いかける。階段では湿った冷たい空気がかすかに流れており、大友は思わず身震いして、腕にかけていたコートを着こんだ。すぐ後ろまで追いつくと、古橋が振り返ってちらりと大友の顔を見る。うなずいて安心させてやってから、何も言わずに階段を上り続けた。

三階分階段を上がると、錆びついたドアが姿を現す。古橋は迷わずドアに手をかけた。軋む音とともにドアが開き、十二月の冷たい風が一気に襲いかかってくる。大友は思わず首をすくめ、ウールのコートの襟を立てた。古橋に続いて外に出ると、何もない、だだっぴろい空間が姿を現す。隣のビル――やはり劇場だった――の看板がすぐ目の前に迫っているが、基本的には吹きさらしで、風を遮る物がない。古橋は両手の中にライターを隠し、苦労して煙草に火を点けた。かすかに上を向いて吐き出した煙は、すぐに風に飛ばされて消えてしまう。小田急線の新宿行き電車が走り去るのが遠くに見えた。ちらりと腕時計を見ると、既に九時。事件発生から一時間が経過している。

「驚いただろう」先に声をかけた。

「当たり前だ」風に負けまいと、古橋が声を張り上げる。

「誰が刺したとか、見てないのか？」

「ああ」

「で？　どうしてお前が疑われてるんだ」

「お前に話していいのかよ。テツは刑事じゃないか」

彼の態度の矛盾に、思わず苦笑した。先に相談してきたのは彼の方である。もしかしたらその時点では、大友の現在の立場に気づいておらず、冷静になって初めて、刑事と一対一で話し合うことになってしまったと意識したのかもしれない。それだけ焦って、冷静さをなくしていたわけか。

「話したくないんだったら、無理に話さなくてもいいよ。僕以外の人間が話を聴くから」

大友は二歩だけ後ろに下がった。かすかに頬を引き攣らせた古橋が、唇から煙草を引き抜き、慌てて弁明する。

「いや、聴いてくれ」

「聴くよ。何が言いたいんだ？」

「俺は何もやっていない」

「そうか」

「小道具なんて、誰にでも触れられる」

「運びこんだのはいつだ？」

「昨日だ。それで、通し稽古をやって」古橋が忙《せわ》しなく煙草を吸った。闇の中で、赤い火が彼の顔を薄く照らし出す。漂う煙草の香りが大友の鼻を刺激した。

「昨日の段階では、刃物は……」

「まったく問題なかった」

「昔使ってたやつじゃないよね？」あの時は金がなく、古橋の手作りだった。ちゃちなナイフは、前の方の席に座っている人たちからは、偽物——段ボールで作り、銀紙を張っただけのもの——と分かってしまったかもしれない。

「今回のために新調したよ。今の劇団には、それぐらいの余裕はある」

「そうか」

「今日も本番の前に確認した。第一部の重要なポイントだからな」

「ああ……最後に確認したのはいつだ？」

「始まる二時間前」

うなずき、これではどうしようもないと、胸の中で諦めかける。二時間あれば、どんな細工もできるはずだ——。もっともそれも、古橋の言葉を信頼した場合の話である。そもそも彼が嘘をついていたら——彼がやったなら、考えるだけ無駄だ。

闇に目が慣れてきたので、大友は周囲を見回した。ぼろぼろになったプラスティック製のベンチを見つける。壊れていなければいいんだが、と思いながら近づき、掌を押し当てて体重をかけた。ぎしぎし音がしたが、何とか座れそうなので、古橋に声をかける。

「座ろうよ」

古橋がのろのろと歩いて来て、ベンチに腰を下ろした。煙草はくわえたまま、ジャケットのポケットに両手を突っこみ、背中を丸めて腰を下ろす。後ろから吹いてきた風が、ぼさぼさの彼の髪をさらに乱した。風のせいもあって煙草はあっという間に短くなり、唇を焼きそうになっている。引き抜くと、屈んで床に押しつけ、火を消した。すぐに新しい一本をくわえたが火は点けず、口の端でぶらぶらさせる。

「最近、劇団の中はどうだったんだ」

「相変わらずだよ」

「金の面では楽になったんだろう？」

「多少はな。でも、あくまで多少は、だぜ。俺の預金通帳を見たら、絶対驚くよ」皮肉に唇を歪める。

「皆そんな感じか」

「俳優連中は違うけどな。早紀なんかは儲けてるよ。春からまた、連ドラの仕事が入ってるし」

「それは、お前から見たら裏切り行為かな」

「そんなことはない」慌てて古橋が首を振った。「それを言ったら、笹倉さんだって外で仕事をしてるじゃないか」

「去年の映画では、怪演、とか言われてたよね」

古橋が鼻を鳴らす。煙草に火を点けて少し間合いを置き、「あれぐらい、あの人にとっては大したことじゃない」と吐き捨てた。

オカマのバーテンダー。百八十センチを超える長身で、元々いかつい顔の彼がそういう役を演じると、それだけで一種異様な雰囲気がスクリーンを支配してしまった。コミカルなのに、ひょんなきっかけで血の雨が降りそうな恐怖と危うさを感じさせる。その役で、笹倉は日本アカデミー賞の助演男優賞にノミネートされていた。

「あの後、外からの仕事の依頼が結構増えたんだけど、基本的に断ってたみたいだな」古橋が言った。「取り敢えず、この二十周年公演を無事に終えるまでは、劇団の方に専念したいからって。それに笹倉さんは、映画もテレビも馬鹿にしてた。一段下に見てたんだよ」

「相変わらず芝居が最高の芸術、夢厳社が全て、か」

「それはそうだよ。あの人、劇団の事以外はどうでもいいんだろうな。今でも六畳一間のアパート住まいなぐらいだから」

「まさか」

これだけ人気の高い劇団の代表で、自分たちの芝居以外でも高く評価されている男が？　にわかには信じられない話だった。

「本当だ」古橋が唇を歪めるようにして笑う。「あの人、そういうことにはまったく気を遣わなかったから。でも今は、そもそも劇団の方に住んでるみたいなものだから、アパートは単なる荷物置き場になってるんだろうけどね」

夢厳社は今、高円寺に本拠地を構えている。二十周年公演の招待状も、そこから届いていた。ビルの名前は、そのまま「夢厳社ビル」。自社ビルか？　だとしたら、劇団の財政状況は相当よかったに違いない。ビル一棟建てるのにどれほどの金がかかるかは分からないが、財政状況がよくなければ、銀行も金を貸してくれないだろう。

「自社ビル、だよね」

「三年前に建てたんだ。劇団の事務所と、練習スタジオが入ってる。笹倉さんはほとんど、そこの一番上で寝泊りしてるのさ」

「借金したんだよね」

「億単位で。これから返していくのは大変だよ」

「負担はお前たちにくるんじゃないか？」

「まあ、給料はそんなには上がらないだろうな。俺、五年前まではまだバイトをしてたんだぜ」

「そうか」

「ずっと塾で教えてたんだ。これがいい金になるんだよな。教育費をケチる親はいないから、教育産業の未来は明るいよ」自嘲気味に言って、古橋が煙草の煙を噴き上げる。

「五年前って、その頃には劇団はもう法人化されてたはずだよね」

「あれは税金対策だよ。芝居で飯が食えるかどうかは別問題さ。客が入らないとどうしようもない。話題先行だった時期もあるし」

「苦労してたんだな」

「そうでもないけどな」古橋が苦笑した。「好きでやってるわけだし、金のことはともかく……」

「まさか、まだ上納金をやってたんじゃないだろうな」

古橋の顔が一気に暗くなる。上納金──ヤクザの世界の話のようだが、大友たちは半ば揶揄するようにそう呼んでいた。学生演劇が、チケット販売だけでやっていけるわけがない。練習場所を確保し、衣装や大道具を揃える。公演にはやたらと金がかかるのだ。そのためには結局、全員が少しずつ金を持ち寄るしかない。大友のバイト代も、かなりの部分が劇団の活動に消えていた。

「しょうがないだろう。早紀だって、ギャラの一部を入れてたぐらいなんだから」

「強制的に？」

「まあ……ルールはあったよ。曖昧だけど。俺は月に三万ぐらいだったけど、早紀なんかは、ずっと多かったんじゃないかな」

「彼女の場合、上納金を払っても余裕たっぷりなぐらい、儲けてるんだろうけどね」

「ランク、Bだからな」

「ランク？」

「出演料の」

「ああ」

本当かどうか知らないが、よくそういう言われ方をされているのは大友も知っていた。一時間当たりの出演料――上から「S」「A」「B」などと言われ、「S」の場合は一時間で二百五十万円、などと聞いたことがある。

「そういう状況に不満を持ってる人もいたんじゃないか？」

「どうかな。俺みたいに古い人間は、貧乏にも慣れてるし。最近入ってきた奴らは、俺たちみたいな苦労をしてないから、特に何とも思ってないんじゃないかな」

「だったら笹倉さんは、どうして死んだんだ？」

「お、さすが探偵役は違うね」皮肉っぽく言って、古橋が煙草を弾き飛ばした。コンクリートの床の上で跳ね、細かい火花が散る。

「僕は探偵じゃないよ」大友は静かな声で否定した。「刑事だ」

「勘弁してくれ」古橋の声が震える。ジャケットのポケットから煙草を取り出そうとして躊躇い、結局戻した。ジャケットの襟を立てて寒さを遮断しようとしたが、さほど役には立っていない様子で、体が震え出す。

「大丈夫か？」

「さすがに冷えるな」両手を擦り合わせ、そこに息を吹きかける。「今夜は長くなりそうだ」

「誰かが犯行を自供しない限り、ね」

「嫌なこと言うなよ。誰かって、誰だ？　お前も俺を疑ってるのか」

一瞬、大友は心の中で悶絶した。余計なことを言えば、捜査の邪魔になりかねない。もしも目の前の男が犯人だったら、下手に忠告することで、言い逃れするきっかけを与えてしまうかもしれない。かといって、昔の仲間を冷酷に逮捕はできないだろう。自分から「やります」と言ってしまったことを早くも後悔し始めていた。利害がぶつかる状況では、本当は手を出さない方がいいのだ。

「で？」

「何が『で？』なんだ」苛立ちを隠そうともせず、古橋が訊ねる。

「お前はやってないのか」

「それは刑事として聴いてるのか」

「どうなんだ」彼の質問には直接答えず、大友は聴き返した。

「お前は、俺がやったと思ってるのか」古橋の声が低くなる。

「今の段階では、まったく白紙だよ」

鑑識の連中が何か決定的な証拠を見つけていなければ。あるいは事情聴取をしている刑事に、誰かが犯行を自供しなければ。

「つまり、俺も容疑者ということか」

古橋がライターを取り出し、火を点けようとする。風に煽られてすぐに消えてしまうが、何度目かのチャレンジで細く炎が上がった。一瞬彼の顔を照らし出したが、不安に怯《おび》える表情は暗い。

「最近、笹倉さんとは上手くいってたのか？」

「俺はやってないぞ」

その言葉に嘘はなさそうだった。彼は演じる立場ではなく、嘘をつくのにも慣れていない。これが早紀や長浜相手だったら、少し用心しなければならないところだが……そう考えた瞬間、仲間を疑うのか、と別の自分が叱責してきた。

「分かった。事情聴取は、僕以外の人間がやることになる。きちんと話してくれよ」

「嘘をつかずに、か」吐き捨て、顔を背ける。

「お前は嘘をつくのが下手だろう。役者じゃないんだから」

「役者は皆嘘つき、か」ぽつんと言って、古橋がライターをジャケットのポケットに入れる。

「戻ろう」

「事情聴取だから？」古橋の声に皮肉が滲んだ。

「こんなところにいたら、風邪を引くからだよ。今夜は冷える」

「そういう優しい態度も演技か？」

「何が言いたいんだ」棘のある言い方に引っかかる。

「お前は刑事だよな。でも、一度でも舞台に立ってスポットライトを浴びた人間は、いつまで経っても役者なんじゃないか？　役者——つまり、嘘をつくのが得意な人間だよな」

膝を力なく叩いて、古橋が立ち上がる。ひどく疲れた緩慢な仕草で、自分と同い年とはとても思えなかった。

4

劇場内での事情聴取は、延々と続いていた。関係者全員を所轄に引っ張っていく手間をかけるよりも、まず現場で簡単な下調べを済ませておこうという狙いだろう。怪しい人間はその後で連行して、本格的に取り調べればいい。いつの間にか、所轄に加え、捜査一課の刑事たちも顔を見せている。その中に、大友は僚友の柴克志《しばかつし》の顔を見つけた。ロビーの真ん中に立ち、眉間に皺を寄せながら、手帳に何か書きこんでいる。近づいて「やあ」と声をかけると、顔を上げて目を見開いた。

「びっくりさせるなよ。お前、何でこんなところにいるんだ？」言ってから声を潜め、「指導官か？」と訊ねる。

「いや、今日は客だった。この芝居を観てたんだ」

「何とね。タイミングのいい男だ」柴がにやりと笑う。「役者の血が騒いだか？」

「僕はアマチュアだ——しかも、元アマチュア。彼らはプロだから」

「プロの舞台で殺しが起きるかね？」柴が唸り声を上げながら首を捻る。「だいたい俺は、未だに信じられないね。こんな衆人環視の中で殺しだなんて、な。お前もその目で見てたんだろう？」

「ああ」気づいたのはしばらく経ってからだが……大友は自分の不明を恥じ、顔が赤らむのを感じた。そう、最初から異変に気づいているべきだったのだ。刺された時の笹倉の反応——結果的にあれは、演技ではなかったのだから。

「で、すぐには気づかなかったわけだ」

「面目ない」

「勘が鈍ったか？」

面白そうに言って、柴が煙草を取り出す。すぐ側にある喫煙室が人で一杯なのを見て顔をしかめ、ロビーの片隅にある自販機に向かって歩いて行った。大友は無言で後を追う。

柴は缶コーヒーを二本買って、一本を大友に放り投げた。手を伸ばしてキャッチすると、熱さが掌《てのひら》を刺激する。柴はベンチに腰を下ろすと乱暴に両足を投げ出し、缶のプルタブを引き上げた。音を立ててコーヒーを飲みながら、眼光鋭くロビーを見渡す。出入り口では、制服警官が二人、背中合わせに立っていた。一人は外を向き、一人はロビーを見ている。外からの侵入を防ぐとともに、一人も逃がさないようにする狙いだろう。

ここにいる劇団関係者は、現段階では全員容疑者なのだ、と改めて意識する。

柴はどことなく疲れた様子で、いつものやる気が見えなかった。こっちがうんざりするほどエネルギッシュな男で、普段は速射砲のように喋るのだが、今日は妙に口数が少ない。病気でもしているのだろうか、と不安になった。

「どうかしたか？」

「何が」

「お前にしては元気がない」

「何か、面倒臭そうじゃないか」

「それは分かるけど、仕事はちゃんとしてくれよ」

「状況を聞かせてくれ」

突然、柴が仕事モードに入った。大友はベンチに腰を下ろし、これまでの出来事を手短に解説した。古橋が、自分が疑われているのではないかと心配していることも。

「そりゃあ、誰がどう見ても、まず小道具の人間が怪しいね。簡単に細工できるだろう」柴があっさりと断じた。もしかしたら、明日からの見合い休暇にまだ間に合うと思っているのかもしれない。

「チャンスは彼一人だけにあったわけじゃない」

「そりゃそうかもしれないけど」

「上演中の舞台裏は、結構ばたばたしてるんだ。誰かが何かしようとしたら、それほど難しくないんだよ」

「じゃあ、容疑者は何人いるんだよ」

「十人じゃ足りないと思う」

柴が両手を広げて十本の指を見やり、首を振った。気を取り直して顔を上げる。

「被害者はどんな人なんだ？　相当恨みを買っていたのか」

「最近はそうでもないと思う」

「最近じゃなければ？」

もしかしたら昔は、笹倉を殺したいほど恨んでいた人間もいたかもしれない。ワンマンな劇団主宰者は、一歩間違えば狂気じみた独裁者になる。大友が知らないところで何があったか、分かったものではない。それこそ大友の学生時代は、暴力沙汰があったとしてもおかしくない雰囲気ではあった。

しかし、仮にそんなことがあったとしても、十年も昔の話だ。そんなに長く恨みを抱き続けるのは、不可能である。人間は、忘れることで生きていけるのだから。

「人間関係を解きほぐすのは、相当大変だよ。僕も劇団を離れて長いし、人の出入りも多いんだ」

「昔関係していた連中を、一人一人洗わなくちゃいけない？」

「そうなるかもしれないね」

「お前、今回は無理だぞ」言って、柴がコーヒーをぐっと呷《あお》った。「最初に忠告しておくからな。お前はこの件では、絶対に冷静にはなれないよ。昔の知り合いを調べなくちゃいけなくなったら、どうするんだ。きちんとやれるのか？」

「やってみるつもりだよ」先ほどまでの戸惑いが思い起こされたが、そこは割り切らなければならない。夢厳社の連中がプロならば、自分もプロなのだ。感情を殺してでも、仕事をしなければならない。

理屈では分かっているのだが、どこかで心がぶれている。

「お前がそう言うならいいけど、引きずるなよ」

「そうだね」

「だいたい——」何か言いかけ、柴が左の人差し指で耳を押さえた。無線で何か指示があったのだろう。聞き終えると、大友に顔を向けた。「集合だ。当面の捜査方針が決まったみたいだぜ」

客席の一角に固まって、大友たちは指示を仰いでいた。現場を仕切っているのは、本庁捜査一課の管理官、渡辺《わたなべ》。小柄で小太り、丸顔で、いつも笑っているように見える男だ。

「この現場は、鑑識が終了し次第撤収する。それで、取り敢えずだが、古橋康之《やすゆき》、彼を署に呼ぶことにした。この男は劇団の美術担当なんだが、芝居で使われる予定だった偽のナイフを、本物にすりかえることができた」

「管理官、お言葉ですが」大友は思わず手を上げた。「それは、古橋でなくてもできたことです」

「ああ、オーケイ、それは分かってる」軽い調子で言って、渡辺が大友の言葉を遮った。「ただな、動機の面でちょっと気になる情報が出てきた」

「どういうことですか」

「古橋は、被害者の笹倉に恨みを抱いているようだ」

「いや、それは……」先ほどの会話を思い出す。具体的な話は出なかった。知らぬ間に手加減してしまって、情報を引き出せなかったことを悔いる。

『最近、笹倉さんとは上手くいってたのか？』

『俺はやってないぞ』

こちらの質問に直接答えず、いきなり犯行を否定する言葉を口にした……あの時古橋は、意図的に誤魔化したのだろうか。それとも、身を守るために、唐突に言葉が飛んだのか。もっと突っこんで聴いておけばよかった。

「周辺の聞き込みで、そういう情報が得られたんだ。とにかくこれを本人にぶつけよう。ここではなく別の場所で話を聴けば、また状況も変わるはずだ」

それはそうだ。劇場のようなオープンな場所で話をする分には、さほど緊張することもあるまい。しかし狭い取調室で刑事と相対すると、嫌でも緊張感に支配されるのだ。自分はここから逃れられない、二度と青い空を見ることができないのではないかと、早い段階で絶望的な気分に陥る容疑者も珍しくない。

「とにかく、まず話を聴いてみる。大友、お前もつき合うか？」

渡辺はやけに愛想がよかった。既に福原から連絡がいっているのだろう、と大友は想像した。刑事部ナンバースリーの座にある福原からねじこまれたら、一課の管理官レベルでは逆らえない。毎度のことだし、今回は自分で言い出した事情もあるのだが、それでもどこか後ろめたい気持ちは消せなかった。

「そう、ですね」

「何だったら、取り調べを担当してもらってもいい。知り合いなんだろう？」

「ええ」

「やりにくければ、やらなくてもいいし」

「管理官？」何なのだろう。ここで自分を懐柔するような態度を取る意味が分からないが……。「私にどうしろと？」

「何でも、考えた通りにやってもらって構わないから」渡辺は笑みさえ浮かべている。

「しかしそれでは、統制が取れません。管理官の指揮下に入ります」

「あのねえ」呆れたように渡辺が言った。急に口調がぞんざいになっている。「あんたが入ってるだけで、既に統制は滅茶苦茶になってるんだよ。そこのところ、よく理解してもらわないと」

大友は口元を引き締め、無言でうなずいた。結局渡辺も、他の管理職と同じである。突然闖入《ちんにゅう》してくる大友は異物、邪魔な存在でしかないと面倒臭がっているに違いない。

できれば余計なことをしないで、さっさと引き上げて欲しいと。

「テツ、やってみたらどうだ」柴が大友の肩を叩く。先ほど言っていたのとはまったく反対の言葉だった。「どうせやるなら、徹底的にやれよ。非情になれ。いい練習だ」

「ああ……」曖昧に返事をしながら、大友は長い夜を想像して暗い気分になってきた。しかも遣り残した、極めて重要なことがある。これから聖子に電話をかけ、優斗のことを頼まなければならないのだ。


想像した通り、聖子は大友の話に食いついてきた。

「まさか、長浜さんがやったんじゃないでしょうね」

「何とも言えません」

「まあ」大友を非難するような口調。「あの人がそんなことするわけ、ないでしょう」

「それは分かりません。まだ捜査は始まったばかりだから」

「しっかりしてちょうだい。早く犯人を捕まえて、長浜さんの無実を証明してもらわないと」

「頑張ります」

言ってはみたものの、自分の言葉にリアリティが感じられなかった。渡辺は古橋容疑者説に執着し始めているようだが、この段階ではまだ、容疑者を絞りこむことはできない。古橋が笹倉に対して抱いていた恨みはどんなものだったのだろう。渡辺は「署で詳しく話す」ともったいぶった言い方をしていたのだが……。

「とにかく今晩は、優斗のことをお願いします。明日は日曜ですけど、帰れるかどうか分かりませんし」

「いいわよ。長浜さんの疑いを晴らすためなら、とことん頑張ってちょうだい」

「……分かりました」

今夜はずいぶん簡単に引き受けてくれた。本当に長浜が心配なのだろうか。電話を切ってから、優斗と話をし忘れた、と思い出した。しかし時刻は既に九時半。優斗はそろそろ寝る時間だ。

もう一つ、こんな時なのに妙なことを考えてしまった。柴は、両親から押しつけられた見合いを嫌がってはいるが、結婚願望はある。だったら、聖子に見合いをセッティングしてもらうのはどうだろう。自宅でお茶を教えている聖子は、人脈が広い。頼めば、いくらでもいい女性を紹介してもらえるだろう。ただしその際、大友自身も巻きこまれる可能性が高い。「ついでにあなたも」と言われるのはほぼ確実だ。

……馬鹿なことは考えないようにしよう。さすがに柴も、そこまでやったら「余計なお世話だ」と怒るだろうし。気を取り直して劇場の外へ出ようとした時、後ろから声をかけられた。早紀だった。いつの間にか、衣装から私服に着替えている。長く細い足をさらに強調するスリムなジーンズに、襟元が大きく開いたブラウスという格好だった。ロビーはまだ暖房が効いているのだが、寒いのか、両腕で体を抱くようにしている。

「帰るの？」

「いや、ちょっと署へ行く」

「こっちへ戻って来る？」

「どうかな」ちらりと腕時計を見た。これから取り調べとなると長い時間は無理だが、それでも日付が変わる頃までに解放されるかどうか……家のある町田まで小田急線の最終で帰るか、間に合わなければ署の道場への泊まりこみを覚悟していた。

「戻って来てくれると嬉しいんだけど」遠慮がちに早紀が切り出した。

「ここで待ってるつもりか？」

「今日は、すぐには帰る気になれないわよ。いろいろ心配で……」苛立たしげに両手を揉み合わせる姿は、百戦錬磨の女優には見えなかった。想像を絶する事件に蹂躙《じゅうりん》されているか弱い女。

「帰らなくていいのか？　事務所の方が心配してるだろう」

「事務所なんか関係ないわ」早紀が真剣な表情になった。「だいたい私は、今も夢厳社の所属なんだから。こっちの方がずっと大事」

「……分かった。でも、いつになるかは分からない」

「終わったら電話して。必ず」

早紀に言われるまま、大友は携帯電話の番号を交換した。面倒事が一つ増えたな、と思ったが、仕方ない。旧知の友人の願い事だ。劇団員たちの不安を軽減し、捜査をやりやすくすることも自分の仕事だろう。

　そう思った次の瞬間、大友は人気女優のプライベートな連絡先を入手してしまったことに気づいた。この携帯電話は、絶対に落とすわけにはいかない、と緊張を強いられる。

　世田谷北署は、劇場からは二駅離れた小田急線梅ヶ丘駅の近く、静かな住宅地の中にある。所轄のパトカーに同乗してきた大友は、今頃署内は大騒ぎではないか、と想像した。世田谷区内の各署で最も重要な仕事は、侵入盗の捜査である。泥棒たちは、この区には金持ちが多いと思いこんでいるのか、毎年侵入盗の被害が、都内各区の中で必ず上位に入ってくるのだ。しかし、荒っぽい事件とはあまり縁がない。それ故、こんな犯罪――まさに劇場型犯罪――の対応には慣れておらず、あたふたしているだろう。捜査一課が応援に駆けつけていても、状況はそれほど改善されていないはずだ。

　案の定、署の正面玄関では一悶着《ひともんちゃく》起きていた。情報を求めて集まって来た報道陣と、立ち番の制服警官が揉めている。どうやら人が溢れ過ぎて署内に入り切れないようだ。ほとんどデモの規制のようになってしまっているのを横目で見て、大友は溜息をついた。もう少し上手いやり方があるはずなのに。これでは、自らトラブルを拡大しているようなものだ。何だったら、報道陣は全員、署内の道場に押しこめてしまってもいい。

　それにしても、大きな事件になるのは間違いない。夢厳社の公演は、度々新聞にも取り上げられているし――ここ何年かは、夢厳社の芝居が大きな演劇賞の候補に挙がることもしばしばだった――団員たちは劇団の看板を背負ったまま、テレビや映画で活躍している。言ってみれば有名人の集団なのだから、マスコミが騒がないわけがない。現場に記者もいたはずだから、動きも早かっただろう。

大友は、逆の意味で余計な話が流れるのを恐れた。普段からマスコミとの接触が多い劇団員もいる。そういう連中が、記者の求めに応じてぺらぺら喋ったら、間違いなく収拾がつかなくなるだろう。携帯電話の存在を呪った。昔なら、取材の電話は劇場か劇団の事務所に集中しただろう。そこを押さえてしまえば、ある程度情報流出は防げたはずだ。今は、携帯電話で個人と個人が直接つながっているし、そのやりとりを止める手段はない。

一つ溜息をついて、駐車場に滑りこんだパトカーから降りる。まず、渡辺とみっちり話をしてから、古橋と再度ご対面だ。今の段階だと、古橋が唯一の容疑者のようである。大友も、今まで個人的な顔見知り――古橋の場合はそれ以上の存在、友人だが――と取調室で対峙したことはない。果たして上手くやれるかどうか、自信はなかったが、手を上げた以上、逃げるわけにはいかないのだ。

まず、自分を殺すことだ。そうやって、淡々と取り調べに臨まなければ。

そう自分に言い聞かせながらも、大友は不安を消せなかった。自分はどちらかというと、エモーショナルなタイプの人間である。表に出ないので人には冷静な人間だと見られがちだが、内心では激しく動揺している時も少なくない。

駐車場の冷たい空気が、体にまとわりつくゼリーになってしまったような感じがする。足取りが重く、一歩先へ進むのも大変だった。

5

「アノニマス」初演の直前——あの時の緊張感を思い出す。

大友は自分でも分かるほど口数が少なくなり、仲間たちから離れて一人非常階段に座り、頭の中で台詞を反芻《はんすう》していた。

この芝居は、やや特殊な構造になっている。第一部では、劇団主宰者である「伏見」が出ずっぱり。次々と——必ず一人ずつだ——入れかわり立ちかわり現れる団員たちの不満を受け止め、きっちりと叩きのめして人格崩壊寸前まで追いこむ。そして「火浦」が舞台を去ったあと第一部最後の場面で、誰かに刺されて死亡。

大友の出番は第二部だけだった。劇団員ではあるが、比較的客観的に動ける役回り。第一部に出ないのはそのためだった。伏見に不満をぶつけた団員が探偵役をやったのでは、やはり不自然になる。

第二部は、完全な群像劇だ。団員たちがほぼ全員舞台上に揃い、伏見に対する怒りの言葉をぶつけていく。その中で犯人探しが行われるのだが、言葉の矛盾点を捉え、最後に犯人を暴き出すのが大友の役回りである。その後に訪れる、予想外の展開——重い役だ。主役ではないが、重要な狂言回しなのは間違いない。大友にとっては初めての大役であり、いやが上にも緊張は高まる。

「なにびびってるんだよ」

非常階段に一人腰かけ、台詞をぶつぶつとつぶやいていた大友に声をかけてきたのは、古橋だった。真夏以外はいつも着ているM65のポケットに両手を突っこみ、小柄な体格を大きく見せようと背中を伸ばしている。顔には、苦労する大友を馬鹿にしたような笑みが浮かんでいた。経験上、大友はこの男が人をからかうような人間ではないと知っていたが、今は状況が状況である。覚えた台詞が頭から零《こぼ》れ落ちそうになって、思わず古橋を睨みつけた。

「勘弁してくれないか。今は、お前と遊んでる暇はないんだ」

「そうか？　ちょっとぐらい余裕がないと上手くいかないぜ」

「知ったようなこと、言うなよ」大友は丸めた台本を腿に叩きつけ、苛立ちを表現した。

「おいおい、あんまり乱暴にするなよ。衣装が崩れる」

言われて、大友は自分の服装を改めた。崩れるも何も、くたびれたシャンブレーのシャツに、何か所も穴の開いたジーンズである。衣装というより、自分の持っている服の中で一番ボロいやつを選んだだけだ。貧乏な劇団員の役割だから、普段着がそのまま衣装になる。全てが劇中劇のような感じで、出演者はほぼ全員が劇団員の格好そのままだ。

「でかい役でびびってるのは分かるけど、安心しろ。そんなに客は入ってないから」

「何だ、そうなんだ」思わず気が抜ける。確かに、チケットが大売れしたという話は、大友も聞いていなかった。実際彼自身、友人や先輩に無理を言って、十枚ほど買ってもらうのが精一杯だったのだ。

「だから、稽古のつもりでやればいいじゃないか……ガム、いるか？」

古橋が、M65のポケットからガムを取り出した。大友はほぼ無意識のうちに手を伸ばして受け取り、口に放りこむ。すぐに、強烈なミントの味が脳天にまで突き抜けた。

「きついな、これ」

「今日は、眠気防止にこいつが必要でね」言いながら古橋が大欠伸《あくび》をした。「夕べ、ほとんど寝てないんだ。ナイフが上手く作れなくてさ。笹倉さんに駄目出しされた」

「ああ」

「金さえ出せば、手品用のナイフがすぐに買えるんだけど……予算がね」古橋が肩をすくめる。

「それで、できたのか？」

「ご覧ください」

にやにやしながら、古橋がM65の大きなポケットからナイフを取り出す。刃渡り二十センチほどのかなり大きな物で、非常階段の乏しい光を浴び、刃の部分がかすかに光った。アルミ箔を貼りつけただけのものだと分かっているのだが、妙にリアルである。古橋が刃先を突き出すと、大友は反射的に身を引いてしまった。それを見て、古橋が乾いた声を上げて笑う。

「本物みたいだな」

「だろう？」

言って、古橋が刃の先を人差し指ですっと押した。刃は滑らかに柄《つか》の中に引っこみ、すぐに「かちん」とかすかな音がして止まる。刃はほとんど柄の中に納まり、先が一センチほど出ているだけになった。もう一度刃先を軽く押すと、すっと柄から出て元に戻る。

「よくできてるな」

「本当は、これが上手く刺さったように固定できるといいんだけど、それは次回公演の時の課題だね。今回は、笹倉さんに自分で押さえておいてもらうしかない。あの人なら、片手でナイフを持ったまま、演技できるだろうけど」

「しかも、自然に」

「役者だからね」

古橋のさりげない一言は、笹倉のレベルの高さを認めたものだった。学生の趣味、素人劇団――「夢厳社」に対する大友の意識はその程度だったが、笹倉は一人、もっと上のレベルを目指していた。役者として世に出るなら、きちんと商業ベースに乗っている劇団に入るか、テレビや映画のオーディションを受ける方が手っ取り早いはずなのに、夢厳社を何とか育て上げようとしている。一人の役者としてなら自分たちとはレベルが違う、このまま商業演劇に出演しても通じるはずだと大友は確信していたが、笹倉は自分の世界を実現するための場所として、この劇団を認識していたのだ。呑む度に、「夢厳社を日本一の劇団にする」とぶち上げるのには辟易していたが、文句を言う団員はいなかった。何故か、笹倉には人を黙らせてしまう不思議な力がある。

非常階段の扉が開き、第二の闖入者が顔を見せた。今度は早紀。劇団の人気女優役で、普通の格好——細身のカーゴパンツにトレーナー——だったが、既にして輝きが違っている。同じ学部なので、劇団での活動以外でも行動を共にすることが多いのだが、大友はいつも、高嶺の花の女優がわざわざ気さくに接してくれているような違和感を覚えて遠慮してしまうのだった。そういうカリスマ性を持った人間は、夢厳社には三人しかいない。笹倉と早紀、それに既にファッション誌のモデルなどで活躍している看板俳優の長浜である。演劇を通じて世に出るとしたら、この三人だろう。それに比べて自分は意識が低い、と変に反省することもあった。夢を大きく持っても、叶えられるとも思えなかったが。

「打ち上げ、テツ君も大丈夫？」

「ああ、まあ、何とか」

いきなり芝居の後の話を持ち出され、しどろもどろになってしまう。何で彼女は、全然緊張していないのか。それに気づいたのか、早紀が柔らかく笑う。

「今日は菜緒《なお》ちゃん、来ないんだ」

「テニス部は合宿中だから」

「だったらチャンスね」

早紀が唇を歪めて笑う。勘弁してくれよ、と心の中でつぶやきながら、大友は愛想笑いを浮かべるだけだった。

「あんまりからかうなよ。こいつ、ナーバスになってるんだから」古橋がすぐに割って入ってくれた。

「からかってないわよ」早紀は自然な笑みを浮かべたまま続ける。「テツ君、本当に菜緒ちゃん一筋なんだから。それじゃ、人生面白くないんじゃない？」

「面白いとか、そういう問題じゃないんだけど」

「だったら何？」

「いや、だからさ……」大友は両手を緩く広げたが、上手い台詞が浮かばない。つくづく即興劇には向かないな、と思いながら、ぱたんと手を腿の脇に下ろす。

「ホント、からかいがあるわね……じゃ、頑張って。打ち上げは楽しみましょう」

ひらひらと手を振りながら、早紀がドアを開けて出て行った。

「何なんだろう」大友は無意識のうちにつぶやいた。

「何で難しく考えてるんだ？」古橋がからかう。「要するに彼女、お前が好きだって言ってるんだろうが。選択肢は二つに一つだぜ。早紀ちゃんか、菜緒ちゃんか」

「そうかなあ」

「何が？」

「あれ、演技だと思うよ。自分の演技がどこまで通用するか、僕で試してるんだ」

「まさか」古橋が言ったが、自分の否定に自信がなさそうだった。

「まさか、じゃないよ。だって彼女は女優だから。息をするみたいに演技をするのが普通なんだから」

あの時の古橋は本当に親切だった、と思う。貰ったガムの強烈なミント味すら、まだはっきり覚えていた。自分の仕事で忙しいのに、緊張する僕を助けてくれて……昔から気配りのできる男だった。

それがどこかで変わったのか？

見極めなければならない。

大友は、狭い取調室の中で、古橋と対峙していた。緊張が抜けないのか、古橋はしきりに貧乏揺すりしながら、爪の甘皮を剝いている。手が荒れているのは、日々細かい作業を続けているせいだろう。

取調室の中には、大友と古橋の他に、世田谷北署の刑事が二人。一人は書記役で、もう一人はバックアップ要員だ。こちらはドアを背中で塞ぐ格好で立っているので、古橋の恐怖を加速させるだろう。出入り口を塞がれ、自分は永遠にここから出て行けないのではないかと、古橋は怯えてしまうかもしれない。場所を移るように指示しようかとも思ったが、狭い取調室の中では、他に行き場もない。

「始めます。名前をお願いします」

「ちょっと、勘弁してくれよ、テツ」古橋がいきなり、友人に対する口調で話し出した。

「俺、逮捕されたんじゃないだろう？」

「違います」

「だったら、こんな取り調べみたいな……」

「手続きですから。名前をお願いします」客観的にやろうとするあまり、不自然なほど丁寧な口調になってしまうのは意識している。大友は自分でも、それほど器用ではないと自認していた。しかしここは、態度と言葉遣いを普段の自分からきっちり切り分けないと、まともな取り調べはできない。

「……古橋康之」ぼそりと、名前が口から零れ落ちた。

「生年月日と住所を」

渋々応えるうちに、古橋の表情が変わってきた。怒りを無理に押し潰した、不機嫌な感じ。ただしこういう態度も長くは続かないと、大友には分かっていた。古橋は基本的に優しい男だが、自分の感情を常にフラットに保てるほど、気持ちが安定しているわけではない。実際、劇団の中でも、仲間たちとしばしばぶつかっていた。会っていなかった十年以上の歳月が、彼をどう変えたかという不安もある。無用な刺激は与えないよう、とにかく淡々といくしかない、と大友は腹を固めた。

「今夜、午後七時五十二分頃、どこにいましたか」

「ちょっと待ってくれよ、テツ。マジで聴いてるのか？」古橋の耳が赤くなる。

「申し訳ないですが、聴かれたことにだけ答えていただけますか？」

「何なんだよ、これ」古橋がいきなり、冷静な仮面を脱ぎ捨てた。デスクに両手を置いて、腰を浮かしかける。「警察に呼ばれるのは仕方ないかもしれないけど、何でお前に調べられなくちゃいけないんだ。だいたい、さっきいろいろ話しただろうが」

「それとこれとは別です。これは正式な取り調べですから……午後七時五十二分頃、どこにいましたか」馬鹿馬鹿しいと思いながら、大友は質問を繰り返した。何度も同じことを聴いて、相手の答えがぶれないかどうかを確かめるのは大事な手順である。嘘をつくと、話を繰り返す度に綻《ほころ》びが生じるものだ。

「劇場に」力なく言って、腰を下ろす。

「劇場のどこに？」

「トイレだよ」

「トイレ」繰り返して、大友はうなずいた。古橋の目には、憎悪と恐怖しか見えない。

「上演中なのに？」

「トラブルでも起きない限り、俺は上演中は仕事がないからね。それに今日は、朝から腹の具合がよくなかったんだ」

待機していた刑事がすっと出て行った。古橋が、助けを請うような目つきで彼の背中を追う。一瞬吹きこんできた冷たい風に身震いしてから、視線をデスクに落とした。

「今日、凶器のナイフを触りましたか」

「芝居用のナイフなら触った。ちゃんと動くかどうか、確かめなくちゃいけなかったから」

「凶器のナイフを触りましたか」波状攻撃。ふと、古橋はこの話題を避けているのでは、と意識する。

「そんなもの、あったかどうかも知らない！」古橋がデスクに右の拳を叩きつけた。「俺があんなこと、するわけないだろう」

「一月ほど前、笹倉さんとギャラ——給料の問題で揉めましたね」他の劇団員からの聞き込みで得られた情報である。大友はそれを、世田谷北署に入ってから渡辺から聞かされた——ひどくもったいぶった口調で。

「誰がそんなこと言ってるんだ？」古橋が強い視線で大友を睨んだ。

「揉めたんですか？　違うんですか？」

「石本だな？」美術スタッフの名前を古橋が口にした。「あの野郎、適当なことばかり言いやがって」

「誰が言ったかは問題ではありません。本当に揉めたんですか？」

「……揉めたっていうか、文句は言ったよ」渋々、古橋が認めた。

「どんな風に？」

「俺は、劇団の経理状況も知ってる。今、どれだけ儲かってるかもな。だけど笹倉さんは、その儲けをスタッフに還元していない。こっちにだって生活があるんだぜ……なあ、テツ、これは取り調べなのか？　それとも知り合い同士の雑談なのか？」

痛い所を突かれた。「貯金」の話をした時には、大友も友人として会話を交わしていたつもりである。切り分けだ、切り分け……自分に言い聞かせながら、質問を引き戻す。

「どんな風に文句を言ったんですか」

「上納金をやめるのと、給料を上げてくれって、それだけだよ。労働者として当然の権利だと思わないか？」

「それに対する笹倉さんの反応は？」

「拒否。そんな金はないってさ。劇団のビルの借金もあるからな。でも、俺たちがカツカツで切り詰める必要はないんだ」

「あなたは、それが許せなかった？」

「どうしても俺を犯人にしたいのかよ」古橋の顔が一気に蒼褪める。

「その時、摑み合いの喧嘩をしましたよね」この情報も、他の劇団員から聴き出していた。疑いの矢印は、一斉に古橋を指している。

「あ？　ああ……」古橋の怒りが急速に萎《しぼ》み、視線が落ち着きなくあちこちをうろつきだした。「それは、大変な問題だから……」

「摑み合いの喧嘩は、尋常なことじゃないですよ。その時、結局どうなったんですか」

「周りに人もいたから」

「止められた？」

「そりゃそうだ。劇団代表に、ただの美術担当が殴りかかったら、誰だって慌てて止めるよな」

つまり、衆人環視の中での大喧嘩だったわけか。衆人環視……今回の事件との類似点が、大友には気になった。殴り合いは、頭に血が上っての行動だったかもしれないが、今回はどうだろう。大勢の観客が見ている前で人を殺すことに、何の意味があるのか。見せしめ？　それも少し違うような気がする。

「だいたい向こうの方が、余計にパンチをくれたんだぜ。引き離されて、こっちの気が緩んだところに、最後は顎に一発だよ。昔から笹倉さんは、そういうところがあったよな？　こっちが油断している時に、痛いところに突っこんでくる」

確かに。立ち稽古中に誰かがミスをしても、笹倉はその場では止めない。場面を全て流して、こちらが「何とか誤魔化せたかな」と油断したところで、いきなりきつい叱責の言葉を叩きつけてくるのだ。気持ちが緩んでいる時だけに、あのダメージは大きい。

その想い出を、今古橋と共有するわけにはいかなかった。情に流されたら、取り調べは駄目になる。

「その後、笹倉さんとの間にトラブルは？　殴り合いになったのはその一回だけですか？」

「あの人には逆らえないよ」自嘲気味に古橋が笑った。「こっちはただの雇われ人だから。笹倉さんが馘だって言えば、明日から路頭に迷うわけだ。公務員のテツには分からないかもしれないけどな」

「そういう立場が分かっていて、賃上げを要求したのは、相当の覚悟だったんですね」

「俺がどれだけ劇団に金を注ぎこんでいたか、テツは知らないだろう。いい加減、返してもらう時期だぜ」

あやふやになる取り調べとプライベートな会話の境目。大友はただうなずくだけで、返事はしなかった。これなら公式な記録には残らない。

「ちょっと前までは、バイト代を相当突っこんでたんだ。毎日ろくな物も食えない、結婚なんかできるわけもない……俺な、教え方は上手いんだ。塾の方からも、もっと授業のコマを増やして、専任で教えてくれないかって言われるほどだった。子どもたちに教えて、成績が上がるのを見るのは楽しいしな。でも、本気ではやらなかった。あくまでバイトだった。最優先は劇団だったから。テツは、正しい道を選んだと思うよ。何もわざわざ、自分から苦労を引き受けることはないよな」

強烈な皮肉に、大友は一瞬たじろいだ。彼の中で、自分はそういう存在だったのか……貧乏を恐れ、苦労から逃れて安定した公務員の生活を選んだ臆病者。それも全て、演劇に対する情熱が薄いせいだ、とでも思っているだろう。普段ならそんなことは考えもしないだろうが、こういう非常時には……。

「では、以前から笹倉さんに対する恨みは持っていたわけですね」

「やめてくれよ。本当に俺がやったと思ってるのか」

何とも言えない。恨んでいるからといって、人は必ず相手を殺そうと企てるわけではないのだ。だが大友は、一つの事実が頭に引っかかっていた。ナイフがらみの細工……あれはやはり、劇団の表も裏もよく知っているスタッフでないと、上手くできないのではないだろうか。役者は、自分が関係する場所以外は把握していないことも多いが、スタッフは隅から隅まで熟知していないと、芝居がスムーズに進まない。

「分かったよ」古橋が突然開き直った。「俺は昔から、笹倉さんを恨んでた。だけど、俺一人じゃないぜ。何で俺ばかりがこんな目に遭うんだよ」

恨み節が聴きたいわけではない、と言おうとしたが、取調室のドアが開いたので口をつぐむ。先ほど出て行った刑事が、大友に一枚のメモを渡した。

『事件当時、アリバイあり。目撃者がいた』

大友は体を捻って、刑事の顔をまじまじと見た。刑事が渋い表情を浮かべたまま、うなずく。

振り出しに戻ったか。

大友はほっとする反面、重い気持ちを感じていた。古橋に対する容疑は、一応は——完全にではない——晴れたかもしれないが、今度は他の劇団員が容疑者になるだけだ。どう考えても内輪の犯行。今度は誰とこの取調室で対峙することになるのかと考えると、一層暗い気分になった。

「取り敢えず、動向監視とする」

捜査員が集まった会議室で、渡辺が宣した。一斉に溜息が漏れる。殺人事件だから特捜本部は立つが、即犯人逮捕、後はゆっくりと後始末、と多くの刑事たちは思っていたのだろう。大友は、自分に非難の目が集まるのではないかと密かに恐れた。友だちを相手にしたから緩い取り調べしかできず、落とせなかったのではないか、と。しかし、はっきりしたアリバイが成立しているので、今のところは古橋を攻めようがない。

「アリバイについて報告してくれ」

渡辺に促され、先ほど大友にメモを差し入れた刑事が立ち上がった。

「報告します。古橋康之は、事件の瞬間、本日午後七時五十二分頃、劇場内のトイレに入っていたと証言しておりますが、この証言が裏づけられました。ほぼ同時刻、トイレの個室から古橋が出て来るのを見たと、同じ劇団員の有川吾朗《ありかわごろう》が証言しております」

知らない名前だ。大友が辞めてから参加した若い団員だろうと想像する。報告は続いた。

「ちょうど事件のタイミングでは、古橋は離れた場所にいたことになります。以上です」

古橋はまだ署内に留め置かれていた。アリバイが成立したのだから、本当は帰すべきであり、厳密に言えばこの状態は違法だ。要するに、少し一人きりにさせて――監視はついているにしても――考えさせようという狙いである。アリバイがあろうが何だろうが、突然気が変わって自供を始めないとも限らない。

彼がやったとすれば。

「何らかの仕掛けを施した可能性は？」

渡辺が意見を求める。舞台上の現場を調べていた刑事が手を挙げ、発言を求めた。

「ナイフが置かれた台は、バネ仕掛けで前へ出てくる作りになっていました。ただし、それは役者にナイフを摑ませるためのもので、使われていたバネの力から見て、勢いよく前へ出るようなものではありません。実験してみましたが、刃先がカーテンから十センチほど出て停まるようになっていました」

「自殺説については？　つまり、一種の狂言みたいなものかな」渡辺は、仮説が次々と否定されるのも気にしない様子で、次の仮説を持ち出した。精神的にタフな男だ、と大友は感心する。

別の刑事が立ち上がり、「今のところ、何とも言えません」と短く結論づけた。

「ということは、自殺の可能性もある？」渡辺がさらに追及した。

「完全に否定はできません。劇団内には、細々とトラブルがあったようで、被害者は代表としていろいろ悩んでいたようです」

「そうか……」渡辺が複雑な表情を浮かべ、顎を撫でた。ふいに大友に顔を向けると、

「金の問題とか、どうなってる?」と訊ねる。

　それほど詳しいわけではないのだが、と思いながら、大友は立ち上がった。知っていることを説明したところで、どこまで役に立つだろう。

「財政的なことでいえば、借金はあるはずです」

「借金?」渡辺が背筋を伸ばし、テーブルの上に両手を置いた。「具体的には」

「高円寺に、劇団本部と稽古場の入った自社ビルを持っています。そのローンの返済はまだ終わっていない、と聞いています。ただ、きちんと確認した話ではないですから、裏取りが必要ですね」

「それは月曜日だな……」舌打ちしながら、渡辺が時計に視線を落とす。「銀行も役所も、週末には話を聴けない。よし、古橋は一度帰す。明日以降、引き続き事情聴取するが、他の劇団員も調査対象だ。全員、連絡先は把握しているな?」

「まだ、ほとんど劇場に残っていると思います」大友は指摘した。

「結構。まず、しっかりした劇団員のリストを作ってくれ。それが完成し次第、明日の事情聴取の担当を割り振りする。大友は……あまり突っこむな」

「どういう意味ですか」

「全体のオブザーバーでいい。今回のお前は、どこか調子が狂ってるんじゃないか?」

　指摘され、大友は黙って唇を噛んだ。確かに、古橋に対する事情聴取が、少し甘くなってしまった感は否めない。知り合いに対しては、どうしても緩くなる。ここは渡辺の言う通り、具体的な取り調べは誰かに代わってもらう方がいいだろう。

それが正しい方法なのだが、何となく梯子《はしご》を外されたような気分になって、大友は力なく椅子に腰を下ろした。

「確かに今日のお前は、いつもとは違ったわ」柴がコーヒーを啜りながら言った。

「見てたのか？」

「マジックミラー越しに、外からね」柴が肩をすくめる。「迫力、ゼロだったな」

「そうか……」

元々、迫力で相手を追い詰めるタイプじゃないんだけどな……大友は自販機に百円玉をいれ、紙コップのコーヒーを買った。不味《まず》いし、眠れなくなるのは分かっているが、少しだけ刺激物が欲しかった。

「今回は、やっぱり外れた方がいいんじゃないか？　情が移ったら、きちんとした捜査はできないぜ」

「そこを頑張らないと駄目じゃないかと思うんだ」くるくる変わる柴の態度が、大友を苛つかせる。

「リハビリにしては、刺激が強過ぎると思うぜ」柴が音を立ててコーヒーを啜る。「俺がちゃんとやっておくからよ。お前にはお前で、もっといい修業になる事件はあるはずだ。何も、こんな個人的な人間関係で悩まなくてもいいだろうが」

「それはそうなんだけど……」

大友は自販機脇のベンチに腰を下ろして、コーヒーに口をつけた。ミルク、砂糖入りにしてみたらやけに甘ったるく、コーヒー特有の刺激はどこかに吹き飛んでしまっている。頭をゆっくり後ろに倒し、後頭部を壁につける。ひんやりとした感触は心地好かったが、冷静になったことで自分の限界を意識し始めた。もっとプロに徹することができれば。相手が誰であっても、感情を抜きにした取り調べができなければいけないのだ。刑事は無数にいるわけではない。状況によっては、どうしても取り調べしなければならないこともあるだろう。被害者ならともかく、相手を容疑者として扱わなければならない時は……。

「読みが甘いな、僕は」

「読みが甘いんじゃなくて、人間が甘いんだよ」柴がからかった。「だけどそれが、お前のいいところじゃないか。相手を思いやることができるのは……俺たち、そういう気持ちを忘れがちだよな」

「それで捜査が滞ってるんだったら、何の意味もないよ」

コーヒーは妙にぬるかった。一気に飲み干した瞬間、携帯が鳴る。反射的に壁の時計を見ると、既に十一時近い。早紀が電話してきたのだろうかと思ったが、聖子の家の番号だった。面倒くさい……しかし出なければ出ないで、後で文句を言われるわけだ。仕方ない。一瞬の我慢だ。

そう思って通話ボタンを押すと、耳に飛びこんできたのは優斗の声だった。

「今日、帰って来る？」

「うーん、どうかな」家には帰れるかもしれないが、聖子の家から優斗を引き取るのは時間的に無理だ。「聖子さんのところに泊まってくれ。もう遅いし。だいたいお前、どうしてこんな時間に電話してきたんだ？」

「ちょっと、怖いし……」

「まさか、聖子さんから聞いたのか？」

大友は思わず目を剝いた。優斗を帰した時、詳しい事情は話していないから、あの場で殺人事件が起きたことは知らないはずだ。ニュースを見るような歳でもないし……となると、聖子が教えたとしか考えられない。冗談じゃない。優斗は怖がりなのだ。目の前で人が殺されたと意識したら、今夜は恐怖で眠れなくなるだろう。あるいは長く続くトラウマになってしまうか。

「大丈夫だから。事件はちゃんと、パパが解決する」

「本当？」

「今まで嘘ついたこと、あるか？」

「うーん……ある、かな」どこか楽しそうに優斗が言った。

「そんなこと、ないだろう」

「でも、帰って来るって言って帰って来ない時もあるし」

「まあ、それはね……でも、仕事のことでは嘘はついてないぞ。ちゃんと解決するから、安心しろ」

「あの人、本当に殺されたんだよね」優斗の声が恐怖に震える。

嘘をついても仕方がない。子どもを恐怖から遠ざけるだけでは、守ることにならないのだ。もちろん、できるだけ近づけないに越したことはないが、ぶつかってしまった場合には、その事実を受け止めさせるしかない。

「そうだ」

優斗が突然、電話の向こうで泣き出した。言葉をかけにくい……しかしここできちんと説明しておかないと、優斗は歪んだ傷を負うことになる。

「どうしてそんなことになったのか、誰があんなことをしたのか、パパがちゃんと調べる。だからお前は、安心していていいんだからな」

「……うん」涙声だが、何とか持ち直したようだ。

「だから安心して、早く寝ろ。今夜はあまり話せないけど、明日、話そうか」

「分かった」

「おばあちゃん……聖子さんに見つからないうちに寝ろよ」おばあちゃんと呼ばれると、聖子は激怒する。「もう遅いんだから」

「分かった」

電話を切り、溜息をつく。柴が、さすがに心配そうに声をかけてきた。

「まさか、優斗、現場を見たんじゃないだろうな」

「連れて来てたんだ。今回は記念公演だったから、特別に」

「あちゃー、それは最悪だな」奇声を上げて、柴が平手で額を叩く。「大丈夫なのか、あいつ？　そうでなくても怖がりなのに」

「何とかなるだろう」

「パパがしっかりしてやらないとな」

「分かってる」

携帯を畳もうとして、署にいる間に何度も電話が入っていたことに気づいた。先ほど電話番号を交換したばかりの早紀だった。不安になったのか……じっと携帯を見て、すぐにコールバックすべきかどうか考える……すぐ近くに、困っている人がいるのだ。話を聴いてやらないといけないだろう。それに話を聴くことで、事件の解決につながるかもしれない。

自分が、冷静に事件に取り組めるかどうかはともかくとして。

6

「来てくれたんだ」早紀がほっとした表情を浮かべる。

大友はうなずきながら、控え室の中をざっと見渡した。ほとんどの団員がまだ残って、憮然とした表情のまま、小声で話し合っている。大友に気づくと、一斉に立ち上がって彼の周りに輪を作った。

「どういうことなんだ？」

「古橋がやったのか？」

まとまりのない質問がぶつけられたが、答えられるものではない。大友は静かに首を振ると、両手を突き出して、自分を締めつけるように縮まった輪を、何とか押し戻した。

「悪いけど、今の段階では言えないことも多い。今日のところはこれ以上何もないから、解散してもらっていいよ」

そう喋り終えると同時に、何人かの刑事たちが遠慮なしに控え室に踏みこんできた。恐怖の表情を浮かべる団員もいる。考えてみれば、彼らはリアルの世界での対応能力はそれほど高くない。警察とかかわり合いになるなど、考えたこともないだろう。刑事たちが次々と名前を呼び、明日の事情聴取の日程を確認し始めた。それぞれ都合はあるのだが、断れるものではない。早々に電話をかけ、予定をキャンセルする者もいるようだ。

柴は、早紀の担当に当たった。あの柴が緊張しているのを見て、少しだけ面白い気分になる。含み笑いしながら彼の方を見やると、早紀に向かってしきりにぺこぺこ頭を下げている。スケジュール調整はそれで終わったようで、大友を睨みながら近づいて来た。

「何笑ってるんだよ」

「緊張してるのか？　お前らしくない」

柴は顔を赤くして反論しようとしたようだが、すぐに諦めた。大友に顔を寄せ、小声でつぶやく。

「当たり前だろうが。相手は女優さんだぜ」

「相手が総理大臣だったらどうする？」

「そっちの方が楽かもな」柴が乾いた笑い声を上げた。

「何だったら、僕も立ち会うけど」

「それは助かるな……とにかく、何とか頑張ってみるけどさ」

頑張ってみる、か。あいつらしくない弱気な発言だなと苦笑しながら、大友は控え室を出て行く柴の背中を見送った。さて、どうしたものか……ここへ呼び出したのは早紀である。彼女と話をしなければいけないのだが、と思っているうちに、早紀の方で大友を見つけ、近づいて来た。疲れてはいるが、魅力的な笑み。

「もう、外に出ていいんでしょう？」

「明日、ちゃんと協力してくれれば」

「大丈夫よ」笑顔が少しだけ明るくなる。「どうせなら、テツ君に調べてもらう方がいいけど」

「僕の調べはきついよ。泣かせたら悪いから、別の人にお願いするつもりだ」

「あら、テツ君、ずいぶん変わったわね。昔は、こんな冗談、言わなかったのに」

「たくさん死体を見てると、嫌でも変わるんだ」

一瞬、早紀の顔が蒼褪める。しかしすぐに笑顔を取り戻し、「外の空気が吸いたいわ」と告げた。

「問題ないよ。でも、相当寒い」

「コート、あるから……そこにかかってる、薄い紫のやつ」

取って来い、ということか。こういう性格は変わらないな、と苦笑しながら、大友はコートかけから彼女のダウンコートを外した。周りの人間に物を頼むのが自然だと思っていて、周囲も何となくそれを受け入れてしまう。一生、人に頭を下げることなどないだろうな、と大友は思っていた。しかし何故か、不快な感じがしない。人徳というか……美人は得、ということだろう。大友はコートを大きく広げて、彼女に差し出した。早紀が背中を向け、コートの袖に腕を通す。さりげなく「ありがとう」と言うと、すぐにドアに向かって歩き出した。控え室に残った団員と刑事たちの視線を背中に感じながら、大友は彼女の後を追った。

「正面はやめた方がいいな」ロビーに出ると、大友はすぐに忠告した。「まだマスコミが集まってる」

「私は平気だけど」

「何を聞かれるか、分からないよ。少し用心した方がいい」

「テツ君が守ってくれるんじゃないの？」悪戯《いたずら》っぽく言って、早紀が立ち止まった。ロビーからも、外に集まっている報道陣の姿は見て取れる。当然、向こうからもこちらは丸見えだろう。誰かが出て来たと気づいたのか、テレビカメラのライトが一斉に灯った。

「さすがにあれはまずいわね」早紀が顔を歪め、踵を返す。「裏は？」

「そっちは大丈夫」相当汚いが、という言葉を呑みこんだ。とにかく今は、一刻でも早く新鮮な空気が吸いたいのだろう。

非常口を押し開け、外に出ると、早紀が「寒い」と悲鳴を上げて掌を組み合わせ、息を吹きかける。確かに、急に気温が下がっていた。

制服警官が二人警戒しているだけで、裏口は閑散としていた。若い方の警官が早紀に気づき、啞然とした表情を浮かべる。テレビでお馴染みの顔が目の前に現れて、動転しているに違いない。大友は無言でうなずきかけ、「問題ない」と知らせてから、一歩外へ踏み出した。隣のビルの壁がすぐ間近に迫っており、道路にはごみが落ちている。何かが腐ったような臭いがかすかに漂っていた。しかし早紀は気にする様子もなく、煙草に火を点けた。大友にもパッケージを差し出してきたが、首を振って辞退する。

「相変わらず吸わないんだ」

「ああ」

「菜緒ちゃんが嫌ったから？」

「そういうわけじゃないんだけど」

実際は嫌っていたが、そもそも菜緒と会う前から、大友は煙草を吸っていなかった。

それにしても、早紀が突然菜緒の名前を持ち出したのが気になる。過去につながる名前

――大友にとっても早紀にとっても、死という絶対の壁によって隔てられた相手。

「君こそ、煙草なんか吸ってると事務所の方が煩いんじゃないか？」早紀は夢厳社に所属しているものの、マネジメントは別の芸能事務所に任せている。大友もそれぐらいのことは知っていた。死んだ笹倉は、それをあまり好ましく思ってはいなかったのではないか。本当は夢厳社で芸能事務所を作り、所属する団員の仕事を全てコントロールしたかったはずである。

「知ってる？　うちの事務所、まだ社内は全面喫煙可なのよ」

「今の時代にそれは珍しい」

「社長が、どうしようもないヘビースモーカーだから」

「上意下達、絶対君主か」

「そういうこと。誰かさんみたいにね。この世界、小さな王様がたくさんいるから」小さく笑って、早紀が携帯灰皿にまだ長い煙草を突っこんだ。ニコチンの補給は十分らしい。

「事務所と言えばさ、この騒ぎのこと、何か言ってきてないのか？」

「言ってきたわよ、散々」早紀が携帯電話を取り出し、振って見せた。「でも、どうしようもないじゃない。さっさとここから離れろって言われても、警察に足止めされてたんだから。マネージャーが抜け出して、今頃会社に報告してるはずだけど」

「明日の朝刊は大変だと思うよ」

「書かれるのは仕方ないわ」早紀が肩をすくめた。「新聞記者の人にも生活はあるし、私をネタに記事が書けるなら、それでいいじゃない」

「ずいぶん寛容なんだね」

「どんなことでも宣伝になるから」

大友は、彼女が本音を吐いているかどうか、見極めようとした。芝居用のメイクを落とした顔はほとんど素顔に近いはずだが、それでも闇の中で、輝くような魅力を放っている。決して絶世の美女ではなく、ファニーフェイスと呼ぶべき顔立ちなのだが、それが独特の愛嬌になっている。若い頃よりも、落ち着きが出た今の方がはるかに魅力的だ。そして何より、立っているだけでも生じる存在感。柴が気圧《けお》されたのも理解できる。テレビや映画で見た人物が目の前にいるというプレッシャーだけではなく、本人が発するオーラの強さに腰が引けたのだろう。

「本気でそんなこと、考えてるのか？」

「あなたはどう思う？」

「役者さんの考えてることは、僕には読めないな」

「あなたも役者じゃない」早紀が白い喉を見せて笑った。

「いや」大友は短く、だがはっきりと否定する。「僕は刑事だ」

早紀の笑いが収まり、大きな目がさらに大きく見開かれる。顎の強張りから、軽く歯を食いしばったのが分かった。

「誰がやったの？　古橋君？」

「彼は、笹倉さんを恨んでいたという話がある」ここで彼女に事情を明かすのは危険だと思いながら、大友は言った。「給料の問題で。殴り合いになったっていう話も聞いている。君はその現場にいなかったのか？」

「話には聞いてるけど、詳しいことは知らないわ」

「古橋は、殺したいほど笹倉さんを憎んでいたと思うか？」

「殺したいかどうかはともかく、そんなの、昔からじゃない」早紀の唇が歪んだ。「テツ君は、学生時代にここにいただけだから、知らないのよ。あの後残った私たちは……憎しみ合いながらここまできたの」

「まさか」大袈裟な打ち明け話に、大友は反射的に首を振った。

「お金がないのがどういうことか、テツ君には分からないかな」早紀が皮肉に笑う。「何のために自分が芝居をしてるのか、分からなくなることもあったわ。アルバイトでお金を稼いで、疲れて身も心もぼろぼろになって舞台に上がる。それって何のため？　自分を観てもらうためにアルバイトしているようなものじゃない。何か変よね。逆だと思ってた。人が私の演技を観てお金を払う、それが本当じゃない？……何てね」

早紀が舌をちらりと出して笑った。本気ではない？　それにしては、今の畳みかけるような言い方は真に迫っていた。

「でも、相当ぎすぎすしていたのは間違いないわ。今時、みんなで一つのパンを分け合って舞台に臨むなんて、考えられないでしょう。でも、何年か前まではそうだったのよ」

「君はうんと早く売り出したと思うけど」

「若手の頃？　その頃貰ったギャラなんて、高が知れてるわ。それを劇団に入れて。上納金よ」

「そんな風にぎすぎすしてたら、お互いに恨み合うこともあるだろう……でも、それも昔の話なんだよね？」

「長い間、恨む人もいるわよ」

「だから、古橋とか？」話は最初に戻ってしまった。

「否定はしないけど、あの二人の関係が、今どんな風になっているかは分からないわ。私も最近は、劇団の仕事から離れてるし。あくまで所属しているだけだから」

「それは知ってる」

「これが久しぶりの舞台だったの。お祭りだから、参加しないとね」

「ああ」

「もしかしたら私、疑われてる？」早紀が屈託のない笑みを浮かべる。

「今のところ、そういうことはない」その程度の否定が精一杯だった。

「この事件、あなたが調べてくれるんでしょう？」

「捜査に参加はしてるよ」

「じゃあ、私を守ってね。菜緒じゃなくて申し訳ないけど」早紀がさらりと大友の腕に触れ、去って行った。

彼女を守る？　早紀が消えたドアを見詰めながら、大友は困惑していた。どうして早紀は、自分を被害者のように見なしているのだろう。時間が経つに連れて大友の困惑は広がるばかりだった。


「テツ、ちょっといいか」

ロビーに戻った途端、大友は長浜に呼び止められた。ロビーからはいつの間にか人が消えており、マスコミもようやく諦めて去ったようだった。照明も半ば落とされた中、長浜は大友の肘を摑んでベンチに誘う。彼の方が長身なので、無理に逆らえなかった。

「どうした」

「いったいどうなってるんだ？」

「まだ何とも言えないよ」

「古橋なのか？」

また同じ質問。大友は急に疲労を感じて首を振った。

「違うのか……」長浜が眉をひそめた。

「何も断定できないけど、あいつじゃないと困るのか？」

「何だよ、それ」

「皆、古橋を犯人にしたがってるみたいだから」

「だってあいつなら、ナイフに細工をするなんて簡単だっただろうし、笹倉さんに恨みも持ってたんだから。殴り合いの喧嘩、したんだろう?」

「その話、誰かから又聞きしたんだろう? お前が直接、その場に居合わせたわけじゃないよね」

「まったく、これだから刑事さんは……」長浜が苦笑した。

「そういう僕に、役作りだって言って話を聞きにきたのは誰だ?」

「分かってる。その件は感謝してるよ」

「野良犬」リメーク版での長浜の役所は、黒澤オリジナル版で三船敏郎が演じた村上刑事だった。二日に渡って話をしたものの、結構苦労した記憶がある。何しろ村上刑事は拳銃を盗まれ、それを凶器とした殺人事件が起きるのである。当然大友にはそんな経験はなく、「そういう失態が起きたら」という仮定の話をするしかなかった。もちろん、普段の刑事の行動や考え方については説明することができたが。

オリジナル版は、ストーリーもさることながら、「戦後復興期の日本の風景を後世に残した」と評価を受けたのに対し、リメーク版も、「平成の東京の風景を見事に切り取った」と高評価を得ている。内容はともかく、刑事が犯人を追って、ひたすら東京の街を歩き回る映画は、半世紀に一本ぐらいは作られた方がいいのかもしれない。記録の意味も含めて。

「だったら、覚えてるよな。現行犯でもない限り、最初から犯人を決めつけるような捜査はしない」

「今回は明々白々じゃないのか」

疲れ切ったのか、欠伸を嚙み殺し、長浜が長い足を投げ出した。腿の辺りに、横糸が見えるほどのダメージが入ったジーンズだが、十年も穿き古したものではないだろう。一本三万円はするダメージ加工に違いない。大友は、自分が穿いているロウデニムのジーンズが急に恥ずかしい物に思えてきた。優斗のジーンズと一緒にユニクロで買ったもので、非常に穿きやすいのだが……。

「そういう考えに固まると危険だよ」

「どうして」

「古橋は帰された」

「じゃあ、シロってことか」

警察の隠語が飛び出して、大友は苦笑したが、今はこれぐらいの言葉は誰でも普通に使うだろう。

「それも含めて、まだ捜査中だから」

「何だか面倒だ」長浜が腿を平手で叩いた。「これからきっと、マスコミに追い回されるんだろうな」

「早紀は、そんなに気にしてなかったみたいだけど」

「あいつのところは、事務所が強いからだよ。ちゃんとガードする」

「そういう違いって、本当にあるのか？」

「あるさ。うちみたいな弱小事務所は、マスコミとのつき合いも下手だからね。直接攻撃されたらたまらないよ。だってさ、何も答えられないじゃないか。それで曖昧な返事をしたら、そのままテレビで流されるんだぜ。そういうのって、ものすごく馬鹿に見えるんだよな」

「お前なら馬鹿には見えない。それが最大の取り柄だよ」

「本当の頭の中は分からないけどな」にやりと笑い、長浜が人差し指で耳の上を叩いた。

急に、気になる疑問が浮かんだ。大友は姿勢を正し、長浜に訊ねる。

「一つ、訊いていいか？」

「取り調べなら勘弁してくれよ、刑事さん」面倒臭そうに手を振る。

「そうじゃない……何だか皆、あまりショックを受けてないみたいなんだけど、どういうことだろう」

「そうか？　俺は十分ショックだけど」そう言う長浜の口調には、恐怖も怯えも感じられなかった。

「普通、目の前で人が殺されたら――そんな場面に出くわすことは滅多にないけど――もっと取り乱すよ。それが皆、結構落ち着いてるみたいに見える」

「呆然としてるだけじゃないのか？　まだ現実として受け止められないとか」

「お前も？」

「俺？」長浜が形のいい鼻を指差した。「そう、だな。そうかもしれない。こういうのって、段々ショックが大きくなってくるんじゃないのか？　正直言って、今はまだ現実感がない。お前は刑事なんだから、そういうのもたくさん見てるだろうけど」

「こういうケースはあまりない。特殊過ぎるよ」大友は両の掌を上に向けた。

「そうか……」長浜が天井を仰いだ。「しかし、とんだ目に遭ったよなあ。まさか、二十周年公演に出て、こんなことになるなんてな」

「本当のところ、どうして出たんだ？」

「理由は話したじゃないか。何か変か？」

「だってお前、忙しいだろう。それに、笹倉さんとは、仲もよくなかったよな」

突然、長浜が声を立てて笑い始めた。よほどおかしかったようで、体を折って笑い続ける。あまりにも長く続くので、大友は次第に不快になってきた。

「いつの話だよ。もうずっと昔のことだろう。最近は、劇団とは完全に切れてたんだぜ。だから俺のところに出演依頼が来た時なんて、本当にびっくりしたよ。忘れられてると思ったからな」

切れてた。その一言に大友は違和感を覚えた。むしろ長浜の方から「切った」のではないのか。在学中、長浜は男性ファッション誌のモデルにスカウトされ、外での活動を始めていた。それがきっかけになってテレビドラマのオーディションを受け……笹倉にはまったく相談せず、それ故彼が怒り狂った場面は大友も見ている。テレビになんか出やがってと、因縁をつけるようにも思える怒り方だったが、一方で彼が怒る理由もよく理解できた。何しろ長浜は以前から、劇団の活動を軽視していた。大事な公演をすっぽかして、モデルの仕事を優先させたことすらある。その時の穴は、結局大友が埋めた。

そういう経緯があったからこそ、おかしいのだ。今の長浜は、完全に一本立ちしたスターである。いかに夢厳社が人気劇団とはいえ、長年立っていない舞台に戻る決心をしたのは何故だろう。

「事務所が勧めた話は聞いたけど、お前がここの舞台に立つ決心をした理由が分からないな」

「俺の名前をトップに載せてくれるって言うからさ。笹倉さんも丸くなったよな。昔だったら考えられない」

そんなことで？　いや、一部の役者にとって、パンフレットやポスターのどこに名前が載るかが極めて重要な問題だということは、大友にも理解できる。客演とはいえ、自分は格が違う――それ相応の扱いをしてもらえるなら、と長浜が考えてもおかしくないだろう。要はプライドの問題だ。

「それだけなのか」

「何か変かな」きょとんと目を開き、長浜が無邪気な口調で訊ねる。

「だって、いろいろあるじゃないか」

「いろいろあるよ、それは」面白そうな口調で長浜が同意する。「でも、まあ、こういうのもいいんじゃないか？　事務所もやるべきだって言ってたし、たまには俺だって舞台に立ちたくなるんだよ。分かってると思うけど、舞台には独特の緊張感がある。やり直しがきかない、客の反応がダイレクトに見える――映画やテレビとは違うからな。自分がどの程度成長したかも、見てみたかったし」

「それはずいぶん、優等生的な答弁に聞こえるけど」

長浜が声を上げて笑った。煙草をくわえてぶらぶらさせながら、くぐもった声で答える。

「俺は別に、劇団に対して含むところはないよ。こっちの都合で勝手に辞めたんだし、それもずいぶん昔の話だから。それに今回は、笹倉さんの方から誘ってくれたんだぜ」

「普通に話はしたのか？」

「そりゃそうだよ」長浜が煙草に火を点ける。禁煙場所だし、彼が灰皿を持っている様子もないが……すぐに人差し指で煙草を叩き、まだほとんどない灰を床に落とした。「話さないと、芝居の準備なんかできないだろう。まあ、この芝居は一度やってるから、心配しなかったけどな。結構体で覚えてるんで、びっくりしたよ」

「そんなものかな」

「お前だってそうじゃないか？」

「僕は違う。そういう世界からはずいぶん離れてるから」

「結局、やることは同じかもしれない。脚本を覚えて、役を作って……表現する場が違うだけでさ。正直、面白いと思ったよ。忘れてた感覚が蘇るっていうか、血が騒ぐっていうか。だから、引き受けたっていうのもある」

「宣伝にもなるしね」

「今さら、宣伝なんかどうでもいいけどな」うんざりした口調で長浜が言った。「顔を知られるのって、それはそれで面倒なもんだぜ？　街中で、映画のでかい看板がかかってたりするだろう」

「ああ」

「そこに自分の顔が載ってるのって、物凄く変だよ。歩いてるだけで、ちらちら見られてる感じもするし。その感覚、分かるか？」

「何となく」

「迂闊に街も歩けないし、やりにくいよ。だから、今さら名前や顔が売れたって、別に嬉しくも何ともないんだ」

それは贅沢な悩みではないか、と大友は思った。彼のレベルにたどり着きたくて足掻き、どうにもならずに途中で降りる人はたくさんいる。夢厳社の中で、こういう問題で長浜を羨ましいと思わないのは、早紀と笹倉ぐらいだろう。

「久しぶりに皆と会ってみて、どうだった？」

「皆変わらないね。何なんだろう、あの熱さは。笹倉さんも少しは丸くなったけど、相変わらず稽古場では汗だくで怒鳴ってるしさ。あの鬱陶しさについていこうっていうのは、俺の感覚では理解できないな」

「それが嫌で辞めたのか？」

「正直言えば、それもあった」長浜が煙草を床に落とし、靴で踏みにじった。「あの頃は、もっと、スマートにやりたかったからね」

大友が想像する限り、映画やテレビの撮影の現場も相当泥臭いはずだが、長浜の中では感覚が違うのだろう。その辺を細かく知るのはどこか鬱陶しくもあったし、捜査には直接関係ない。記念公演には参加しても、どこか一線を引いていたはずの長浜の感覚に、大友は賭けた。

「久しぶりに来てみて、劇団の中の雰囲気、どうだった？」

「相変わらずぴりぴりしてたよ。いくら人気が出ても、基本的なところは変わらないんだろうな。夢厳社は、笹倉さんが全てなんだ。あの人、まさに『アノニマス』の通りの独裁者だから。考えてみると、よくあの役を受けたよな？　あの脚本って、中川《なかがわ》の当てこすりみたいなものじゃないか」

大友は思わず苦笑した。中川俊《しゅん》は、学生時代に夢厳社の脚本を何本も手がけていた男で、笹倉の圧政の一番の犠牲者だったと言える。ボツにされた脚本が何本あったことか。永遠に続くとも思える書き直し。笹倉に呼び出され、ファミリーレストランで朝まで激論――現実には笹倉の一方的な誹謗中傷――に耐えたことも何度もあったはずだ。

「確かに。でも笹倉さんは、内容が面白ければ許すタイプじゃないのかな」

「確かに『アノニマス』は、よくできた芝居だよ。学生レベルじゃないと思う。笹倉さんにとっては、初めて納得できる芝居だったし、最初に話が来た時も『原点に立ち返るつもりで、今回上演する』っていうことだった」

「そういえば中川は、今回は来てないんだね」

「今さら？　あいつの方だって、来る気はないだろう」当たり前じゃないか、とでも言いたげな口調で、長浜が言った。

大友は、中川と笹倉の最後の大喧嘩を思い出した。卒業が間近に迫り、大友たちを含む四年生はそれぞれ進路も決まって、最後の芝居に取りかかっていた時期。中川は在学中からテレビ番組の制作会社で仕事をするようになっており、構成作家として下積みの生活を始めていた。テロップに自分の名前が載った、と喜んでいたのを大友はよく覚えている。

その中川に、笹倉が嚙みついた。大友たちにとっては卒業公演になる芝居の脚本を、中川に叩き返したのである。別に内容が悪いわけではなかったと、大友は今でも思う。大学卒業から十年が経ち、一人の仲間の死をきっかけに再会したかつての友人たちが、それぞれの近況を語り合ううちに、昔の憎しみが露《あらわ》になる——という具合に静かに進む芝居だった。少しブラッシュアップすれば何とかなる、と初稿を読んだ大友は判断したのだが、笹倉はいきなり「ボツ」を宣告した。

その爆弾は、読み合わせのために集まった喫茶店で爆発したのだった。てっきり、読み合わせを経て手直しするだけだと思っていた大友は、笹倉のあまりの勢いに唖然として言葉を失ってしまった。

「こいつは史上最大の屑だ。お前はテレビに魂を売ったのか？　下らないバラエティの台本なんか書いてるから、人間のレベルが落ちたんだ」

舞台人の中には、テレビを一段下に見る人間がいる。生の緊張感は、舞台もテレビの生放送も変わらないのだが、やはり観客を前に演じる舞台の方が、より高度な集中力を要求される、というのが彼ら——笹倉たちの言い分である。それを言うなら、客席が埋まり、しかも同時に何百万人もの人が画面で観ているバラエティの生放送に集中力は必要ないのか、と大友は思うのだが……。

あの時、笹倉の罵倒は停まらなかった。

「お前の脚本は、お情けで使ってたんだ。我慢してたんだよ。こんな物しか書けなくて、よく満足できるな。俺だったら、才能がないのを自覚して死んでる。自分で首を吊るよ」

誰も一言も発せなかった。劇団中興の祖にして、年齢も大友たちより二歳上。普段の暴君的な態度もあって、誰も逆らえなかった。

大友はその後長く、この場面を後悔することになった。一言口を挟めばよかったのではないだろうか、と。「悪くない脚本《ホン》ですよ」。それだけで、場の雰囲気が変わったかもしれないのに。

　結局、脚本はボツにされ、以前演じた芝居が再演されることになった。喫茶店からの帰り道、中川はあまりのショックに涙も流さず、呆然とただ歩き続けるだけだった。駅に着いて、そのまま反対側の電車に乗ってしまう……それほど我を失っていたのが、大友にとっても衝撃だった。

「中川は、本当に呼ばれてなかったのかな」

「どうだろう。誰が呼ばれたか、俺は詳しく知らないから」長浜が首を傾げる。「だけど、呼ばれたとしても、あいつの方で断ったんじゃないか？　劇団との関係は完全に断ち切ってたし、今は忙しいだろうからな。今頃、来年の大河の脚本でひいひい言ってると思うよ」

　そう、中川もあの屈辱を過去に置き去りにして、ステップアップしてきた一人だ。構成作家からスタートさせたキャリアだが、その後テレビドラマの脚本家に転身、今では映画の脚本も手がけるようになっている。特に、じっくりと家族の姿を描く手法には評価が集まっていた。テレビで「ホームドラマ」は既に死語になっているのだが、中川の書く脚本は「ホームドラマの新しい時代を切り開いた」とまで評されている。学生時代に苦労しているのを知っていたが故に、大友もテロップに彼の名前が出るのを楽しみにしていた。最近は、「中川が脚本を書く」というだけで、業界ではニュースになるぐらいである。そしてとうとう、来年のＮＨＫ大河ドラマの脚本家に抜擢された。実際には、夢厳社の記念公演に顔を出す余裕などないのだろう。

「最近、あいつに会ってたか？」

「いや、仕事が重ならなかったからね。『野良犬』の脚本は中川が書くっていう話もあったらしいんだけど、あいつの方で断ったらしい。あの手は苦手なのかもしれないな」

「あの手って、刑事モノ？」

「というか、リメークや原作ありが嫌いなんだと思う。あいつの脚本、ほとんどオリジナルだぜ？　そう考えるとすごいことだよ。今のテレビドラマなんて、漫画か小説の原作がないと成立しないから」

「今日のこと、もう知ってるのかな」

「知ってるんじゃないか？　いくら脚本書きで部屋に籠っていても、ニュースぐらい見るだろうし」

「ああ」大友は軽くうなずいた。

「さて」長浜が出入り口の方に目をやり、膝を叩いた。車のヘッドライトがロビーに入りこんでいる。「やっとお迎えが来たよ。俺は帰るぜ」

「事務所の人？」

「さすがに今日は、一人で帰る気はしないね。悪いけど、ちょっと外まで送ってくれないか？　もうマスコミはいないと思うけど、万が一ってこともあるから」

そこを出て、車に乗りこむだけではないか。仮にマスコミがいても、何も言わずに、うつむいて通り過ぎればいい。彼の傲慢さが鼻についたが、大友は素直に立ち上がった。確かに「万が一」の可能性は考えなければならない。

しかし報道陣の姿は既になく、劇場の出入り口の前には一台のミニバンが停まっているだけだった。長浜は慎重に左右を見回したが、ドアを開ける気配はない。そういうことか……大友は気づいて、溜息をつきながら後部座席のスライドドアを開けてやった。長浜が頭を下げ——大友に対しての感謝の意ではなく、ルーフに頭をぶつけないように——車に乗りこむ。

「じゃ」さっと右手を挙げると、大友のことなどあっさり忘れてしまったように、前を向く。

大友は少しだけ力をこめ、音を立ててドアを閉めた。

7

まだ終電に間に合う。どれだけ遅くなっても、署の道場で寝るよりはましだと思い、大友は帰宅の準備を急いだ。まだ残っている劇団員たち一人一人に挨拶し、念のため、最後にもう一度、犯行現場になった舞台に向かう。誰もいなくなった暗い舞台に。

床に零れた笹倉の血は既に拭い去られ、むごい犯行があったようには見えない。仲間の刑事の中には「現場には成仏できない魂が残っている」などと言う者もいるが、大友は霊的なことを一切信じていなかった。

舞台に立ち、自分にピンスポットが当たる様を想像する。今も、当時収録された舞台の映像を観ることがあるのだが、自分の姿はどうにも頼りなかった。しっかり肩の幅に足を開いて、大地を踏みしめるように立っているつもりだったのだが、改めて見るとふらふらと揺れている。緊張と不安が、そのまま体の動きとして現れているようだった。

まあ、そんなことは過去の想い出話で……客席に背を向け、黒い幕に向き合う。開いてみると、ナイフを載せた台は既に撤去され、第二部で使うはずだったテーブルや椅子が整然と置かれているのが、丸見えだった。この幕を開ければそのまま、奥の方で第二部が始まりそうな雰囲気である。

椅子を引いて腰かけ、テーブルに頬杖をつく。そう、初演の時も、僕はこうやって頬杖をついていた。そうして、団員たちがあれこれと推理を披露するのを、黙って聞いていたのだ。最後の最後までほとんど台詞のない芝居は難しかったが、考えてみれば今も、同じようなことをやっている。人の話を聞く。あれこれつなぎ合わせてストーリーを作る。最後に、最も合理的と思える結論を出す。

ふいに、舞台の床が軋む音がした。慌てて振り返ると、柴がズボンのポケットに手を突っこんだまま、にやにやしている。

「探したぜ……面白い物が見つかった」

「証拠？」

「おそらく、な。ついてこいよ」柴が舞台の袖に向かって首を倒した。

柴は舞台の袖から控え室に向かう狭い通路に入って行った。途中で非常扉を押し開ける。そこが外への出口だと、大友には分かっていた。ただし、先ほど早紀と話をした場所に出るわけではない。行き先はもう一つの裏口、ゴミ捨て場だ。プラスティック製のゴミ箱が三つ、壁際に並んでいる。

「ここから、手袋が見つかった。俺たちが現場で使うラテックス製みたいなやつだ」

「犯人が使った？」

「その可能性は高いと思う」

「犯人は、相当入念に準備していたみたいだな」

「そういうことだ。それで、古橋なんだけどな……」

柴が煙草をくわえた。今日は周りにやたら煙草を吸う人間が多く、大友は少し息苦しい感じを味わっていた。

「今日着ていた服を、任意提出させた」

「ああ」

「見た感じでは血痕はなかったけど、調べてみる価値はあるだろう」

「そうだな」大友は顔を背けた。警察は、古橋をどんどん追いこもうとしている。

「お前、あいつがやったと思ってるのか？」

「何とも言えない。アリバイは成立しているけど」

「曖昧なアリバイだぜ」嫌そうに、柴が顔をしかめる。「もう少し突っこんでみる必要があるな」

「分かってる」確かに、百パーセントのアリバイではない。証言したのは一人だけで、勘違い、あるいは共犯として古橋を庇っている可能性もあり得る。

「さっさと片づけたいな。マスコミにも騒がれたくないし」

「マスコミが騒ぐのは、ある程度覚悟しておいた方がいい。彼らにとっては美味しいネタなんだから……それよりお前は、明日の取り調べを頑張ってくれよな」

「いやあ、緊張するな」柴が両肩をぐるぐると回した。「何か、いつもと勝手が違う」

「早紀に失礼がないようにね」

「お前、昔からの知り合いなんだよな。どういう攻め方をすればいい？」

「一つだけ忠告しておくけど、騙されないように」

「は？」

「彼女は女優だ。嘘をつくのが商売みたいなものだから」

引き攣った笑みを浮かべた柴を残し、大友は劇場を後にした。やはり明日は、自分も早紀の事情聴取につき合おう、と思いながら。

十二時二十六分、下北沢発相模大野行き。町田へ着くのは一時過ぎか、と大友は溜息をついた。これでもまだ、町田方面へ向かう最終ではない。終電にならないだけよかったではないか、と自分を慰めた。

下北沢の駅は、昔と変わらず狭くてごちゃごちゃしている。小田急線と京王井の頭線が交差するこの駅は、狭い敷地に無理に駅の施設を押しこんだためか、ホームも階段も狭い。ラッシュ時には、明らかにキャパシティオーバーになって、階段などでは上り下りすらできなくなってしまうほどだ。ここのところ、ずっと工事をしているので、狭苦しさに拍車がかかっている。しかしこの時間になると、利用客はほとんどいない……そういえば腹が減った。開演前に慌ててハンバーガーを食べただけで、そんなものはとうに消化されてしまっている。この時間でも食事をする場所は、下北沢には幾らでもあるのだが、食べていると電車に乗れなくなってしまう。

仕方なく、自動販売機で暖かいお茶を買い、空腹を紛らすことにした。しみじみと胃に染みて体は温かくなったが、かえって空腹感は増すようだった。

電車がホームに滑りこむ。土曜日のこの時間になると、さすがに満員ということはなく、席はかなり空いていた。各停で三十分かかるから、少し体を休めておこうと思い、空いている席に迷わず腰を下ろす。溜息を一つつき、ペットボトルを握り締めた瞬間、隣に誰かが勢いよく転がりこんできた。その直後、ドアが閉まる。危ないな……と思ってちらりと横を見ると、知った顔があった。ぜいぜいと息を切らし、肩を上下させている。

「高山《たかやま》」

低い声で呼びかけると、高山がびっくりしたようにこちらを向く。少し反応が大袈裟だと思ったが、すぐに彼の顔に笑みが浮かんだ。

「テツ、どうしたんだ」

「どうしたって、帰るところだよ」

「ああ、あの……」高山が言葉を呑みこむ。捜査で、と言おうとしたのだろう。慎重に周囲を見回し、消えそうな声で「仕事だったんだ？」と訊ねる。

「ああ。お前も劇場で待ってたのか？」

「待ってたというか、足止めを食らってさ。参ったよ。まさか、あんなことになるなんてな」

今日初めて見た、まともな反応だと思った。口調からは特にショックを受けている感じではないが、顔が蒼い。唇も震えていた。元々、細身で顔立ちもどことなく頼りなげな男である。学生時代は、気の弱いサラリーマンや、生徒に突き上げられる若い教師役をやらせると、気味が悪いほどはまったものだ。そのどことなくはかなげな風貌は、年を経て、さらに頼りないものになっている。同じような役を演じ続けて、人間そのものが変わってしまったのか。今は、上からも下からも苛められる中間管理職のサラリーマン役がぴたりとはまりそうだ。

「分かるよ」

「これからどうなるのかな、劇団」

「どうだろう」

彼の心配はもっともだ。主宰者がいなくなった後、どうやって運営していくのだろう。あまりにもカリスマ性に溢れた独裁者が消えた後、劇団が求心力を失うのは目に見えていた。何より、劇団としての夢厳社の個性を決定づけていたのは、笹倉のパーソナリティである。どれだけ人気が出ようが、夢厳社は彼の個人商店のようなものだった。

「お前はどうする？」

「どうするって……芝居は続けるけどさ」

この男は、大友が知る限り、唯一昔から金の心配をしないで済んだ男である。実家が金持ちなのだ。元々、川崎で代々続く地主の家系であり、今は何軒か賃貸マンションを経営している。一応親の仕事は手伝っているようだが、大学卒業後も仕事は適当に、あとは劇団に全てを注力してきた。そういう生活がいつまで続くかは分からないが。いずれは親の跡を継いで、マンション経営に責任を持たなくてはならないだろう。その時、芝居はどうするのか。能天気なところがある男だから、事業を人に譲って、死ぬまで芝居一筋で生きていく、とでも言い出すかもしれない。

もちろんそれは彼の人生で、大友が口を出す問題ではない。特に羨ましいという感覚もなかった。

「笹倉さん、最近どんな感じだった」

「よせよ」蒼い顔で高山が首を振る。「こんなところで事情聴取はやめてくれ」

「そんなつもりじゃない。雑談だ。僕は事情聴取は担当しないと思うから」

「そうなんだ」

「いろいろ、役割があるんだよ」

「それならいいけどな。友だちにそんなことされたら、辛いよ」

彼の一言に、大友は少しだけ胸の痛みを感じた。実際には、事情聴取以外の何物でもない。古橋を苦しめてしまったという意識もある。それでもなお、電車で同行する間に、高山から何か話を聞き出せれば、という気持ちはあった。

「で、笹倉さんの様子は？」

「張り切ってたよ。何しろ、二十周年だから。最近は、昔の話をよくしてたな。確かに二十年もやってれば、それなりの歴史ができる」

「分かるよ」

「でも、それは上辺だけだったかもしれない」

「どういうことだ？」大友は声を低くした。

「いろいろあってさ……私生活の上では」

「そうなんだ」

笹倉は独身である。その事実に関しては、大友にとってもまったく違和感がなかった。芝居一筋、家庭を持つような姿が想像できない男なのである。実際、六畳一間のアパート住まいを続けていたのは――ほとんど劇団に泊まりこんでいたとはいえ――家庭に興味がなかったせいではないか。家族ができれば、人は——男は家に固執するようになる。

「笹倉さん、誰かつき合っている相手とかいたのかな」

「早紀」高山がぼそりとつぶやいた。

「早紀？」驚くことではないと思いながら、大友は思わず聞き返してしまった。卒業してから十年以上、劇団とは疎遠になっていたし、昔の仲間とはたまにしか会わなかったから、何が起きているのかは想像もできない。笹倉と早紀が一緒に歩いている場面は、想像さえ超えていた。

「しばらく前までね」

「いつ頃の話なんだ」下世話なことだと思いながら、突っこまざるを得なかった。男女の問題のもつれは、いつでも犯罪の動機になり得る。

「そう、最終的に別れたのって……もう、二、三年前じゃないかな」高山が、無精髭の生えた顎を撫でる。

「結構長かった？」

「くっついたり、離れたりね。二人ともあんまり隠そうとしなかったから、劇団の中ではばればれだったよ」

鉄輪が規則的に線路の継ぎ目を乗り越え、固い音を発する。ともすれば眠気を誘うリズムも、今は逆に大友の集中力を増幅させた。金のない劇団。互いに支えあう主宰者と看板女優。しかしいつしか寄り添うバランスが崩れ……駄目だ。いかにもありそうな話だが、早紀のイメージとは程遠い。それに笹倉も、女性に執着して人生を狂わせるような男ではないはずだ。そもそも彼の人生は、芝居に執着して既に正常な軌道を踏み外していたはずだし。

「今は、別れてるわけだ」

「そう、だな」自信なさげに高山が認める。「こんなこと、言っちゃっていいのかどうか……」

「どんなことでも、教えてくれると助かる」

「探偵さんは、昔の舞台でもそんなこと言ってたね」高山が強張った笑みを浮かべる。「何でもいいから教えてくれると助かるって。そんな台詞、あったよ」

「そうだったかな」

「俺は、覚えてるんだ」高山が拳で側頭部を軽く叩いた。大友はまったく記憶にない。あの役はあくまで狂言回しであり、重要な役の割には、大友の中では印象が薄いのだ。今考えると、あれほど緊張していた理由が分からない。

電車が経堂駅で停まり、酔っ払いが二人、互いに支え合うように車内に転がりこんで来た。あまりの勢いに、激しい音を立てて反対側のドアにぶつかり、ようやく停まる。ふらふらと向かいの席に歩き始めるのを見て、大友は自分たちの正面に座られると厄介だな、と思った。酔っ払いは感覚をなくしているようで、案外聞いた話を覚えている。電車の中の話は結構漏れやすいから、これ以上際どい話はできなくなるだろう。だが、酔っ払いはあくまで酔っ払いだった。よろよろと斜めに歩いて行き、結局少し離れたシートに落ち着く。二人ともずり落ちそうな姿勢になり、すぐに高鼾《たかいびき》をかき始めた。先ほどまでは勢いよく動いていたのに、急に充電が切れたようだった。

「お互いに苦労もしてたから、いろいろ引き合う部分もあったんだろうね」自分の言葉に納得するように高山がうなずいた。

「そうかな？　早紀は劇団よりも、外で活躍していた印象が強いけど」

「だけど、外で稼いだ金を結構劇団に注ぎこんでたんだぜ？　劇団の活動が安定するまで、あいつの貢献は本当に大きかったよ」

何かおかしい……そう、早紀はひどく冷静だったではないか。別れたとはいえ、かつてつき合っていた相手が殺されたとなったら、もっと取り乱してもおかしくない。いや、むしろそうなるのが自然だろう。ショック症状すら見せず普通に話していたのは、明らかに不自然だ。明日以降、彼女の動向をチェックしなくてはいけない、と大友は心の中でメモした。

「ところで、何で別れたんだ？」二人とも我の強い人間である。些細な出来事で衝突し、修復不可能な罅《ひび》が入ったのは容易に想像できる。

「ああ、それは、ねえ」高山が急に口を濁す。

「何だよ、はっきりしないな」

「うん、ちょっと……言いにくいことがある」高山が周囲を見回した。この車両で、二人の会話を聞いていそうなのは、先ほどの酔っ払い二人組と、大友たちが座っているシートの端にいる大学生らしき若い男だけである。こちらは耳に大きなヘッドフォンを当て、外界の音を遮断していた。

「いいから、教えてくれよ」大友は静かに、しかしきつい口調で言った。

「ちょっと……」高山が体を前に倒した。大友もそれに倣うと、高山が車内の騒音に紛れそうな声で囁く。「長浜だよ」

「長浜がどうした？」

「分からないのか？」

高山が急に背中を伸ばした。ちらりと彼の顔を見ると、呆れたように口をぽかんと開けている。馬鹿にされたように感じ、大友は高山を睨みつけた。高山が急に顔を蒼くし、首を振る。

「だから、早紀は今、長浜とつき合ってるから」

「そうなのか？」

「こと男女関係に関しては、お前の鈍さは致命的だな」呆れたように高山が首を振った。

「そういうところ、昔と全然変わってない」

「鈍いって言われても、僕は劇団の中にいないんだから、分かるわけないだろう」

「ああ、まあ、そうか。でも、今日の様子を見て……って、上演前に楽屋には来てなかったんだよな」

たんだ？」

「頼むよ」大友は両手を広げた。「僕はあくまで部外者なんだ……で、楽屋で何があっ

「俗っぽい言い方だけど、べたべたしてた。笹倉さんは無視してたけど、何だか嫌な空気だったたな。見せつけるみたいな感じだったけど、ああいうことして楽しいのかね？」

「恋愛は自由だよ」

「でも、愚図愚図《ぐずぐず》になったら、いろいろ面倒だ。早紀も、人生を間違ったかもしれないね」

「そうかな？　順風満帆みたいだけど」

「女優になって、人の注目を集めるだけが人生じゃない。普通に結婚して、子どもを産んでっていう選択肢もあったと思うんだ」

「何が言いたいんだ？」

「お前、本当に何も分かってない？　信じられんな」呆れた、とでも言いたげに高山が首を傾げた。

「何が」もったいぶった——あるいは芝居がかった言い方に、大友もさすがに苛々してきた。

「まあ、いいや。お前は菜緒ちゃんしか目に入ってなかったからな」

「よく分からないんだけど」早紀も何か言っていた。僕が何を見落としているというんだ？　高山は、人生における大失敗のように言っているのだが、思い当たる節がない。

まあ、元々仕事以外では「鈍い」と馬鹿にされることがままあるのだが――。

仕事だ。仕事に頭を切り替えないと。

「ちょっと待ってくれ」大友は目を閉じ、話を整理しようとした。ゆっくりと目を開くと、高山に確認する。「二人が本当につき合ってるとして、笹倉さんはそれを知ってたのかな」

「知ってただろうな。あの人、劇団員のことは何でも把握しておきたいタイプだから。昔からそうだっただろう？」

「知ってて、今日は不快そうにしていた？」

「ああ」

「あのさ、そういうことに気づいていて、気に入らないなら、どうして長浜を今回の公演に呼んだんだろう？　確かにあいつが出演すれば話題にはなるけど、どうしても呼ばなければならない必然性は、特にはないよな」

「そういえばそうだよなあ」高山がまた顎を撫でた。「笹倉さんが、自分の気に食わないことをわざわざするとは思わない」

「それが舞台のレベルアップにつながることならともかく、長浜が出る必然性があまり感じられないんだ。あいつがやる役は、誰でもできるだろう？」

「アノニマス」の重要な登場人物は、最終的に二人に絞られる。殺される「伏見」と、最後に謎解きを披露する――大友がかつて演じた「田嶋《たじま》」。他の役の出番は、ほぼ等分である。今回は少し脚本をいじったようで、長浜が演じた「火浦」の出番が増えているが、これは客演に対する礼儀のようなものだろう。

しかし、それも奇妙だ。本当に笹倉が長浜を呼んだのだろうか。

長浜が嘘をついている可能性もある、と思い至った。本当は、長浜を客演させたかったのは、早紀だったのかもしれない。恋人に、自分のルーツを思い出してもらうための舞台。そのために笹倉を説き伏せたとか……これもおかしい。長浜が二人の関係を知っていたら、早紀の願いを受け入れるとは考えられない。女性関係に関して淡白だったとはいえ、笹倉のプライドの高さは尋常ではないのだ。そんなことを言われたら、「舐められている」と激怒するのではないだろうか。

どうもどこかがずれている。役者というのが世間の常識に疎《うと》い、少し特殊な人種であることは、大友も分かっていた。全てが嘘のような、しかし舞台の上では完全にリアルな世界を見せる……そういうことを繰り返しているせいだろうか、多少浮世離れした人間が多いのは否定できない。カメラが止まると現実に戻れるテレビや映画の世界よりも、舞台を中心とする役者の方が、そういう傾向が強いような気がする。二時間も、嘘の自分を見せ続ければ、それが本当になってしまう。

「本当は、誰が長浜を呼んだんだ？」

「笹倉さん……だと思うけど」高山の声が揺らぐ。

「調べてくれないか」

「俺が？」慌てて、高山が自分の鼻を指差した。「そんな、スパイみたいなこと……」

「スパイじゃない。これは重要な仕事なんだ。協力してもらえると本当に助かる」大友は頭を下げた。「中にいると分からないかもしれないけど、外から見ると劇団というのは特殊な世界なんだ。捜査を旗印にしても、簡単には入っていけない。話をしてもらえないと思うんだ。お前がちょっと探りを入れてくれれば……」

「勘弁してくれよ」高山が両手を合わせる。懇願する様は、先ほど大友が想像した通り、上と下から板ばさみになる中間管理職そのままだった。

「こっちこそ、本当に頼む」大友は深く頭を下げた。無言のまま、しばらく待つ。やがて頭の上から、高山の溜息が聞こえてきた。

「いいけど……俺が何かやってるって、絶対にばれないようにしてくれよ」

「もちろん。ネタ元は絶対に守る」

「本当に、俺なんていてもいなくても同じなんだから。笹倉さんの怒りを買ったら、そこで終わりだからな」

「笹倉さんはもういないんだよ」

「あ……」高山の口がぽかりと開いた。

いて当たり前の存在。十数年、高山にとっての笹倉は空気のような、あるいは太陽のような存在だったのだろう。

劇団員たちの悲しみが薄いと見た自分の反応は間違っていたかもしれない――大友は

反省した。彼らは、笹倉を失った事実をまだ理解できていないだけなのだ。

小田急町田駅の一日の乗降客数は、確か三十万人近くで、小田急の駅の中では新宿に次ぐ二つ目の巨大ターミナルだ——という事実を、大友はかつて優斗から教えられた。社会の授業で教わったのだという。

巨大駅なのだが、数多い出入口はどれも小さい。大友はいつも、北口の一番新宿寄りの出口を利用していた。表に出ると、すぐ左側に立ち食い蕎麦の店。右側は飲食店が入る雑居ビルになっている。一方通行の道路をしばらく歩き、細い道が六本交わる場所に出る。ここまで来ると、家までの距離の半分ほどだ。この六差路を右へ曲がり、町田街道へ出るとすぐに、優斗と二人で住むアパートがある。菜緒の実家——聖子の家は、そこから歩いて五分ほどの場所だ。優斗にすれば、聖子の家は自宅から学校へ行く途中にあるので、何かと便利である。

それにしても、腹が減った……この辺りはコンビニエンスストアの密集地なので買い物には困らないが、夜、弁当を買って帰って一人で食べるのは、あまりにも侘しい。冷蔵庫にはいろいろ入っているが、火を入れなければ食べられない物ばかりだ。さすがに午前一時を回った今、料理する元気はない。

早紀は今頃どうしているのだろう。あるいは長浜は。腹が減ったからといって気軽にコンビニエンスストアやスーパーには寄れないだろうし、毎回外食というわけにもいかないだろう。そんな食生活では、あんなスタイルは維持できまい。食材の宅配でも利用しているのだろうかと妙な想像をしたが、そもそもあの二人が部屋で自炊している様が想像できなかった。

　だいたい早紀は、まったく料理ができなかったのだ。あれは大学三年生の夏だっただろうか。夢厳社で合宿に行った時、キャンプでバーベキューをしたのだが、野菜すらまともに切れなかったのを覚えている。「おつき合いで」と同行していた菜緒が、見事な包丁捌《さば》きを見せていたのとは対照的だった。

　と思い出した瞬間、また腹が鳴った。菜緒が生きていた頃は、食べ物のことで不自由はしなかったな……どんなに遅くなっても、何か食事を用意してくれていたのだ。そして遅くなる時は、カロリーの低い、脂分の少ない料理が食卓で待っていたものである。そういう気遣いに甘えて、ろくに料理もしなかったから、今苦労しているわけだが。大友は未だに、目玉焼きを綺麗に焼くことができない。他の料理も、何とかこなしているレベルだ。

　セブンイレブンの灯りに引かれるように、店に入ってしまう。結局肉マンを二つ、ビールを一本だけ買って、家路を急いだ。これは夕食ではなく夜食。そう思って無駄な買い物を正当化しようとしたが、やはり上手くいかない。ほかほかと立ち上がる肉マンの湯気も、気持ちを暖めてはくれなかった。

8

「何だ、これ」

柴が目を細める。明らかに寝不足で、目が真っ赤だった。

「脚本」

「あの芝居の？」

「早紀の事情聴取を始める前に、ちょっと目を通しておいた方がいいんじゃないかな」

「何か役に立つのか？」

「分からない。あくまで参考として」

「面倒だな」

柴ががしがしと頭を掻いた。午前八時、世田谷北署。朝の捜査会議が始まる前の時間を利用して、大友は道場でのんびりと寝坊していた柴を叩き起こした。この男は異常に寝起きがよく、ぎりぎりまで寝ていても、捜査会議ですぐに暴れることができる。

大友は脚本と一緒に、紙コップに入れたコーヒーを手渡した。危なっかしい手つきで受け取りながら、柴が胡坐《あぐら》をかく。夕べ道場に泊まった刑事たちは既に全員起き出し、朝食でも食べているのだろう。ここにいるのは二人だけだった。

「飯はないのか」

「これから調達する。それまでに、読んでおいてくれ」

大友は、柴の手の中の脚本に視線を落とした。夕べ遅く、押し入れから発掘したものである。薄い緑色の表紙はぼろぼろで、何十回となく読み返した結果、紙がよれて本当の厚さの倍ぐらいに膨らんでいる。書きこみも膨大で、どのページも真っ黒だった。自分にしか理解できない記号、略語で埋まっているので、柴が読んでも意味は分からないだろう。

柴がぱらぱらとページをめくり、感心したように言った。

「脚本って、こんな風になってるのか。よく覚えられるな」

「慣れだよ」

「俺には無理だな」

「向き不向きもある」

「お前は向いてたんじゃないのか？」

「刑事の方が向いてると思いたいけどね。そうじゃないと困る……四十五ページ」

柴が顔を上げ、怪訝《けげん》そうな表情を浮かべた。指定のページを開くと、すぐに視線が吸い寄せられる。

「ここが、問題のシーンか」

「ああ。その辺を中心に読んでみてくれ……じゃあ、朝飯を仕入れてくるから」

立ち上がり、大友はゆっくりと畳を踏んで道場を出た。この時間に朝飯を調達するとなると、やはりコンビニエンスストアか。毎度お馴染みでいい加減飽きてくるのだが、コンビニエンスストアがなかったら、刑事の仕事は今よりずっと面倒な物になっていたに違いない。

駅前にコンビニエンスストアがあったのを思い出し、早足で歩いて行く。朝の捜査会議まで、あと三十分しかない。お馴染みの卵サンドとツナサンドを二つずつ、それに五百ミリリットル入りの牛乳を買いこむ。柴は少しコーヒーを飲み過ぎだから、ミルクを勧めるつもりだった。コーヒーは彼にとってエネルギー源のようなものだが、少し胃に優しい物を入れておいた方がいいだろう。かなり難しい事件で、これからかかりかりするのは目に見えている。

ついでに、自宅で取っているのとは別の新聞を二紙買う。朝刊では、事件は一面にきていた。殺人事件で一面というのは滅多にないのだが、それなりに名の知れた劇団の公演中に事件が起きたという特異性が、記者たちの興味を引いたのだろう。

日曜日の朝八時、駅の周りにもほとんど人はいない。しかし大友は、無意識のうちに用心していた。何か嫌な予感がする。

——そして悪い予感ほどよく当たる。

「大友さん」

聞き覚えのある声。大友は人の呼びかけを無視するような無礼な男ではないのだが、この場合はとにかく返事をしないのがベストの対応だった。一度返事をしてしまえばおしまい。後は物理的な妨害が入るまで邪魔される。

「大友さん、無視しないで下さいよ」

駄目だ、振り向くな。大友は歩調を速め、ひたすら世田谷北署を目指した。駅からの距離はほんの数百メートル。急げば五分もかからないはずだ。

「大友さん」

足を止め、一瞬躊躇った後に、左へ曲がるべきところをそのまま真っ直ぐ進む。この道の左側が世田谷北署、右側が羽根木公園だ。まさか、彼女を引き連れて署へ行く訳にはいかない。公園なら、人目を気にせず話せるだろう。

彼女——東日新聞の沢登《さわと》有香《ゆか》。警視庁担当でもないのに、面白そうな事件があると勝手に首を突っこんでくるので、刑事たちの間でも有名な存在だった。

呼びかけるのを諦めたのか、無言で大友の後をついてくる。大友は依然としてかなり早足で歩いているが、ほとんど意に介さず、同じペースを保っている。自分の靴音に、彼女のヒールの音が重なっていた。

公園の中に入ると、大友は車止めの石柱に腰かけた。一つ溜息をつき、首をめぐらして有香と対面する。

「何でまた」

「別に大友さんを尾行してたわけじゃないですよ」有香がにやりと笑った。意思の強そうな目に、この状況を面白がる色が浮かんでいる。

「どうかな。君には前科がある」

どこで調べてきたのか、以前、大友の家の前で待ち伏せしていたことがあるのだ。

「前科なんて」声を上げて笑いながら、有香がひらひらと手を振った。「今日は本当に偶然ですよ。でも私、ついてますよね」

「僕はアンラッキーだね」

「そんな風に決めつけてたら、人生つまりませんよ」

どうして下らない台詞をぺらぺらと続けられるのか。彼女は記者としては優秀なのだが、自分の周りにはいて欲しくないタイプだ。すっと大友の正面に回りこみ、少しだけ体を屈めて話を続ける。

「昨日の下北沢の事件でしょう？」

「ノーコメント」

「無理、無理」有香が大袈裟に手を振った。「夕べ、現場で大友さんを目撃しちゃいましたから」

「そんなヘマを？　この僕が？」大友は右手を広げて胸に当てた。「あり得ないな、それは」

「でも、見たものは見たんですよ。あの、箕輪早紀さんと一緒だったでしょう？」

まさか、裏口にいた時に見られた？　しかしあの場所では、制服警官が警戒していたはずだ。誰かが近づいて来れば、すぐに排除したはずである。

「何か、ずいぶん親しそうに見えましたけど、知り合いなんですか？　刑事と容疑者って感じじゃなかったですよ」

「彼女が容疑者かどうかは、何とも言えない」ややこしいことを……大友はかすかな頭痛を覚え始めていた。有名人が何人も絡んだ殺しは、有香の好奇心を普段以上に刺激しているのだろう。それにしても、興味本位で嗅ぎ回られたら困る。

「一つ、情報をあげましょうか」

「どうかな。記者さんと話しているのが分かったら、あまり具合がよくないんだけど」

「大丈夫ですよ、ばれなければいいんですから」

大友はちらりと前方に目をやった。世田谷北署の庁舎、その裏側がすぐ先に見えている。この裏道も、誰かが通りかからないとは限らない。しかし有香はまったく気にしていない様子で、大友の隣の車止めに腰かけ、トートバッグを膝に抱えた。

「それで、どうなんですか」

「まあ、知り合いといえば知り合いだけど。昔の知り合い」

「女優さんに知り合いがいるんですか？」有香が目を見開いた。「大友さん、顔が広いんですね」

「偶然ですよ。それより本当に、あなたと話しているのが見つかるとまずいんだけど」

「情報、欲しくないんですか」

「どうかな。記者さんから情報を貰うようになったら、刑事はおしまいでしょう」

途端に、有香がむっとした表情を浮かべた。本質的に攻撃的な女性で、記者会見などで相手をやりこめる姿を、大友も見たことがある。笑えばそこそこ愛嬌のある顔なのだが……今朝は早くも本性を露にしたようだ。

「じゃあ、今の話、なかったことにしましょうか」

「それで構いませんよ、僕は」

「そうですか」冷たい声で言ったものの、有香はその場を立ち去ろうとはしなかった。互いに意地を張り合うこの状況を打破しようと、タイミングを狙っている。

「サンドウィッチ、食べますか」

大友はビニール袋をがさがさ言わせながら、卵のサンドウィッチを取り出した。柴の朝飯が減ってしまうが、取り敢えず我慢してもらわないと。

「……いただきます」

断るかと思ったのだが、有香は手を出した。そこに慎重にサンドウィッチを置き、さらに牛乳のパックを取り出す。

「飲み物もあるけど」

「牛乳は飲めないんです」

「女性は牛乳を飲んだ方がいいって言うけどね。男に比べて骨が弱いから、カルシウムを取らないと」

「飲めないものは飲めません」強情に言って、乱暴にサンドウィッチの袋を破った。女性らしくなく、大口を開けてかぶりつく。いつでも時間に追われる仕事だから、早く食べる癖がついているのだろう。

「あの劇団なんですけどね」口をもごもごさせながら訊ねる。

「先に言っておくけど、僕は詳しい内部事情は全然知らないよ」

大友は先手を打ってバリアを張ったが、有香はあっさりと無視した。

「夕べ、芸能部の記者を叩き起こして話を聞いたんですよ。ずいぶん人気の劇団らしいですね」

「ああ」

「内実は火の車らしいですよ」

「へえ」

夕べ聞いた話とはだいぶ違う。最近は少しは余裕が出てきたという話だったではないか。誰かが嘘をついている？　都合の悪い事実を隠したがっている？　いや、単に劇団の本当の財政状況は、笹倉しか知らなかったのかもしれない。ワンマンにありがちなことだが、他人には金を触らせなかった可能性もある。

また、話が嫌な方へ振れてきたな……大友は知らん振りを装って、公園の奥に目をやった。十二月なので緑はずいぶん劣勢で、枯れ枝を渡る風が寒々しい。思わずコートの襟を立て、それで有香から顔の下半分が見えないようにした。顔が半分隠れるだけで、人の表情はずいぶん曖昧になる。

「自前のビルを建てて、その借金の返済で大変だったみたいですね」

「芸能部っていうのは、そんなことまで取材するんだ」

「取材しなくても、雑談で自然と耳に入ってくることもあるでしょう」

「そういうことを蓄積しておけば……」

「いざという時、情報がつながる」有香が大友の台詞を引き取った。

「なるほどね。いや、参考になりました」

「それだけ？」有香が不審気に大友を見た。「こういうの、バーターでお願いしたいんですけど」

「僕が捜査にかかわっているかどうかも含めて、何も言えないな。もしかしたら、刑事総務課の仕事として、ここに来ているのかもしれない。特捜本部ができれば、食事や毛布の手配もしなくちゃいけないから」

「それはないんじゃないですか、大友さん」

憤慨して、有香が残ったサンドウィッチを握り潰した。食べ物をそんな風に扱うのはまずい。しかし子どもではないので、説教はしないことにした。

「残念だけど、そう簡単に喋るわけにはいかないから。僕にも仕事に責任はありますからね」

立ち上がり、歩き出す。一瞬だけ後ろを向いた。有香は追いかけてくるか、サンドウィッチを投げつけるのではないかと思ったが、思い切り口を開いて残りを頬張っていた。

結構、結構。食べ物を大事にしないと、立派な大人にはなれない。

第二部　アノニマス

1

柴は夕べと同じように、がちがちに緊張していた。場所は、赤坂にある早紀の所属事務所。日曜だが人の出入りは激しく、ざわついた、というか浮ついた雰囲気が漂っている。狭い会議室に通され、ドアが閉まっても、その気配は薄まらなかった。

事情聴取には、早紀のほかに、マネージャーの有田《ありた》有子《ゆうこ》という女性が同席した。名刺を見て、大友は一瞬、彼女の親の良識を疑った。苗字の一字と同じ字を名前にも使うとは……。

「失礼ですが」大友は思わず有子に話しかけた。

「何でしょうか」ピンクのフレームの眼鏡の奥から、かすかに敵意の籠った視線が覗く。

「お名前に、何か特別な意味があるんでしょうか？」

「その話になると、私、本気で怒りますけど、いいですか？」

「どうぞ」

「父親が役所に届け出する時、間違って名前を書いたんです。本当は侑子――人偏に有限の有ですね――にするつもりだったのが、酔っ払っていて。結婚して十年目にできた子どもだったので舞い上がって、届け出る前の日に、意識不明になるまで呑んだそうです……お分かりかと思いますが、子どもの頃からずっと、『ゆうゆう』と呼ばれていました。ちなみに、そういう呼ばれ方は大嫌いです」

「人偏の侑子でも、やはり『ゆうゆう』になりますが」

彼女の脇に座った早紀が、思わず笑い出した。今日も、細いジーンズにざっくりしたダンガリーのブラウスという、どこか男っぽい格好である。化粧もほとんどしていないせいか、田舎の日向のように暖かな雰囲気が生じていた。あけっぴろげな笑い声が、その雰囲気に輪をかける。

「相変わらずね、テツ君」

「何が？」

「そうやって笑わせて、人の心を摑んじゃう」

「僕はコメディアンじゃないんだけど」

「この話はここまでにしておいてね。有子さん、いつも同じようなことを言われて、うんざりしているから」

「了解」

真顔で有子がうなずいた。脇をくすぐっても笑いそうにないタイプに見える。冷徹で有能なのだろう。マネージャーではなく、もう一段上の人間が同席してもおかしくない状況なのに、この場を任されていることからもそれが分かる。

「始めます」

緊張のあまり、柴の声はひっくり返りそうになっている。大友は笑いをこらえながら、この場の主導権を彼に渡した。取り調べの担当はあくまで柴。大友はサポートに入るだけだ、と管理官の渡辺にも言い渡してある。

柴は型通りの質問を始めた。名前、住所、職業、昨日あの場にいた理由……どれも既に散々聴かれたはずの話なのに、早紀は嫌な顔一つせず、愛想良く質問に答えている。一通りの質問を終えた後、柴が急にペースを変えた。

「夢厳社の財政状況が厳しい、という情報がありますが」

「それ、あまりよく分からないんですよ」微笑を浮かべたまま、早紀が首を傾げる。柴からすれば爆弾のつもりだったかもしれないが、不発に終わった。「私は確かに夢厳社に籍を置いていますけど、あくまで形だけのものですから。マネジメントはこの会社に任せていますし、夢厳社の経営には一切タッチしていないんです」

「しかし、劇団のメンバーなんですから、それぐらいのことは分かりそうなものですけどね。夢厳社からはお金を貰ってるんでしょう?」柴が食い下がる。

「それは、舞台に出れば、出演料が入ります。でもお金のやり取りも、私が直接するわけじゃないですから。夢厳社と事務所との間の話です」

「ちなみに、お金のことでは一切トラブルはありませんでした」有子が口添えする。流れるような仕草で眼鏡を外し、書類を開いて何かを確認していた。ほどなく顔を上げ、納得したようにうなずく。「彼女はこの五年間で、夢厳社の舞台に三回出ています。支払いが滞ったことは一度もありません」

「夢厳社に行くことはありますよね。事務所の方に」柴は簡単には引かなかった。

「ええ、打ち合わせや舞台稽古がある時には」

「そういう時、何かに気づきませんでしたか？　出て来るお茶のレベルが落ちたとか、備品がなくなっているとか……」

「経費削減をしているとでも？」早紀が大きく目を見開く。「すいません、そういうことは気にしてもいないんです。稽古中は稽古に集中しますから」

「しかし、ですね」柴は、何とか早紀の笑顔に罅を入れようと粘った。「劇団の人とは、普段もつき合いがあるでしょう？　そういう中で、お金の問題で愚痴を聞いたりしたことはないんですか」

「愚痴なんか、誰も言わないですよ。元々貧乏劇団ですから」早紀の笑顔は、仮面を被ったようにまったく崩れない。「昔は給料を貰えないどころか、持ち出しで公演をやっていたんですよ？　ゼロどころかマイナスです。今は少しでもお金が貰えるようになったんですから、大きな進歩じゃないですか」

「殺された笹倉さんに関してはどうですか？　代表者なら、金のことも全て把握していたはずですよね。彼の様子に何か変化はありませんでしたか？」

「そんなに頻繁に会うわけじゃないですから」

柴が攻め手を失って口をつぐみ、会議室の中に沈黙が下りた。エアコンと加湿器の音だけがやけに大きく聞こえる。加湿器から吹き出される水蒸気が、観葉植物の葉を揺らし続けていた。

大友は柴に目配せし、「介入する」と合図を送った。早紀が目ざとくそれに気づく。

「今度はテツ君の番？」

「あー……」先手を取られて、大友は言葉を呑んでしまった。忘れてはいけないことだ、と唇を嚙む。観察力の鋭さ――それこそが、早紀が単なる美人女優ではなく実力派と評される原因である。昔から彼女は、人間観察が趣味だった。何時間も喫茶店の窓際の席に陣取り、店内の客、道行く人をじっと観察していたものである。人と話す時も、じっと相手の目を見て、全てを吸収しようとする。彼女が刑事になったら、「落としの名人」と呼ばれるのではないか、と大友は想像した。

「知ってることなら何でも話すけど」

「笹倉さんとつき合ってたんだって？」

一瞬、早紀の笑みが消え、真顔になった。だがそれは、大友だからこそ気づいた変化である。すぐに、照れたような笑みが取って代わった。

「やだ、誰から聴いたの？」

「それは言えない」

「秘密主義なんだ」

「ぺらぺら喋ってたら、誰にも信用されなくなるから……どうなんだ？」

「そういうこともあったけど、ずいぶん古い話よ」

「いつ頃？」

「どうかな……」早紀が目を伏せ、爪をいじった。綺麗に手入れされているが、マニキュアの類いは使っていないようだ。のろのろと顔を上げると、戸惑いを隠そうともせずに言った。「何年前って聴かれても、はっきり答えられないぐらい前」

「一つ、解せないことがあるんだ」大友は人差し指を立てた。「君は昨夜、ずいぶん冷静だったよね。少なくとも僕には、そんな風に見えた。『元』でも、つき合っていた相手が殺されて、あんな風に冷静でいられるものだろうか」

「あなた、私を疑ってるの？」早紀が低い声で訊ねた。怒っているわけではなく、大友の発想に疑念を抱いている感じである。

「そういうわけじゃない」

「でも、今のは物凄く分かりやすい話よね。別れた恋人同士の痴情のもつれとか……でも、関係ないと思う。私は全然気にしてないし」

「そう？」

「別れたからって、一々精神的にトラウマを背負いこむようじゃ、こういう商売はやっていけないわ。どんなことでも芝居の参考になるし、それに私、プロだから」

決然と言い放った彼女の一言に、大友は胸の真ん中を射抜かれたような感じがした。プロ。その言葉が持つ意味は重い。大友にすれば、そういうプロ根性が正しいかどうかは分からないのだが、割り切り方は大したものだとは思う。そして、彼女が言うようなプロ根性は、自分にはない、とはっきり断言できる。そうでなければ、いつまでも菜緒の死を引きずるわけがない。

「今は？」

「今？」早紀が首を傾げる。ふいに、恋愛に奥手な女子高生の姿が想像された。「どういうこと？」

「今、つき合ってる人はいるのか？　それなら、笹倉さんが死んだことにそれほどショックを受けないのも分かる」

「いないわよ」笑いながら早紀が答える。「そんな暇、ないから」

長浜とつき合っているという情報も嘘なのか？　もちろん意図的な嘘でなく、勘違いの可能性もある。大友としては、高山の情報は何となく信じられる気がしていたのだが……気を取り直し、再度プッシュする。

「ここで出た話は、表沙汰にはならない。気にしないで話して欲しいんだけど」

「いないものはいないから。もしかしたらテツ君、私をナンパしようとしてる？」

「まさか」大友は諦め、言葉を切った。バトンを柴に再び引き渡す。

柴は、上演前の行動を細かく確認し始めた。小道具をいじれたのは誰か。怪しい動きをしている人間はいなかったか。劇団内の人間関係は。早紀はほとんどの質問に「分からない」あるいは「気にしていなかったから」と否定の答えを寄越した。

手詰まりになった事情聴取。大友は二人のやり取りに耳を傾けながら、有子の様子を観察していた。先ほどまでの冷静な態度がわずかに崩れている。何度も携帯電話に手を伸ばしては止め——やはり事情聴取中に電話はまずいと思っているのだろう——書類をめくり、ちらちらと早紀の顔を見やる。さすがに、落ち着いてはいられないようだ。

普段は、こんな目に遭うことはないだろう。人の世話をし、スケジュールを管理するのは大変な仕事だろうが……大友は有子に心底同情した。

事務所を出た途端、柴が大きく背伸びした。ばきばきと響く乾いた音に、顔をしかめる。

「緊張したか？」

「そりゃあ、な」首を思い切り左右に倒す。「お前でも緊張すること、あるんだ」

「当たり前だろうが」

二人は並んで地下鉄の駅の方に歩き出した。しかし足取りは遅い。いつもはせかせかと歩く柴が、今日は明らかに何かに気を取られている様子だった。

「どうした」

「いや、ちょっと……戻る前にどこかで話せないかな」

「いいよ」大友は、すぐ近くに小さな公園があるのを知っていた。駅から事務所まで歩いて来る途中、無意識のうちに見つけていたのだ。

公園は何かと役に立つ。内密の話をする場合、密室よりも公園のようなオープンスペースの方がよほど目立たないのだ。しかも東京には、案外公園が多い。その事実が評価されないのは、緑の整備がなっていないからだろう。ちゃんとした緑地になっていれば、もう少し評価も上がるはずだ。多くの公園は土がむき出しで、怪我を心配せずに子どもを遊ばせられる場所はほとんどない。

この公園は、ビルの敷地のごく狭いスペースに押しこむように作られた、いわゆる「ポケットパーク」というやつで、人気《ひとけ》はない。柴はコートを尻の下にたくしこむようにベンチに座り、ポケットに両手を突っこんで背中を丸める。大友は彼の前に立ち、周囲の様子を警戒した。目の前のコンビニエンスストアにはひっきりなしに人の出入りがあるが、この場所で喋っていても、何か聞かれる恐れはないだろう。

「さっきの話、何なんだ？　彼女と被害者がつき合っていたとかどうとかいう話」

「すまない、言い忘れてた」大友は反射的に謝罪した。重要な情報だが、プライバシーに関する問題でもある。もう少し裏を取ってからぶつけようと思い、柴にも黙っていたのだ。滞ってしまった取り調べを打破するために、つい口にしてしまったのだが。「さっき言った通りだよ。二人がつき合っていた、という情報があるんだ」

「まだ何か持ってるんだろう」

柴の鋭さに苦笑しながら、大友はうなずいた。

「完全に否定されたから、敢えてぶつけなかったけど、早紀は今、長浜とつき合っているっていう噂があるんだ」

「長浜って、今回も出演していたあの長浜だよな？」

「ああ」

「長浜ね」柴が呆気にとられて口を開けた。「要するに、『野良犬』に出てた長浜だろう？」

そういえば、あの映画は優斗と柴と三人で観に行ったのだ、と思い出す。俳優に演技指導——刑事のバックグラウンドの説明をした、と言ったら、柴の方で是非映画を見てみよう、と言い出したのだ。普段はテレビも映画もほとんど見ない人間なのだが、大友が個人的につながりがあるという事実に興味を惹かれたらしい。柴の感想——すかした奴だが、刑事っぽくは見えた。

「そういうこと」

「そうすると、これはかなり複雑、かつどろどろの人間関係だな？」柴が迷惑そうに顔をしかめる。この男は、荒事は得意だが、ごちゃごちゃと入り組んだ人間関係を解き明かすのはさほど好きではない。どこかで飽きて、集中力が切れてしまうのだ。

「そうかもしれない」

「でも彼女、否定してたよな。つき合ってる人はいないって」

「ああ。でも、あれも演技かもしれない」

「そうか？　お前、彼女がやったと思ってるのか？」

「男女関係のもつれは、いつでも事件のきっかけになる」肩をすくめてわざと軽い調子で言ったが、大友はかすかに胃が痛むのを感じた。早紀が人を殺した？　そんなことがあり得るのだろうか。確かに彼女は、少しだけ人よりエキセントリック、というか謎めいた部分がある。それは、職業としての女優になる以前から変わらない。だがそういう一面は、女優の素質を持った人には、多かれ少なかれあるのではないだろうか。演じるということは、突き詰めれば、自分の人格を変貌させることなのだから。逆に言えば、様々な人物を演じ分けているうちに、本物の自分がぼやけてしまうような俳優ほど、優れているのかもしれない。

「お前、気をつけろよ」柴が眼光鋭く大友を見ながら忠告した。

「何が？」

「彼女、お前に気があるんじゃないかな」

「まさか」

「阿呆か、お前」柴がぽっかりと口を開けた。「モーションかけられてるのかどうかも分からないのかよ。それとも、あれも演技だったっていうのか？」

「どうだろう」

「あの手の女は、家庭生活には向かないんだよ。お前には優斗がいるんだからな。変な女に引っかかったら、優斗が可哀想だぞ。あいつの新しい母親は、もっと家庭的な女じゃないと」

「早紀が家庭的じゃないのはよく知ってる」大友は戸惑いながら認めた。「何しろ、ジャガイモを剝いているうちに半分以下になるんだから。いつもそんなことをされたら、家計が壊滅するよ」

大友は特捜本部には戻らず、柴と別れた。一人、劇団の内情について話を聞けるかもしれない人物がいる。あまり話したくはなかったが、これも仕事だと自分に言い聞かせ、電話番号を呼び出した。相手は家にいるのではないかと思ったが、今日も事務所に出ていた。土曜も日曜もないのは本当だろうな、と思いながら、大友は慎重に「お会いできないか」と切り出した。

「警察を辞める決心がついたんですか」

「違います」

この男は……初対面の時からいきなり、大友に「刑事を辞めて俳優になるつもりはないか」と切り出したのだった。図々しいというか、常識を知らないというか、啞然としてしまったのを思い出す。それにしてもあれは、本気だったのだろうか。この前、そんな話をしたのは一年半も前だ。

「内密の話ですが、捜査に関連することで、あなたのレクチャーを受けたいんです」

「そうですね……今日ですか？」馬場《ばば》の声に不安が忍びこんだ。「夕方までしか空いていませんけど」

「結構です。今すぐ伺いますので」

馬場の事務所「アフターマス」が赤坂にあると計算した上での申し出だった。ここからは、歩いても十分ほどしかかからない。

「それならいいですけど、時間はかからないですよね？　今日は夕方からイベントがありまして」

「スムーズに話が伺えれば、すぐに済みますよ」

「結構です。で、まだ転職する気はないんですか？」

返事をせずに大友は電話を切った。こんな無礼なことは、普段は絶対にしないのだが、この男を相手にしている時は、素っ気なく振る舞わなければならない。少しでも笑顔を見せようものなら、同じ話を何度も蒸し返すのだ——こちらが納得している、いないにかかわらず。そんな茶番につき合うつもりは、毛頭なかった。

馬場の事務所を訪れて通されたのが、この前と同じ会議室だとすぐに気づく。彼が座った背後の壁に、人気アイドルグループ「Ｚｉ《ジー》」のポスターが張ってあるのも、以前と同じ。ただし、年明けから始まるドームツアーを告知する内容に変わっていた。確か、前回のポスターでは、メンバー全員が派手な銀色の衣装をつけていたのだが、今回は黒。しかもブラックスーツに黒いシャツという、アイドルグループにしては地味な格好だった。

　馬場が、大友の視線に気づいたようだった。

「来年のツアーポスターですよ」

「ずいぶん大人しい感じになりましたね」

「それは、Ｚｉの連中も、平均年齢は二十八歳ですから」

「そんなに？」大友は思わず目を剝いた。アイドルと言えば十六歳から十八歳、二十歳を過ぎれば引退か大きな転身を迫られるものだとばかり思っていたのだが……芸能界の平均寿命は、大友が知らないうちに延びているのかもしれない。

「それで、今回はどんな御用ですか」馬場が脚を組み替えた。棒のように細い長身の男で、ジーンズもかなり細いであろうに、腿の辺りは生地が余っている。ラインストーンやリベットで派手に装飾されたジーンズは、空港の金属検査で間違いなく引っかかりそうだった。

「劇団……夢厳社の事件、ご存じですか」

「ああ、新聞で読みましたけど」途端に馬場の顔が暗くなる。「今度は、あの事件を捜査しているんですか」

「ええ。それで、夢厳社の財政状況がかなり悪い、という話を聞いたんです。この件について、何かご存じではないかと思って」

「いや、それは分かりません」

馬場があっさりと結論を出した。同じ芸能関係といっても、音楽部門と俳優部門では全然違うということか。馬場が片手をテーブルに置き、体を斜めにしながら身を乗り出してきた。

「お知りになりたい？」

「もちろんです」

「交換条件として、うちにマネジメントを任せていただくということでは？」

「馬場さん、私は真面目なんです。今日は仕事で伺っているんですから……それにあなたは、夢厳社の内部事情を知らないんでしょう？」

「知っていそうな人間なら、社内にいますけど。すぐに呼べますよ。ですから……」

「馬場さん」大友は額を揉みながら言った。「ふざけているなら、逮捕しますよ」

「逮捕って……」途端に馬場が不安気に身を引いた。以前訪ねた時に知ったのだが、ミュージシャン出身のこの男は、若い頃に薬物関係で警察のお世話になったことがある。その時のことを思い出したのだろう。よほどひどい目に遭ったのか、細い不健康な顔は、さらに蒼褪めていた。

「私は真面目に、公務でお話を伺っています。それを邪魔したら、公務執行妨害になりますからね」

「ちょっとお待ち下さい」

音を立てて椅子を蹴り、引き攣った表情の馬場が立ち上がった。ドアを開けっ放しにしたまま、部屋を出て行く。大友は思い切り後ろめたい気分を味わっていた。どんなに切羽詰まった状況でも、人を脅して言うことを聞かせるのは好きではないのだが……仕方ない。やってしまったことは取り戻せないのだ。「冗談ですよ」と言っても、馬場には通用しないだろう。

五分ほどして、馬場が引き連れて戻って来たのは、大友と同年代の小柄な男だった。灰色のツウィードのジャケットに色の褪せたジーンズ。ネクタイはせず、シャツのボタンを二つ、開けていた。

「こちら、警視庁の大友さん……うちの俳優部門で統括マネージャーをやっている池沢《いけざわ》です」

まだ蒼い顔で、馬場が紹介した。大友は立ち上がり、軽く一礼する。頭を上げると、池沢は興味深そうに大友の顔を見ていた。髭の濃い顎を一撫ですると、「なるほど、馬場さんが執着するのも分かりますよ」と言った。それを聞いた馬場の顔がまた蒼くなる。

「池沢、その話はなしにして……ちょっとお茶を持ってきますね」

馬場があたふたと飛び出していった。体を捻ってそれを見送ると、池沢が溜息を一つついて、椅子を引く。

「大袈裟なんですよね、あの人」

「そうですか？」

「普通に話をすればいいのに、いつも余計なことを言って相手を怒らせて。口が軽いんです。すいませんね、役に立たなくて」

「いや、私も考えが浅かったです。馬場さんはそもそも、専門が違うわけですし」

「そういうことです」池沢が煙草を取り出し、ゆっくりと火を点けた。大友の視線が「禁煙」の張り紙に注がれているのに気づいたのか、にやりと笑って携帯灰皿を取り出し、蓋をスライドさせてテーブルに置く。「土日は黙認なんです」

「禁煙も平日だけということですか」

「そうなんです。この業界、喫煙率が異常に高いんですよ。ストレスも溜まりますから……それで、夢厳社のことですよね」

「ええ」

「いい劇団です。私の好みです。変に文芸的にも実験的にもならずに、一貫して社会的なテーマに真面目に取り組んでいる。見た後、いろいろ考えさせられる芝居が多いですよね」

口は軽いが信用できそうな男だ、と思った。芝居好きの学生が、そのまま大人になってしまったような感じである。

「芝居はよくご覧になるんですか」

「それも仕事ですからね。いい俳優を見つけて、マネジメントに持っていきたい。ですから、レコード会社で言えば、A&Rのような仕事ですね。一種のスカウトマンです。ああいう仕事は肌実際のマネジメントについては、実はほとんどタッチしていません。ああいう仕事は肌に合わなくてね……おむつを替えるような仕事は」

芝居が好きな人間にありがちな皮肉屋だ、と大友は思った。こういう人間に限って、上手く誘導してやればぺらぺら喋る。ただし今のところは、発した語数に比べて内容は薄く、上滑りしている印象が強い。百万の言葉を交わしても、何の情報も残らないことがあるのだから、気をつけなければ。

「夢厳社の舞台も？」

「そうですね。でもあそこに関しては、仕事というよりは趣味として観てます。主だった俳優さんは、だいたい他の会社にマネジメントを取られてしまったので、手が出せないんですよ」

「なるほど……それで、夢厳社の実情なんですが」

「夢厳社に限らず、どこの劇団でも、色々問題があるでしょう。主な原因は——」

「嫉妬と金」

先取りして、大友は言った。何故か嬉しそうに、池沢がにやりと笑う。

「よくご存じだ。あなたも昔、夢厳社にいたんですよね」

「何でそんなこと、知ってるんですか」

「名前を伺って、ちょっと調べてみました。あなたの名前が、データベースから見つかりましたよ」

「どういうデータベースなんですか」勝手に調べられたようで、嫌な気分になる。

「見た芝居の出演者やスタッフを、全部パソコンに打ちこんで記録しておくんです。パンフレットって、やたらと溜まるし、整理も面倒でしょう？　デジタル化しておくのが一番いいんですよ。その方が、俳優さんたちの動きもフォローできますしね。他人に見せるものじゃないけど、結構貴重な資料になってます。あなたも『アノニマス』の初演に出てますよね」

「お恥ずかしい話です」何故か憮然とした口調で答えてしまう。自分にとっては過去でしかない。消したいほど恥ずかしい過去ではないが、積極的に話したいものでもない。

「でも、学生の芝居まで観てるんですか？」

「それこそ、手当たり次第に」

「恥ずかしいですね」大友は、つい繰り返して言ってしまった。

「申し訳ないですが、どういう演技をされていたか、印象がないんです。何しろ十年以上も前で、その後はあなたが出ていた芝居もチェックしていなかったので」

「観なくて正解だったと思いますよ。卒業と同時にやめましたから、実力は分かるでしょう」ここまで自虐的にならなくても、と思いながら大友は愛想笑いを浮かべた。

「ま、劇団の人とは積極的に交わることにしてますので」池沢が真顔になった。「というわけで、嫌でも噂話は入ってくるんですよね」

回り回ってやっと本題に戻ったか……大友は真顔でうなずき、身を乗り出した。

「夢厳社に関しては、確かにあまりいい噂がありません。金の問題だけなんですけどね。自社ビルというか、事務所兼稽古場のビルを建てたのはご存じですか？」

「ええ」

「あれがかなりの負担になっていたようですよ。返済が滞ることも何度かあったようで、銀行側も警戒しているようです」

「具体的には……」

「危険度はBレベル。Aが最も危険として、五段階で、ということですけど」

だったら相当危なかったのではないか。ローンが返せず、建物が差し押さえにでもなったら、笹倉はどうするつもりだったのだろう。既に多くの団員を抱え、定期的に公演している劇団が本拠地をなくしたら。六畳一間のアパートをいつまでも手放さないのは、いざという時にそこへ戻れるように、ということなのだろうか。

「笹倉さんとはお知り合いですか？」

「ええ」

「何か、困っていた様子はありましたか？」

「あの人、そういうのを表に出す人じゃないから」池沢が苦笑した。「やせ我慢するでしょう？　本当は、劇団全体がどこかの事務所にマネジメントを任せるべきだったと思いますよ。あの人は、役者としては天才だし、団員の掌握やプロデュースに関しては抜群の才能を発揮するけど、金銭面がかなり危ない。俗世の出来事には対応できないんでしょう」

「分かります」

「そういう忠告を、遠回しにしたこともあったんですけどね。一応法人の形にはなっていたけど、経理の分かる人間を入れて、もう少しちゃんとした方が……そうすれば、笹倉さんは芝居に専念できるって話したんですが」

「言うことを聞かなかったんですね？　あの人は、他人のアドバイスを素直に受けるようなタイプじゃない」

「あなたも大分《だいぶ》、悩まされた口じゃないですか？」

にやにや笑いながら、池沢が訊ねる。口元をぶん殴ってやりたくなる嫌らしい顔つきだったが、仮にも情報をもらっているのだから我慢だ、と大友は自分に言い聞かせた。だいたい、そういう力技を使うのは、自分の柄ではない。急に池沢が真面目な顔つきになり、話題を変えた。

「笹倉さんの夢って何だったか、知ってます？」

「学生時代に私が聞いていたのは『自前の劇場を持ちたい』でしたよ」

「それは今も、変わってないんです」池沢が指を鳴らした。「よく言ってましたよ。完全に自由になる劇場を持って、稽古も芝居もそこでやりたい。そうすれば、自分がイメージするものが、最初から作れるんだって」

「それは夢ですか？　目標ですか？」

自前の劇場を持つ——劇団の主宰者なら誰でも夢見ることだが、現実はそれほど簡単ではない。劇場で、常に問題になるのは稼働率なのだ。日本のように地代が高い国では、小屋を遊ばせておく余裕はない。仮に劇場を持っても採算はほとんど取れずに、膨れ上がる借金を抱えるだけだと考えた方がいいだろう。

「今の夢厳社の勢いなら、夢ではなく目標だったかもしれません。とにかく、チケットが取れないですからね。お客さんのことを考えても、そういう発想になるのは分かります。でも、実際には劇場を持つのは不可能なんですよ。役者さんたちも、夢厳社の芝居にしか出ないわけじゃない。スケジュール調整が難しいんです。夢厳社が公演していない時は他に貸すという手もありますけど、そういうのは、蓋を開けてみないと、上手くいくかどうか分からないから」

「笹倉さん、そういうことをよく吹聴していたんですか？」

「団員は皆、耳にタコができるほど聞かされていたと思いますよ」

軋轢、一つ。絶対的なカリスマが、実現不可能に思える夢を「目標だ」と言い出したらどうなるか。

それが殺意につながるには多くのステップが必要だろうが、無数の階段を上がる必要があるとは思えなかった。

2

夜の捜査会議では、今日一日何の進展もなかったことが確認されただけだった。唯一の収穫は、昨夜遅くに見つかったラテックス製手袋の精査が終了したことだけである。血痕は、なし。犯行に使われたと見られる手袋に血痕がないこと、笹倉に自殺するような動機が見当たらないことから、誰かがナイフを本物にすり替えた、という説が有力になった。製品は、ネット通販で百枚二千円程度で買えるマレーシア製。販売先を追うのは困難を極めそうだった。

古橋は今日も署に呼ばれ、事情聴取は続行されたが、夜になる前に打ち切られていた。担当した刑事の話によると、非常に動揺している様子だったが、犯行を隠しているためとは思えなかった、という。要するに、警察が怖いだけではないか、と。

古橋はナイフをすり替えることができた上に、動機もある。賃上げ要求と拒否、それに伴う殴り合いの喧嘩。金の問題が未だに尾を引いているのではないか、と疑う刑事たちは多い。この情報に関しては、他の劇団員にもぶつけられたが、明確に古橋の犯行を裏づける材料は得られなかった。

「結局、動きはなしか」がたがたと椅子を引く音に紛れながら、柴のつぶやきが耳に届く。「どうするよ、今日？　優斗の世話は？」

「それは大丈夫」夕方聖子に電話を入れ、今日の夕食と明日の朝食を頼んだ。いつものように嫌味を言われたが……彼女の持論では、親は当然子どもの面倒を見るべし、ということになる。ただし、そのために刑事を辞めろとは言わない。早く再婚しろ、が彼女の口癖だ。筋は通っているが、こちらの気持ちを無視し過ぎである。

「じゃあ、飯でもいくか？　日曜の夜に、野郎二人で飯ってのも、オツでいいじゃないか」

「勘弁してくれよ。何でわざわざそんな寂しいことをしなくちゃいけないんだ」

「そう言うけど、どうせ飯は食うんだろう」柴は強引だった。「それに最近、お前とゆっくり飯も食ってないんだぜ」

「そう、だな……」顎を撫で、思案を巡らせる。既に午後九時近く。柴と食事をすると呑まないわけにはいかないし、呑むといつも長くなる。週末を仕事で潰し、明日からも追われる日々が続くのだから、今日ぐらいはゆっくりしておきたいというのも本音だった。家には優斗がいないから、世話をしないで済む分、睡眠時間も長く取れる。

我ながらせこいな、と考えていると携帯電話が鳴り出した。着信を見ると、古橋の名前が浮かんでいる。柴には告げず、彼に背中を向けて電話に出た。

「大友です」

「テツ？　今大丈夫か？」彼の声は妙に切迫していた。

「電話に出られるんだから、大丈夫だよ」

「ちょっと会えないかな」

「どうかしたか?」

「いや、これから皆と呑むんだけど」

「劇団の連中と? そんなこと、わざわざ僕に教えてくれなくていいよ」

「そうじゃなくて、つき合ってくれないか」

支離滅裂だ。普段はぼそぼそと話す彼が、今夜に限ってやけに早口で声も甲高い。

「つき合わないでもないけど、何なんだ、いったい?」

「その、何ていうか……吊るし上げを食うんじゃないかと思ってさ」

「まさか」大友は思わず声を上げて笑ってしまった。「あり得ないだろう、そんなこと」

「いや、本当に。びびってるんだよ、俺」

「びびるようなことがあるのか」

一瞬、古橋が言葉を呑む。疑われるようなことがあるのか、と突っこまれたのだと理解したようだ。

「そういうわけじゃないけど……」古橋の声は消え入りそうだった。

「皆に呼び出された、今回の件で吊るし上げを食うかもしれないけど、身に覚えのないことだから困ってる、だけど断れば、さらに疑われるかもしれないっていう感じなんだね」

「その通り。馬鹿みたいか？」

「いや」大友は振り返り、ちらりと柴の顔を見た。何かを察した柴が素早くうなずく。「行くよ。僕も夕食はまだなんだ。待ち合わせ場所は？」


　都心のターミナルの繁華街も、日曜の夜には人出が少なくなるものだが、下北沢にはその原則は通用しない。駅の周辺は細い道が迷路状に広がっているせいもあり、とにかく人でごった返していた。

　指定された店は、駅の南口から一方通行の道路をしばらく南へ下った場所にある。この辺りは学生時代、散々通った場所だが、下北沢は店の変化が激しいので、一年も来ないと様相がすっかり変わってしまい、必ず道に迷う。今回も同じだった。松屋を右に見るT字路、ドコモショップの角を左に曲がってしばらく——何とかその角を見つけ出すことはできたが、そこから先で分からなくなった。カラオケ店、バー、お好み焼きの店、薬局……それこそありとあらゆる店が立ち並び、しかも人出が多い。さらにほとんどの人間がアルコールが入って蛇行しており、大友も真っ直ぐ歩くのに苦労するほどだった。

　結局店を見つけたのは、二度ほど路地を行きつ戻りつした後だった。左に折れ、さらに細い路地、それこそ車も入れないような道の奥。「ランタン」——ああ、思い出した。確か学生時代に一度だけ、昼飯を食べに来たことがある。「ランタン」という名前からすると山小屋風の店のようだが、実態はイタリア料理を中心に出すカフェである。値段は学生向けに安く、気さくな雰囲気で、味は——特筆すべきようなものではなかった記憶がある。

ということは、早紀や長浜は来ていないのだろう。当時と変わらないとすれば、店内はざわざわと賑やかで、学生たちで騒がしい。そんな場所に、顔を知られている人間が、わざわざ足を運ぶとは思えなかった。だいたい、彼女たちはどこで食事をしているのだろう。やはり、個室があるような店か。そう考えると、あの二人は自分とはまったく別の世界に住む人間なのだと、改めて思い知らされる。自分の好きなことをして有名になるのと、匿名の気安さを持って街を歩き回れる自分と、どっちが幸せなのか。

大友は自分に軍配を上げた。彼らになくて自分にある物——優斗。

大友は立ち止まり、一度だけ振り返った。駅を出てから、少し離れてついて来た柴が素早くうなずく。彼の顔を見知った早紀がいないだろうと見越して、護衛と監視を頼んだのである。事情聴取のつもりではなかったが、話がどう転がるかは分からない。そうなった時、柴の存在が心強い。

「よし」気合を入れ、大友は店のドアを押し開けた。十年以上前に来店した時の記憶が唐突に蘇る。そう、あの時と同じ、非常にカジュアルな感じの内装だ。店内のあちこちにパステルカラーが溢れているのが鬱陶しい。曲げ木のテーブルと籐《とう》を使った椅子も、どこか軽い感じがした。店内に流れるのは、常に八〇年代ポップスだった——それも同じ。今はジャーニーがかかっている。カウンター越しに見える調理場に目をやると、四十歳ぐらいの男が、忙しく周囲に指示を送っていた。店主か……青春時代の趣味を、いつまでも頑なに守り続けるタイプらしい。

客は夢厳社の一団だけだった。右奥のテーブルに五人が集まり、額を寄せるようにして何か話し合っている。テーブルにはビールのピッチャーと白ワインの瓶が置いてあるのが見えたが、中身はほとんど減っておらず、集まった主眼はあくまで話し合いのようだった。声をかけにくい雰囲気ではあったが、大友は思い切って彼らのテーブルに歩み寄り、空いた席に滑りこんだ。

「テツ」古橋がほっとした表情を浮かべる。顔色は暗く、店内はそれほど暖房が効いていないのに、額には汗が滲んでいる。

「やあ」大友は軽く笑みを浮かべた。相手を安心させようという狙いで、いつもは上手くいくのだが、この連中相手には無理かもしれない。僕の演技など、軽く見抜かれてしまうだろう。

「どうした、テツ」声をかけてきたのは美術の石本だった。どことなく、面倒臭そうな顔つき。疲れているようだ。

「ここで皆が集まってるって話を聞いてさ」

「そうか」吐き捨てるように言って、石本がビールを呷った。丸坊主にがっしりした体型な上に、襟が緩くなった長袖Tシャツというだらしない格好で、肉体労働者が一日の疲れをビールで癒しているようにも見える。

大友はうなずき、この場のメンバーを確認した。古橋、石本、劇団の実質的なナンバー2と紹介された幹事の武智、それに高山。もう一人は大友が知らない顔だった。

「ええと、こちらは？」大友は笑みを浮かべたまま、見知らぬ男に顔を向けた。若い……二十代半ばというところか。ダンガリーのシャツにダイヤ型のインディアン柄が入ったベストを合わせ、袖を肘の辺りまでめくり上げている。小さな黒い帽子を頭に乗せており、その下の顔は既に赤かった。

「ああ、市谷《いちがや》君。ちょっと前までうちの劇団にいて、今は脚本を書いてるんだ」古橋が早口で説明した。

「フリーですか？」大友は訊ねた。

「ええ、まあ……中川さんの下で修業中です。仕事を手伝ったり」

妙な話だ。中川には声もかからなかったというのに、何故弟子が呼ばれている？

「あなたは、喧嘩して劇団を辞めたわけじゃないんですね」

「ええ」市谷の声は小さく、自信なさげだった。

「OB扱いで呼ばれた？」

「今回は、雑用係で」照れ笑いが小さく広がった。

「笹倉さんもひどいことをするな」大友は苦笑した。「OBなら、ゆっくり客席で見せてあげればいいのに」

「自分は若輩者ですから」市谷の台詞には、自虐的なトーンが滲んでいた。

「若い頃は、いろいろ苦労することもあるよね」大友が同情の台詞をかけると、市谷は耳を赤くしてうつむいた。この世界には珍しい、引っ込み思案な人間なのかもしれない。もっとも脚本家には、内へ籠るタイプの人間も少なくないのだが。どうせ後から散々叩かれるのだから、せめて初稿を書く時ぐらいは一人で集中したい、と考えるわけだ。

ドアが開く音がした。大友はそちらに目をやらなかったが、タイミング的に柴が入って来たのは分かっている。彼はすぐにカウンターに着いたようだった。

さて、ここからが本番だ。取り敢えず、軽く酒をつき合うことにしよう。幸いなことに、呑み過ぎを防ぎながら適当につき合うためのいい酒がある。大友は空いたワイングラスを取り上げ、白ワインを半分注いだ。誰かが飲んでいた炭酸水のボトルを手にし、グラスに足す。湧き上がる細かい泡が、照明を受けて金色に輝いた。

「ワインスプリッツァーか」古橋がぽつりと言った。

「よく覚えてるな」一口呑んだ。アルコール分が低くなった代わりに、炭酸の刺激が舌を刺激する。

「菜緒ちゃんが好きだったんじゃないか、それ」

「そう」あまり酒を呑まなかった菜緒は、呑み会になるといつもこれ一本槍だった。一緒だった時は、グラスワインを頼み、大友に半分呑ませてから炭酸を足していたものである。

「ダイアナ妃が好き、とか言ってな」古橋がようやく表情を綻ばせる。「菜緒ちゃん、その辺からこいつが好きになったのかな？」

「違うだろう。アルコールが薄まるからだよ」一つ咳払いして、冷えてしまったピザを一切れ摘む。慌てて飲みこんでから切り出した。「それで今日は、どうしたんだ？」

「探りを入れようとしたって無駄だぜ」石本が吐き捨てる。どうもこの男は、今夜は特に機嫌が悪いらしい。

「そういうつもりじゃないけど」

「お前は刑事だろうが」

「もう仲間とは認めてくれないってことか」大友は小さく溜息をついて、石本の顔をじっと見る。残念だ、本当に残念だ、とメッセージを伝えた。

「いや、そういうわけじゃないけど」石本が急にしどろもどろになった。「だけど今は、立場ってものがあるだろうが」

「それはそうだけど、こっちだって、昔の大事な仲間を亡くしてショックを受けてるんだよ」

「通夜は明日になりました」淡々とした口調で武智が報告する。「笹倉さんの田舎から、ご両親が出て来ます」

「岐阜、だったね」

「ええ」

「劇団葬みたいな感じで？」

「それは準備が間に合いませんでした。普通の葬式になります」

「そうか……」笹倉はどんな葬式を望んでいたのだろう。いや、そんなことは想像もしていなかったに違いない。まだ三十代の彼が、死を意識することなどあり得ない。あるいは、劇団内の緊張関係が極限にまで達していたとしたら、死に至るほどの大きなトラブルを予感していたかもしれないが。

「本当は、こんなところで呑んでいる場合じゃないんですけど」武智がビールを啜ったが、グラスを置いた時、水面はほとんど減っていなかった。実際、呑みたくないのかもしれない。とすると、この会を招集したのは誰なのだろう。

大友はちらりと高山の顔を見たが、彼はすぐに目を伏せてしまった。スパイを依頼した張本人がいるので、やりにくくて仕方ないのだろう。

「まさか、葬式の準備を話し合うために集まったんじゃないだろうな」

「違うよ」石本がぼそりと言った。どうやらこの男が、皆に声をかけたらしい。「話し合わなくちゃいけないことはたくさんある――まず、誰が笹倉さんを殺したのか、とか」

「誰がやったと思ってるんだ？」

「今日も警察に呼ばれた奴がいたらしいな。他の人間は皆、家や事務所で事情聴取を受けたのに、一人だけ。ナイフをすり替えたと思われてるんだろ？」石本が刺すような目つきで古橋を見た。古橋は顔を蒼くして目を伏せてしまう。

「石本、ちょっと待てよ」大友は彼の悪意の暴走にストップをかけた。「古橋はここにいるだろう?」

「何やってるんだよ、警察も」石本の敵意は大友にも向いた。「だいたいお前、警察の代表として喋ってるんじゃないのか?」

「友人として、じゃ駄目か?」

「そんな理屈、通用しない」

思いも寄らぬ強烈な反撃に驚き、大友は一瞬言葉を失った。石本がビールを喉の奥に放りこむように呑み、赤くなった目を大友に据える。

「お前がここにいたら、誰だって警察のスパイだって考えるだろうが。俺たちは今でも芝居で飯を食ってる。お前は違う。さっさとこの世界を抜け出して、安定した生活を選んだんだから。それを今さら仲間と思えって言われても、困る」

「だけど——」

「まあ」大友の反論を遮って、石本がふいに寂しそうに笑う。「お前の選択は賢明だったと思う。そりゃあ今の時代、食べていくぐらいなら何とでもできるよ。仕事なんて、選ばなければ何でもあるんだから。でも、学生時代の感覚そのままで、三十代も半ばになったら、馬鹿だよな」

「……後悔してるのか?」

「後悔してるって言ったら、負けにならないか? 俺は絶対にそんなこと、言わない」

大友はこの時はっきり、石本たちを羨ましく思った。夢を追う——言うのは簡単だ。時はあっという間に流れ、若い頃抱いていた夢やエネルギーはすぐに潰《つい》える。十年以上も同じ夢を追い続けるのは、まず不可能なのだ。人間は、金がないと卑しくなる。誰かにこびへつらうようになる。プライドなしの夢は、単なる絵空事になりがちなのだが……石本は、百パーセントではないが夢を叶えたのではないか。金銭的には豊かでなくても、やりたいことをやり続けているのだから。そう考えると、ずっと夢厳社にしがみついた石本の十数年は、一攫千金を狙った若者の馬鹿な行動というよりは、一つのことを長く続けた粘り強さ、という印象が大きく立ち上がってくる。

僕には無理だな。

無理だった。

そう考えると、自分が卑小で小市民的な人間に思えてくる。たとえ優斗との生活を大事に思い、仕事に誇りを持っているにしても。

「お前は負けてないよ。夢厳社に、敗者は一人もいない」

「慰めてくれるのは結構だけど、それで飯が食えるわけじゃないから」石本が、唇を歪めるようにして大友の言葉を撃墜させた。

「劇団、どうするんですか」大友は石本にではなく、武智に目を向けた。猛り狂っている石本とは、長くは話せない。

「どうしましょうねえ」武智が弱々しく微笑んだ。彼はまだ三十歳ぐらいだろう。今までは芝居に専念していればよかったのを、急に劇団の運営という慣れない仕事に対応せざるを得なくなり、判断停止の状態に陥ってもおかしくない。「まだ何も決めてません。でも困ったことに、年明けにまた次の舞台があるんですよ」

「やるんですか？」

「それをどうするかなんですよね。笹倉さんの代役も立てなくちゃいけないし、どうしたらいいのか……大友さん、代わりにやってくれませんか」

無理、と否定する前に、驚いて言葉に詰まってしまった。会うのが今日で二回目の素人に、こんなことを言ってくるとは。武智はあまり冗談を言うタイプには見えないから、それほど切羽詰まっているということかもしれない。あるいは、死刑台のユーモア。死ぬ間際、ぎりぎりまで追い詰められると、人は冗談を言うしかなくなる、と言われている。そういえば、そんな一幕の芝居もあった。中川が持ちこんだアイディアだったが、死刑執行一時間前から、死刑囚が教誨師に延々とギャグを言い続ける、というものである。ボツになった理由は、ギャグがつまらない、ということだった。だいたい笹倉は、舞台で笑いを取るのが好きではなかったのだから、脚本を持ちこんだ中川の判断ミスだ。

「それは無理だね」

さらりとかわして、大友は高山の顔を見た。酒に手をつけるでもなく、会話に加わるでもなく、蒼い顔でじっとうつむいている。そういえば誰も、あまり酒を呑んでいない。そういう気分ではないということか。

大友は自分のワインスプリッツァーに口をつけた。まだ炭酸は抜けておらず、喉をきつく引っ掻く感触が心地好い。ただし、今日は酔えないだろうな、と思った。あくまで仕事中という意識が消えないので、アルコールの影響を相殺する緊張感が持続している。

「古橋、どうなんだよ」

いきなり石本が話を振った。古橋がびくりと肩を震わせ、のろのろと顔を上げる。

「どうって、何が？」

「お前がやったのか？」

あまりにも直截《ちよくせつ》的な質問に、その場の空気が凍りついた。古橋はグラスに手を伸ばしたまま凍りつき、高山はあんぐりと口を開けている。いち早く正気に戻った武智が、石本をたしなめた。

「やめて下さいよ、石本さん」

「どうして」不満そうに唇をねじ曲げ、石本が武智を睨んだ。「今日は、こいつにそれを確かめるために呼んだんじゃないか。だらだらやるつもりはないぜ、俺は」

「まあまあ」大友はなだめにかかった。「やめようよ。これじゃリンチだ」

「じゃあお前、警察として『違う』って否定できるのか？　それだったら話は別だ。今日は笹倉さんの追悼の呑み会にするよ……どうなんだ？　テツが保証してくれるのか？」

堰が切れたように、石本が饒舌になった。怒りのせいか、剝き出しの腕に力が入ってぐっと盛り上がる。この男は本気で古橋を疑っているのだろうか、と大友は疑念を抱いた。本当に疑っているなら、わざわざこんなところに呼び出して詰問したりしないだろう。殺人犯と対峙して、自分で犯行を自供させようとしているとは考えられない。どんな殺人事件であっても、目の前に人殺しがいれば、心穏やかではいられないのだ。

要するにストレス解消か、と大友は暗い気持ちになった。少し気の弱いところのある古橋は、昔からよくいじられていた。本人はそれを気にする様子もなく、仲間内のストレスが高じた時に、そういう戯れがガス抜きになっていたのも間違いない。しかし今回は事情が違う。古橋も高度なストレスに晒《さら》されているのは間違いないわけで、ここで責められたら精神の安定を失うだろう。大友は意識して話題を変えた。

「ところで市谷さん、最近中川はどうしてますか」

「いや、あの……」急に話を振られて、市谷がしどろもどろになった。「忙しいです」

「大河ドラマの脚本は、やっぱり大変なんだ」

「そうですね。歴史物だから資料集めも大変ですし、打ち合わせも多いし」

「よく抜け出せたね」

「今、第三段階ですから」

「第三段階？」

「ええ」市谷の顔からわずかに緊張が抜けた。「中川さんが脚本を仕上げるまでには、幾つかの段階があるんです。資料集めが第一段階。関係者と会議をしてストーリーラインを固めるのが第二段階。実際の執筆が第三段階です。第三段階に入っている時は、周りに人がいない方がいいんですよ。その方が集中できるみたいで……ここ一週間ほどはずっと、事務所にこもってます」

「不健康な生活だね」極端に痩せぎすだった中川の顔を思い出す。初めて会う人は、「病気ではないか」と疑うほど頬がこけているのだ。「体、大丈夫なのかな」

「何とか。一応、年に二回は健康診断も受けさせてますし」

「マネージャーみたいだね」

市谷が顔を赤らめた。

「仕方ないです。中川さんは独身ですし、スタッフは僕一人ですから。身の回りの世話もしないと」

「中川も偉くなったよなあ」感心したように石本が言った。「いつも笹倉さんに怒鳴られて涙目になってた奴が、大河ドラマの脚本に抜擢されて、人を使う立場になるなんてな。あいつも、間違いない道を選んだよ」

皮肉っぽい言い方には、彼の本音が隠れていた。美術は縁の下の力持ちで、体力勝負になりがちなのは否定できない。最近は映像との組み合わせで舞台を作ってしまうことも多いから、昔ほどではないはずだが。

「楽な道じゃないと思うよ」大友は指摘した。

「金さえあれば、大抵のことは楽になるんじゃないか？」

「ということは、お前も金には苦しんでるんだ」

「何が言いたい？」誰かに首を絞められたように、石本の顔がどす黒くなった。

「金のことで苦労していたのは、皆同じだったんじゃないか？　ついでに言えば、笹倉さんの横暴で苦労してたことも。そうだろう、武智君」

大友の問いに武智は返事をしなかったが、耳が赤く染まった。彼も笹倉に苦労させられたのは間違いないようだ。今、この男たちの胸の中はどんな具合なのだろう。自分たちのリーダーが殺されたのは残念だろうし、悲しいはずだが、どこかでほっとしてもいるのではないだろうか。頭の上にずっとのしかかっていた重石が取れたような気分……たとえ主宰者が死んでも、劇団がすぐになくなることはないだろう。確かに経営も運営も厳しくなるかもしれないが、実際に船が沈むにはそれなりの時間がかかるはずだ。団員たちには、それぞれ別の船を見つける余裕ぐらいあるだろう。

「しかし、これからどうしたものかな……」

石本の暗い声が、大友の楽天的な想像を叩き潰した。事態はそれほど単純なものではあるまい。俳優たちは、どこかに居場所を見つけるかもしれない。しかし石本や古橋のようなスタッフは、他の劇団に簡単に潜りこむわけにはいかないはずだ。

古橋が、暗い表情でグラスを手にする。気の抜けたビールをじっと見詰めていたが、すぐに、苦しみを忘れさせてくれる薬を呑み干すように、一気に喉に流しこむ。大友はぼんやりと彼の姿を見ていたが、間もなく異変に気づいた。グラスを置いた直後、胃を擦り始める。

「どうかしたか？」

「いや……何か……」かすれた声で古橋が答えたが、その時は既に唇は蒼褪め、細かく震え始めていた。

「大丈夫か、古橋？」

「大丈……」彼は最後まで言えなかった。右拳を胃にめりこませるようにして体を折り曲げ、テーブルに突っ伏す。空いた左手は無意識のうちにテーブルの上を払い、グラスや皿を床に叩き落とした。

「古橋！」

誰かが叫ぶ。その声に衝撃を受けたように彼の体が斜めに傾ぎ、椅子から崩れ落ちる。左肩が木の床を打ち、鈍い音が響いた。それに続き、側頭部も床にぶつかる。

「柴！　救急車！」

大声で呼びかけると、大友は跪《ひざまず》いて古橋の肩に手をかけた。

「古橋、聞こえるか？　古橋！」

反応はない。苦しげに呻《うめ》くだけで、相変わらず拳を胃に押しこんでいる。大友は最初、心筋梗塞の発作を疑った。心臓は胃のすぐ上にあり、素人にはどちらが痛いのか判断できないと聞く。だが、心筋梗塞の場合、よほど重篤でなければ意識はあるものだ。古橋が痛みを訴え、悲鳴を上げる。しかし急速に意識が薄れつつあるようで、体が弛緩し始めた。硬く握り締めていた右の拳もいつの間にか開いて、体から離れている。

毒物か?

素人判断で応急手当をしていいかどうか分からないが、ここは賭けるしかない。一秒の遅れが、彼の命を削り取ってしまうかもしれないのだから。

「救急車、呼んだ」

冷静な柴の声が頭の上から降ってきた。見上げると、携帯電話を振りながら、嫌そうな表情で古橋を見下ろしている。

「心筋梗塞じゃないぞ」

「どうして」

「俺の叔父さんが、俺の目の前で心筋梗塞で倒れたんだ。あの時とは様子が違う。これは毒物だな」

大友は迷わず、横倒しになった古橋の頭を抱えた。強引に口をこじ開け——歯は接着剤でもついたように硬く食いしばられていた——口の中に指を突っこむ。深く、もっと深くだ……ほどなく古橋の喉の奥から嗚咽が漏れ、体が震えたと思うと、床に吐き始めた。胃の内容物は、ほとんどビールのようだ。大友は柴の助けを借りて、古橋をその場で座らせ、頭を低く下げさせた。本人はまだ意識朦朧《もうろう》としているので、床に寝かせておくと、自分の嘔吐物で窒息してしまう可能性がある。冗談じゃない、こいつに、そんな最低の死に方をさせてたまるか。

「ちょっと支えててくれ」

冷静な柴の声がありがたい。彼は古橋の体から手を離し、すっと立ち上がった。

「テーブルの上、触らないで！」

ふと見上げると、市谷が慌ててワイングラスをテーブルに置くところだった。手元が危なく、皿にぶつけてしまって倒しそうになる。慌てて屈みこんで両手で押さえたが、白ワインは少し零れてしまった。

「全員、隣のテーブルに移って下さい。余計なことはしないように」柴がきびきびと指示をする。カウンターの奥に向かって、「店を閉めて」と命じる。証拠保全のために、店内を密室にしようとしているのだ。戸惑いながら出て来た店主が、ドアに鍵をかける。他に客がいないのは幸いだった。そうでなければパニックになっていただろう。

まだ吐き続ける古橋の背中を擦《さす》りながら、大友はあることに思い至って冷や汗を流し始めた。古橋が狙われたのか？　それとも、このテーブルについていた人間なら、誰でもよかったのか？　そうだとしたら、六分の一の確率で自分も死んでいたかもしれない。

いや、僕は生きている。古橋だって死なない。そうやって自分を鼓舞しようとした瞬間、あることに気づいて呆然とした。まさか、そんなことが――それこそ、舞台の上でしか起き得ないような話ではないか。これは、フィクションの世界の出来事だ。

しかし、自分の腕の中で苦しげにもがく古橋の苦痛は、間違いなく本物だった。

3

「榛名係長、がっくりしてたぜ」柴が携帯を折り畳みながら言った。病院の緊急処置室の近く、廊下の壁には「携帯電話使用禁止」の張り紙があるのだが、彼はまったく意に介さなかった。注意を促す看護師の厳しい視線にも動じない。

「ここのどこに電子機器があるんだよ。ただの廊下だろうが。なあ?」誰にともなく悪態をつき、柴が音を立ててベンチに腰を下ろした。隣に座る大友の体が一瞬跳ねるような乱暴さだった。

「取り敢えず、無事でよかった」大友は深々と溜息をついた。病院に運びこまれた古橋は胃洗浄の処置を受け、今は眠っている。早く吐き出させたので、最悪の事態は免れたようだ。

「お前の処置が早かったからだよ。すぐにあんな風にはできないもんだ」柴が慰めた。

「友だちだからね」

「それはやめろ」褒めていた時と一転して厳しい口調で、柴が警告した。「友だちだ、なんて考えていたら、この事件の捜査はできないぞ。客観的にやるか外れるか、どっちかしかない」

「分かってる」

「……テツ、大丈夫か？」また柴が同情的な声に戻った。「自分が殺されていたかもしれないと思ったらショックだろうけど、お前らしくないぞ」

「じゃあ、僕らしいっていうのは、どういうことなんだ」大友は思わず声を荒らげ、立ち上がった。気づいた事情は、まだ柴には話していない。あまりにも現実味がなく、彼が信じてくれるとは思えなかったのだ。

「テツ、どうしたんだよ」柴が困惑した表情で大友を見上げる。「やっぱり変だぞ、お前」

「いや……」言葉を濁すことで、大友は自分の中に生じた怒りと恐怖を何とか封じこめた。「すまない。動揺してる」

「分かるよ。なあ、やっぱり今回の件は外れた方がいいんじゃないか？　何も無理して、自分を追いこまなくても」

「大丈夫だ」

「指導官が難しい事件をやらせたがるのは分かるけど、自分から積極的に飛びこまなくてもいいじゃないか」

「いや、この事件は僕がやる。先に言い出したのは僕だから」

どうしてこんなにむきになるのだろう。確かに笹倉は昔の仲間だ。昔の仲間が殺されたら、敵を討ってやりたいと思う。ただし犯人は、劇団の中の人間——やはり仲間である可能性が高い。身内を傷つけるようなことが自分にできるとは思わなかったが、それでも何とかこの難関を突破したかった。

何故なら、彼らは、自分がそうであったかもしれない姿だからだ。経済的には苦労しても、好きなことのために自分の全てを捧げる人生。正直、それが羨ましいと思うこともある。もしも堅実な道を選ばず、菜緒と結婚せずに優斗が生まれていなかったら、今頃はどんな人生を送っていただろう。愛する人を失う苦しみや、男手一つで息子を育てる苦労は味わわなかったかもしれない。代わりに今でも六畳一間のアパートに住み、昼はバイト、夜は芽が出るかどうかも分からない芝居の稽古に打ちこんでいたとしたら……それは引き伸ばされた青春の喜びだったかもしれないし、出口のない苦悶の旅になっていたかもしれない。

今は何とも言えないのだ。戻ることのできない過去の一点を想像しても、何も生まれはしない。そんなことは分かっていても、やはり羨ましさはある。大友は首を振り、柴に捜査の状況を訊ねた。

「現場は封鎖中。あの店にいた人間は、店員も含めて事情聴取を受けている。今夜も長くなるだろうな」

「ああ」

「どう思う？　古橋個人が狙われたのか、無差別だったのか」

「分からない」

無差別ではない、と考えてはいた。しかし、その根拠を柴に示せない。いずれ彼も気づくかもしれないと思った。根拠――「アノニマス」の脚本は、彼に渡してあるのだから。もう一度目を通せば、脚本通りに事件が起きたのだと理解するかもしれない。だったら、今のうちに話しておこう。彼がどんな反応を示すかは別問題だ。

「この事件は、脚本通りに起こっているんだ」

「は？」柴が大きく目を見開いた。

「最初の事件――劇団の主宰者が刺し殺された。そして二部の最初の方で、第二の犠牲者が出るんだ」

「それが、美術の男だった？」

「いや、照明のスタッフ」

大友は脚本の当該の場面を、記憶の底から引っ張り出した。

「脚本、読んだんだろう？　覚えてないか？」

「ちゃんと読んでる暇がなかったんだよ」柴が渋い顔で弁解する。

「同じように店に集まって、皆で相談している場面だった。主宰者を殺した人間が誰か、あれこれ推理を披露するんだけど……その最中に、酒を呑んだ照明のスタッフがいきなり倒れて死ぬ」

「毒を盛られて？」

「ああ」

「おいおい、冗談じゃないぞ」柴がバッグを開け、中から脚本を引っ張り出した。目指すページを見つけ、食い入るように目を通す。やがて顔を上げた時には、顔面は蒼白になっていた。

「マジかよ」

「そうとしか思えない」

「あのさ、こういうのって、推理小説の中だけの話じゃないのか？」

「僕もそう思う」

「脚本通りに殺しを続けるなんて、どういうつもりなんだ？　犯人の狙いは何なんだ？」

「それは僕にも分からない。でも、一つだけはっきりしていることがある」

「何だ」柴がまじまじと大友を見た。

「本当に脚本通りなら、次に殺される人間は決まっているんだ」

「誰だ」

「主演女優」

大友の記憶は、舞台上で胸を刺されて倒れている早紀の姿に飛んだ。場所は……自室。しかも、毒殺事件が起きた直後である。舞台を左右半分に分け、右側は劇団員たちが酒場で話し合っている酒場、左側が早紀の部屋。右側が暗転して、左側に照明が当たった瞬間、倒れた早紀の姿が浮き上がる。

「柴、行くぞ」

「どこへ」

「決まってる。早紀のところだ。本当に脚本通りに事件が起きたら――」

「待て、ちょっと待て」柴が立ち上がり、大友の腕を摑んだ。「まず電話をかけろ。居場所が分かったら、近くの所轄に連絡を取って、パトを向かわせるんだ。俺たちだけで、東京中を走り回る必要はないんだぜ」

彼の言う通りだ。大友は慌てて携帯電話を取り出し、彼女の番号にかけた。出ない。留守番電話に切り替わる。舌打ちして、非難するように柴の顔を見た。

「出ない」

「分かった。家はどこなんだ？　いや、それは俺が聴いたか」柴が慌てて手帳を開いた。「三宿か……あそこは世田谷南署の管内だな。ここからも近い」

「所轄に連絡してくれ。僕はすぐ彼女の家に行く」

彼女が今夜、どんな仕事をしているか分からないのが痛い。家に帰らない可能性もあるのだ。しかし今は何とかして、彼女の無事を確認したかった。家にいなければ――家で死んでいなければ、無事な確率は高まるのではないか。

自分の考えが支離滅裂なのは分かっていたが、大友は彼女の無事を祈らざるを得なかった。どうか、部屋で一人死んでいるようなことはないように、と。

早紀のマンションで、思わぬ抵抗に遭った。国道二四六号線と三宿通りの交差点に立つマンションはこぢんまりしているが、夜の時間帯も常駐している警備員が、大友たちを中へ入れようとしなかったのだ。インタフォン越しのやり取りでは、「会社に許可を得ないと」の一本やり。「だったらすぐに連絡を取ってくれ」と押すと、「この時間では無理だ」と難色を示す。二十四時間、三百六十五日対応が警備会社の基本ではないかと大友は思ったが、相手は折れそうになかった。そうしているうちに、所轄から出動したパトカー二台が加わって騒ぎが大きくなる。

援軍が加わって気が大きくなったのか、柴は「蹴破るか？」と言ってオートロックのドアを睨んだ。ガラス製だから、怪我を覚悟すればやってやれないことはない。警察が強引に踏みこんだら、警備会社はどう対応する？　何とか止めようとするか、あるいは一一〇番通報する？　馬鹿げた想像だが、大友は笑う気にはなれなかった。

「君」柴が、近くにいた若い制服警官に呼びかける。「拳銃はあるな」

「はい？」若い警官が緊張して顔を蒼褪めさせた。

「ちらつかせろ」柴の目は、ドアの向こうでこちらの様子を窺っている警備員の姿に釘づけになっていた。

「柴、それは駄目だ」大友は慌てて止めに入った。

「撃てと言ってるわけじゃない。こっちが本気だと思わせれば十分だ」

「やめろ」

柴が制服警官の腰に手を伸ばし、銃を引き抜こうとした。さすがにまずいと判断したのか、制服警官がホルスターに手をかけて抵抗する。

「いいから寄越せ」

「駄目です！」

銃を巡ってダンスを始めた二人の間に割って入ろうとした瞬間、救いの神がやってきた。

「テツ君？」

帰って来た早紀が、子どものようにきょとんとした表情で立っていた。

「嘘でしょう？」古橋が狙われた事実を告げるなり、早紀が右手で口を抑えた。

「本当なんだ」

彼女の体がぐらつき始めたのを見て、大友は肩に手をかけてロビーのソファに座らせた。さすがに住民の先導だったので警備員も抵抗せず、今は遠くで見守っているだけである。

「まさか……」

「取り敢えず、無事だ」

「そう、なんだ」息を吐き、胸の上で両手を合わせる。細い指が強張り、白くなった。

「いったい何があったの？」

「毒を盛られた」

「毒?」早紀が大きく目を見開く。「そんなこと、本当にあるの?」

「僕の目の前で」

「そんな」

大友は彼女の横に腰を下ろした。いかにも高級そうなマンションで、ロビーも天井が高い。そのせいか暖房があまり効かず、足元から寒さが這い上がってくる。早紀は膝が隠れるほどの長さのコートを着ていたが、それほど厚い物ではなく、寒さは防ぎ切れていないようだ。寒さに恐怖が加わり、震えはなかなか止まらない。

「君の方は、何か危ないことはなかったか?」

「私?」弾かれたように早紀が顔を上げ、自分の顎を指差した。「何もないけど、どうして」

「今日はどうしてた?」

「午前中は、事務所で……テツ君と一緒だったわよね」無理に笑おうとして、表情が崩れる。「午後から夕方はテレビ局で打ち合わせ。その後食事して」

「食事の時、誰か知らない人はいなかった?」

「全然」早紀が慌てて首を振る。「うちの事務所の人とテレビ局の人、制作会社の人……皆、昔から知っている人ばかりよ」

「そうか」

大友は柴を見上げ、目で合図を送った。柴が腕組みをしたまま、無言でうなずく。午前中、早紀を前にした時の浮ついた態度は消えていた。事態は早紀側ではなく、完全に柴のフィールドに入ってきたのである。

「部屋まで送らせてくれないか」大友は立ち上がった。

「いいけど」早紀が座ったまま、不安気に大友の顔を見上げた。「何なの？　部屋に誰か潜んでいるとでも？」

「念のためだ。気づかないか？　最初に笹倉さんが殺された。次はスタッフの一人が狙われた。これは——」

「『アノニマス』そのまま？」早紀の顔が蒼くなる。

「そう。脚本の続きがどうなってたか、覚えてるよね」

「冗談でしょう」早紀が大きく目を見開く。「だって、あれはお芝居の中の話で——」

「脚本通りに事件が起きてる」

「だったら次は……」早紀が唇を嚙む。そうすることで、恐怖を押し隠そうとしているようだった。

外に気配が漂う。そちらに顔を向けると、美知が到着したところだった。

「俺が呼んだ」

柴が短く説明する。大友は彼にうなずきかけた。女性の部屋を改めなくてはいけないので、女性刑事である美知がいた方がやりやすい。彼女に先兵になってもらわないといけないだろう。制服警官がドアの前に立ち、美知を中へ通す。厳しい表情を浮かべて大友たちの許へやって来た美知が、「状況は？」とすぐに確認を求めた。

「今のところは異常ありません」大友は答えた。

「結構です。部屋へ入ります」美知が、早紀に顔を向けた。「念のためチェックしますので、ご案内願えますか」

「はい……」

話が大袈裟になってきて、早紀はますます怯えたようだった。大友は彼女の肩に手をかけてうなずき、腕を軽く摑んでソファから引っ張り上げた。

「大丈夫。一度チェックしてしまえば心配はなくなるから。それより今夜、誰か一緒にいてくれる人はいないかな」

「無理よ」早紀がちらりと腕時計に目を落とした。「この時間じゃ……」

長浜なら駆けつけてくれるんじゃないか、と皮肉に考えた。いや、皮肉ではない。仮に襲撃者がいても、相手が複数なら怯《ひる》むものだ。その隙に逃げ出すチャンスが生じる。

「とにかく、部屋へ行こう」

早紀は乗り気ではなかった。それならいっそのこと、ホテルにでも泊まってもらうのも手だ。しかし、取り敢えず安全を確認できればいいのではないか、という気にもなる。だいたい、自分たちがあまりにも用心し過ぎているのに犯人が気づいて、陰に隠れたまま笑うのが我慢ならなかった。

何となくだが、犯人がこちらの動きを監視しているような気がしてならない。

　美知は拳銃まで用意していた。彼女が先頭に立ち、背後を制服警官二人が守る。早紀はドアの鍵を開けた直後、廊下の端に下がって大友の背中の陰に隠れた。柴は制服警官から警棒を借り、いつでも動き出せるように胸の高さで構える。

「行くわよ」

　低い声で言い、美知がドアを開ける。制服警官が押さえ、開いたままにした。美知が両手で銃を握り、腰の高さに構えたまま玄関の中に滑りこむ。途端にセンサーが反応して、玄関の中が明るくなった。反射的に、美知が身を屈める。

「部屋の広さは？」大友は囁き声で訊ねた。

「1LDK」

　強張った口調で早紀が答えた。それならすぐにチェックは終わる。美知が姿勢を低くしたまま、靴を蹴り脱いだ。中腰の姿勢のまま廊下を歩き、玄関の正面にあるリビングルームに入る。扉を開け、腕だけを伸ばして照明を点けた。柔らかい灯りが漏れ出てきたが、早紀の緊張を和らげてはくれないようだった。大友の背広の裾をきつく摑んでいる。彼女の吐息が背中に感じられそうだった。

　大友のいる場所からは、美知の動きが直接は見えない。だが彼女は、玄関まで入った制服警官経由でサインを送ってきた。制服警官が大友たちに向かって、親指と人差し指で丸を作る。

「リビングは大丈夫だ。申し訳ないけど、これから寝室を調べる」

前を向いたまま告げると、彼女の額がこつんと背中に触れた。声も出せないほど怯えているということか。

「すぐに済むから」

もう一度、額が背中に当たる。大友は、握り締めた拳の中に汗が滲むのを感じた。沈黙。部屋の奥で美知が動く気配は伝わってきたが、何をしているかは分からない。大友は無意識のうちに、腕時計に視線を落とした。秒針の動きがやけに遅い。そんなはずはないと分かっていながら、一分が十分ほどにも感じられた。寝室がどれほど広いのかは分からないが、調べるべき場所はクローゼットぐらいである。秒針が二回りした直後、突然冷たい風が玄関に向かって吹いてきた。寝室を調べ終え、ベランダのチェックに入ったようだ。ここまでくればあと一歩。

「ベランダを調べてるの？」不安気に早紀が訊ねる。

「ああ。案外忍びこみやすい場所だから」

「大丈夫かな」

「何が？」

「プランターを置いてあるのよ。結構たくさん並んでるから」

彼女の不安が的中した。部屋の奥の方から、何かを蹴飛ばす硬い音に続き、美知が上げた短い悲鳴が聞こえる。音からして、プランターに重大な被害が出たわけではないだろう、と判断した。

「何を育ててるんだ？」

「ハーブを。いろいろ」

「こんな時期に外へ出しておいて大丈夫なのか？」

「案外丈夫なのよ。雑草みたいなものだから」

早紀の緊張がゆっくり解けていくのを、大友は感じる。趣味の話ができるようになれば、大丈夫だ。ずっと背広を掴んでいた彼女の手が離れる。振り返ると、少女のようにはにかんだ笑みを浮かべていた。

しばらくして、美知が玄関へ戻って来た。額に薄っすらと汗が浮かび、プランターを蹴飛ばした後遺症なのか足を引きずっていたが、顔には安堵の表情が浮かんでいる。

「誰もいないわ」

早紀が肩を上下させた。今度はずっと自然な笑みを浮かべ、大友に向かって頭を下げる。大友は体を捻って彼女に向き直った。

「ちょっと騒ぎ過ぎた。申し訳ない」

「それはいいんだけど、本当に脚本の通りに事件が起きると思ってるの？」

「笹倉さんが殺されたことだけなら、関係ないと思う。でも、二度目があったんだから、用心するに越したことはない」

「そう……」

「しばらく、身辺には気をつけてもらった方がいい」

「テツ君が守ってくれるんじゃないの？」

「それは……」

大友は答えを求めて仲間たちの顔を見渡した。柴は無表情。美知が素早く反応した。

「何らかの警護体制は考えるけど、取り敢えず明日は、大友君が担当して」

「いいんですか？」

「取り敢えずよ、取り敢えず」あくまで応急処置だと、美知が強調した。

「テツ君がいてくれれば安心できるけど」早紀がうなずく。

「ね？　希望通りにすることも大事だから」美知がうなずき返した。「箕輪さん、明日の予定はどうなっていますか？」

「昼からテレビ局で打ち合わせがあります。その後は、夜まで収録で」

「だったら昼までは、この部屋を出ないで下さい。大友が迎えに上がりますから、テレビ局までは一緒に行って下さい。局内にいる限り安全でしょうから……夜のことは、明日になってから考えます」

「はい」体を小さくして、早紀が頭を下げた。それから大友の顔をまじまじと見上げ、

「ごめんね、テツ君」ともう一度頭を下げた。

「いや、仕事だから」

「仕事」を強調すると、早紀が寂しそうに笑った——ように見えた。

4

世田谷北署での打ち合わせは、深夜まで続いた。大友は脚本通りに事件が起きていると自説を説明したが、幹部の反応は鈍い。疲れ切っていたところへもう一つの事件が追い打ちをかけ、さらに大友が騒ぎ立てたのでげっそりしているのだろう。

「だいたい、こんな推理小説みたいな話が本当にあるのかね」赤い目をした渡辺が疑義を呈する。

「実際、そうなっています」

「一つ、疑問があるんだけど」美知が遠慮がちに切り出した。「このお芝居、どれぐらい有名なわけ？」

「ほとんど知られていないと思います」大友は頭の底の方に重い疲れを感じながら答えた。「私が知る限り、上演自体が二回目ですから。この前上演されたのは十数年前ですし、その頃観ていた人がどれだけいたか……ただし、劇団にとって特別な芝居だったのは間違いないんです」

「どういうこと？」美知が鋭い視線を向けてくる。

「劇団創設以来、初めて納得できる芝居ができた、ということです」

例によって何度も書き直しを命じられたが、中川はよく耐えた。打ち上げの時、笹倉が初めて中川を褒め、その場の雰囲気がぱっと明るくなったのを大友はよく覚えている。ぎすぎすしていた主宰者と脚本家の関係がやっと好転したのは、誰にとっても明るいニュースだったし、芝居自体の出来もよかったと思う。

「二回しか上演されていない芝居の内容を知っている人が、どれだけいたと思う？」渡辺が欠伸を嚙み殺しながら言った。「要するに、脚本を手に入れられる人間が容疑者ということで決まりじゃないか。つまり、内部犯行だよ」

「ということは、容疑者はまったく絞りこめません。最初の地点から、一歩も進んでいないわけです」美知が指摘する。

「――仰る通りです」大友も認めざるを得なかった。「ただ、現役ではなくて、元劇団関係者の可能性もあります。当時脚本を手に入れた人間が、何人かいますから」

「そいつらの洗い出しもしなくちゃいけないわけか」渡辺が深々と溜息をついた。「大友、劇団員の古い名簿は持っているか？」

「あります。ただし、私が学生だった頃の物ですよ。当然連絡先も変わっていると思います」

「それでも構わん。今日――」渡辺が腕時計を見た。終電はとうに行ってしまった時間である。「明日の午前中にでも持ってきてくれ。その女優さんの警護は昼からだな？」

「ええ。でも、劇団から提出させた方が早いと思いますよ」

「あまり連中を刺激したくないんだ」渡辺が、髭で薄っすらと蒼くなった顎を擦る。

「そうでなくても、疑心暗鬼になっているからな」

「それは間違いありません」大友は素直に同意した。そうでなければ、特定の団員を呼び出して大勢で追及しようなどとは思わないだろう。

「毒の方はどうなってますか？」大友は逆に訊ねた。

「トリカブト」すぐに美知が答える。「入手は難しくはないけど、問題はどうやって飲み物に入れたか、よね」

「店員の関与はどうなんですか」

「ないと思う。あくまで心証だけどね」美知が手帳を開いた。「簡単に事情聴取しただけだけど、相当動揺していたから。演技じゃないと思うわ」

「だいたい、飲食店がそんな危ない橋を渡るとは思えんですよね」柴が相槌を打つ。

「店を潰す覚悟でもあるなら、話は別ですけど」

「計画的に人を殺そうとする人間なら、ある程度覚悟はできていると思うよ」

大友が指摘すると、柴が渋い表情でうなずいた。しかし、大友の言葉に納得したわけではなさそうだった。

「内部犯行だとすると、毒物の件の容疑者は四人か」渡辺が、ホワイトボードに名前を書き出した。やけに達筆なのがありがたい。こんな時間に、金釘流で解読を要するような字は読みたくない。

「いや、五人です」渡辺が四人目の名前を書き終えた時、大友は指摘した。

「どういうことだ？」渡辺が、フェルトペンを持った右手を宙に浮かせたまま、振り返る。

「何のために？」

「古橋の自殺――あいつが自分でやった可能性もあります」

「どうでしょう」大友は肩をすくめた。「自分に向けられた容疑を晴らすため、とかでしょうか。古橋が狙われたとなれば、笹倉さん殺しの容疑は薄れるんじゃないですか」

「確かにありそうだけど」柴が目を瞬かせながら指摘する。「そんな演技、すぐに分かるだろう」

「僕は慌てたけど」大友は反論した。

「まあ、あれは……正しい反応だよ」大友の必死の様子を思い出したのか、柴が咳払いして話を誤魔化す。

「柴、本人にはまだ事情は聴けてないんだな？」渡辺が確認した。

「そうですね。処置が早かったので命に別状はありませんが、事情聴取は明日の朝まで待った方がいいでしょう」

「病院の警戒態勢は？」

「制服二人を張りつけてあります」

「結構」遠慮をかなぐり捨て、渡辺が大欠伸をする。誰にも伝染しなかった。「ところで大友。一つ教えてくれ」

「はい」

「この芝居、最後はどうなるんだ」

「解決します」

「犯人は？」

しばし躊躇った後、大友は短く答えた。

「全員です」

「全員？」渡辺がすっと目を細める。

「生き残った全員です。殺された劇団の主宰者、照明のスタッフ、主演女優——この三人は、劇団の中でも嫌われ者でした。残りの全員が共謀して、事件を起こしたんです」

「何だ、それは……」渡辺がゆっくりと額を揉み始めた。「それこそ、推理小説みたいじゃないか」

「否定はしません。しかしこの芝居の主眼は、犯人探しじゃありませんから。閉鎖的な空間で、人が持っている様々な顔をリアルに描き出すのが狙いなんです」

「ああ、講釈はいいから……」疲れきった様子の渡辺が首を振る。「それで、犯人が分かった後は、どうなるんだ」

「その事実を指摘した探偵役が殺されます。最初の上演の時は、私がその探偵役だったんですが」

了解したとでもいうように、渡辺が深々とうなずいた。それまで見せたことのない気さくな態度で、大友の肩をぽん、と叩く。真顔で「せいぜいお前は殺されないようにしてくれよな」と忠告した。

誰も笑わなかった。


「別に難しい事件じゃないと思うぜ」寝る前の一服につき合え、という柴の誘いに乗り、大友は署の屋上に上がって来た。本当はここも禁煙なのだが、柴は駐車場の隅にある喫煙場所まで行くのを何故か嫌がった。

「どうしてそう思う」

風に、声が千切れそうになる。気温は一段と低くなり、コートもあまり役にたっていなかった。柴の煙草の先が、時折ぱっと赤くなる。彼はあまり寒さを感じていない様子で、手すりに背中を預けて、体をぐっと伸ばしていた。

「絶対、内部犯行だからだよ。絞り上げていけば、そのうち誰かが音を上げる」

「乱暴なやり方だ」

「時にはそういうことも必要だぜ」柴が煙草の先を大友に突きつける。かすかに熱が感じられるようだった。「どうなんだ？　役者さんなんてのは、精神的にそれほど強くないんじゃないか？」

「そうかもしれない。覚悟を決めていなければ」

「覚悟？」

「嘘をつき通そうと決めて、その演技を始めたら、突き崩すのは難しい」

「なるほどね。でもこれは、芝居じゃない。こっちの土俵で勝負してるんだぜ。負けるわけにはいかないだろうが」

「ああ」相槌を打つ自分の声が弱々しいことを、大友は意識していた。

「勘弁してくれよ」柴が泣きを入れた。「お前がそんなに自信なさげにしてたら、こっちまでがっくりくる」

「少なくとも僕はお前よりも、役者という人間の考え方を知っている。結局芝居なんて、どれだけ自分を捨てて役に入り切れるかで決まるんだ。完全に他人になり切るっていうのかな……そういう状態に入った人間を調べても、空振りするだけだと思うよ」

「彼女もそうか？　箕輪早紀も」

「彼女は役者だ」

「だから――」

「彼女は役者なんだ。簡単に信用しちゃ駄目だよ」

「そうか」柴が携帯灰皿に煙草を押しこんだ。「だったらお前も、せいぜい気をつけるんだな。連中、お前の同情を引いて、味方につけようとしてるんじゃないか」

「そうかもしれない」ふと、背中に感じた彼女の手の温かさを思い出す。不安を解消するためのさりげないスキンシップまで、演技だったというのか？　分からない。彼女レベルの役者なら、手先だけでも演技ができるだろうが、実際に触れたその感覚が嘘か本当かは検証しようがない。

「そうじゃなかったら、もっと厄介なことになるけどな」闇の中、柴が唇を歪めて笑う。

「彼女は事件の関係者だ。しかも女優だ。絶対、手を出すなよ」

「その心配はいらない。彼女にはつき合っている相手がいるから」

「その相手は、今夜は駆けつけなかったのかね。彼女、お前を全面的に頼りにしているみたいだったぜ」

「ああ」

「変にこじれると、捜査も滞るし、お前の人生も面倒になる。もちろん、お前がその気なら止めないけど、彼女は優斗の母親になれるタイプじゃないぜ」

「どうしてそこまで話が進むのかな」大友は苦笑した。「お前は、想像力が豊か過ぎるんだよ」

「想像するのも仕事なんでね」肩をすくめ、柴が大友の顔を真っ直ぐ見詰めた。「昔、彼女と何かあったのか？」

「僕の方では特にないけど」

「でも、彼女の方では何か考えていたんじゃないかな。それを、こと女性問題に関しては異常に鈍いテツさんが気づかなかったとか、な。菜緒さんと三角関係だったとか？」

「それはない」否定したが、疑いが次第に募ってくるのは止められない。女性のことに関して鈍いと指摘するのは柴ばかりではないし、実際、否定はできない。改めて指摘されると、早紀が見せた態度、発した言葉、全てが何となく疑わしく思えてくるのだった。あの頃彼女が好意を伝えようとして、僕がまったく振り返らなかったとしたら？　それで彼女の人生が別の方向に行ってしまったとしたら？

　あり得ない話ではないが、自分がそれほど他人に対して影響力のある人間だとは思えなかった。


　朝八時、駅へ向かう人たちと逆の方向へ歩いて行くのは、何となく気分がいい。泊まり明けの時によく感じる解放感だ。ただし、昨夜は世田谷北署の道場で仮眠を取っただけなので、寝不足で頭が重い。それに、仕事が一区切りついたわけではなかった。

　寒々とした空気が籠った部屋に入り、背広を脱いでソファの背にかける。とにもかくにもシャワーを浴びて髭を剃ろう。ついでに、午前中の時間を利用して買い物も済ませておいた方がいいだろうか。食料を確認しようとして冷蔵庫の前に立った途端、マグネットでメモが張りつけてあるのに気づいた。優斗だ。

「がんばってね」

　ふいに、胸の中に温かな物が流れ出す。あいつ、気を遣いやがって。にやけそうになるのを何とか堪えて、冷蔵庫の中をチェックした。開いていない一リットル入りの牛乳が一パック。優斗のオレンジジュースもまだ残っているし、卵もハムもある。冷凍庫の中にはパンが三日分ほど、それに、この前作っておいたトマトソースもある。これなら今日は、買い出しの必要はないだろう。次に優斗と食事できるのがいつになるか、分からないが。

そうだ、電話をしてみるか……しかし壁の時計を見上げた途端、ちょうど学校へ向かう途中だと気づいた。そういえば昨日は一日、優斗と話していない。捜査の都合で休日に家を空けることもたまにあるのだが、そういう時も、できるだけ時間を作って優斗と話すようにはしていた。いつもの習慣が、特に理由もないのに途切れてしまったことに、かすかな不安を感じる。自分の中で優斗の存在が薄れているのでは……そんなことはない、と言い聞かせて、大友は服を脱ぎ捨てた。

シャワーで、少しは人間らしさを取り戻した気になる。髪にタオルをかけたまま押し入れを開け、「アノニマス」の脚本が入っていた段ボール箱を取り出した。蓋と前面には、妻の字で「夢厳社関係」と丁寧に書いてある。あいつ、ちゃんとまとめて保存しておいてくれたんだよな。思い出すと、つい表情が緩んでしまう。菜緒の几帳面さに感謝、だ。

床の上で、段ボール箱の中身を広げ始める。脚本、写真、メモの類い。直接関係ないのに、まず脚本に目がいってしまう。大友が、台詞のある役を演じたのは、大学時代の四年間で六本。ほぼ後半の二年間に集中していたので、一つの芝居が終わるとすぐに次の芝居の準備に追われていた記憶がある。脚本はどれも、表紙が変色するほど古くはなかったが、ぼろぼろである。性格だとしか言いようがないが、とにかく他人の台詞まで頭に入れないと芝居ができなかったのだ。

そのうちの一冊が、初めて――最初で最後だった――自分で書いた脚本だった。表紙を見て、思わず赤面してしまう。ギリシャ神話を換骨奪胎したもので、今考えると、よく上演したものだと思う。いや、笹倉がよく許した。

自分がこれを書いたのは、笹倉と中川の関係が最悪の状態になっていた時だと思い出す。笹倉は、オリジナルの芝居の脚本を中川に頼っていたのに、なかなか認めようとはしない。笹倉は、突き放し、頭を小突くことで鍛えていたつもりかもしれないが、中川にすれば苛め以外の何物でもなかっただろう。次第に口数が少なくなり、ミーティングにも顔を出さなくなって、ある脚本の締め切りをすっぽかした。結果、笹倉は突然、大友に「脚本を用意しろ」と命じたのである。

あれほど冷や汗を流した経験もなかった。二時間の芝居で、原稿用紙百枚ほど。いつか脚本を書こうという気持ちはあることにはあったが、それまでそんなに長い文章を書いたことがなかった。悪戦苦闘して書き上げたその芝居を、笹倉は一読して鼻を鳴らしたものである。二週間の苦労が水の泡になったか、とがっくりきた次の瞬間、笹倉が「やるか」と言い出した。

それ以来、大友は笹倉の気持ちがまったく読めなくなった。この男は結局、夢厳社という狭い世界に君臨する全能の神なのだろう。それこそギリシャ神話に出て来る神々のように、非常に人間臭く、嫉妬や怒りなどの負の感情を元に、とんでもない行動を起こす。

　ま、これは封印だ。取り敢えず感謝しておこう、と大友は思った。自分に脚本を書く才能がないと思い知らせてくれたものなのだから。まだ濡れた髪から落ちた水滴が、文章の終わりを宣するピリオドのように、閉じたばかりの表紙に黒い点をつける。それで急に、解放されたような気分になった。そう、芝居は僕にとって、学生時代の趣味でしかない。そこから学んだことも多かったが、あくまで過去に存在するものだ。

　関係ないと分かっていても、写真にはどうしても目を奪われてしまう。まだデジカメが本格的に普及する前で、使い捨てのインスタントカメラで撮った写真が多かった。その中に、問題のキャンプの写真を見つけて、大友は思わず手を止めた。

　どこか、木陰で撮った写真だ。中心にいる自分の顔は、葉の隙間から漏れ出る光のせいで斑模様になっている。今より少し痩せて髪が長く、何とも芯の感じられない立ち姿。左側に菜緒がいて、腕を絡ませている。彼女がそうすると、べったりした愛情表現というよりも、同志のつながりを強調するような力強さが感じられるのだった。ポロシャツに、当時はあまり流行っていなかった短いキュロットスカートという格好が、生来の運動好きを証明している。この写真を優斗に見せたことがあっただろうか？　たぶん、ない。そのうち、「昔のママだ」と言って見せようか。どんな反応を示すだろう。

　しかし、右隣にいる早紀の存在が微妙になる。早紀も菜緒と同じように大友に腕を絡めているのだが、体の位置が近い。というより、密着していると言った方が正確だ。こちらはほっそりとした体の線をわざわざ強調するTシャツにジーンズ。スポーティな格好なのだが、何故か色気が滲み出ている。彼女に比べれば、菜緒は少年のように見えた。

二人の顔に浮かぶ表情の違いが、大友の気持ちに小さな楔《くさび》を打ちこんだ。菜緒はいつも通り、彼女に一番似合いだった大きな笑顔。口が大きいせいもあって、笑うと、いきなり目の前でひまわりが満開になったような気分になったものだ。この頃は、確かつき合い始めて一年が経ち、二人の関係が安定した時期である。何となく、この先も彼女とずっと一緒にいるのではないか、という気持ちが芽生えていた。何も言わなくても、彼女も同じ気持ちではないか、と思えた。

一方の早紀は、真面目な表情だ。顔がわずかに左側を向いているのだが、隣にいる大友ではなく菜緒を意識しているように見える。これは……いや、まさか。僕はそんなに、物事を図々しく感じられない。柴は「用心しろよ」と忠告しているが、早紀が本気で僕を好きだったとは思えない。こうやって腕を絡ませているのだって、キャンプという開放的な場で、少し悪ふざけをしているだけだ——ずっとそう思っていた。

だが、彼女が菜緒を見る目が、時折鋭くなっていた気はする。ライバル視？　おそらく。だがあの頃の早紀は、今ほど大胆ではなかった。元々引っこみ思案だったのを、舞台に上がり続けることで克服したのではないだろうか。事実彼女は、一つの舞台を踏むごとに自信をつけ、次第に傲慢な顔を見せるようになった。傲慢というか、女王然とした……ということは、この写真の構図は、当時の早紀にしては精一杯のアピールだったたのかもしれない。

つくづく自分は不器用というか、物事が見えていない人間だと思う。意識が菜緒だけに集中して、早紀がこちらを見ていることにまったく気づかなかったのだ。気づいたからといって何ができたわけではないだろうが、それでも彼女の気持ちを無視したことは申し訳なく思う。もしも気づいていたらどうしたか。「僕には菜緒がいるから」と言って納得させようとしただろうか。気持ちが通い合って、菜緒ではなく早紀と——。

馬鹿馬鹿しい。昔の話だし、仮定の状況をあれこれ想像しても何も生まれはしない。少なくとも、当時の早紀の気持ちが、現在の事件につながっていることはないはずだ。

写真を一まとめにして、段ボール箱に戻す。過去の記憶を封印したいわけではなかったが、何もこんな時に、自分の気持ちをざわつかせることはない。

何故ざわつくのか、その理由を突き詰めて考える気にはなれなかったが。

雑多な書類の類いは、ビニール製のファイルフォルダにまとめて綴じられていた。それが三つ。公演のパンフレット——夢厳社の物も他の物もある——や思いついたことを走り書きしたメモ。舞台の見取り図。何のために用意して保存したのか見当もつかないものもあったが、大友はほどなく、必要な書類を見つけ出した。大学四年生の時の、劇団員の名簿。

それを持ってテーブルに戻り、今回の「アノニマス」のパンフレットと突き合わせる。パンフレットには、少しでも関係している人間の名前は原則全て載っているので、現在の劇団員をほぼカバーしていると考えていい。パンフレットに同じ名前があれば、名簿の名前の上に、鉛筆で横線を引いて消していく。

突き合わせが終わった時、名簿の方には十二人の名前が残っていた。こんなに……記憶を引っ張り出し、一人一人の顔を思い浮かべている。田沢《たざわ》。こいつは福岡の出身で、卒業後は向こうで就職したはずだ。連絡を取り合っていないので、最近の動向は分からない。角谷《すみや》。当時からやけに老けた顔で、老人役をやらせても全然違和感がなかった。彼は郷里の山形で、高校の教員になったはずである。僕と同じ公務員仲間か……。桜井《さくらい》。こいつは東京にいる。大手電機機器メーカーで営業をやっているのは、毎年交換している年賀状から知っていた。あまり仲がいいわけではなかったが、何故か年賀状のやり取りだけは卒業以来一度も——菜緒が亡くなった年を除いては——欠かさず続いているという、不思議な関係である。

そうやって名前と顔を一致させていったが、どうしても思い出せない人間が何人かいる。それにこの住所も、今は当てにならないのだ。大友と同じように、地方出身でアパートやマンションに住んでいた人間は、当然住む場所を変えている。追跡して、全員の住所を割り出すには、結構時間がかかるかもしれない。

しかし、警察には人手がある。いずれは全員と連絡が取れるだろう。

宿題は終わった。後は早紀のお守り——探し物よりよほど難しい仕事が待っている。

5

「久しぶりに見るわね、テツ君のそんな格好。まだ似合うわね」

「そうかな」

大友は自宅でシャワーを浴びた後、ジーンズにTシャツ、ざっくりしたローゲージのセーターにピーコートという服装に着替えていた。ほとんど学生時代そのままである。いい加減、こういう格好を許される年ではないのだがと思いながら、少しだけ姿を曖昧にする必要性を感じていた。変装とまではいかなくても、印象を変えたい。

「上がって」

「いや、ここで待つよ」

大友は、玄関先で「休め」の姿勢を取った。早紀が言葉を切り、大友の顔をまじまじと見詰める。

「何か勘違いしてない？」

「何が」

「ゆうゆうさんも来てるわよ」

大友は顔が赤らむのを感じながらうなずいた。馬鹿らしい……早紀が笑いを堪えるように、肩を震わせていた。彼女の顔を見ないようにしながら、脱いだスニーカーを丁寧に揃え、部屋に上がる。

「相変わらずニューバランス？」

「そうだね」どうしてこんな細かいことを覚えているのだろう、と大友は訝《いぶか》った。

「何で好きなの？」

「履きやすいから」

「そうなんだ……イトーヨーカドーで二千九百八十円で売ってるスニーカーにしか見えないのが難点ね」

早々と調子を取り戻したようだ、と大友は少し安心した。恐怖に捕われた状態では、こんな軽口は叩けないはずだ。有子が、低いソファから苦労して立ち上がり、特に感情を見せず、大友に向かって頭を下げる。大友も、朝の挨拶を堅苦しく披露した。

「おはようございます。今日は彼女の警護を担当しますので、よろしくお願いします」

「本当に、そんなことが必要なほど危ないんですか？」有子が眉をひそめる。

「用心に越したことはないと思います」

「テツ君、本当にそう思ってるの？」早紀が割りこむ。

「君だって、昨夜は相当怖がってたじゃないか」

「何か、吹っ切れちゃった」早紀が肩をすくめた。「眠れないかと思ったんだけど、夜中に、『こんな馬鹿なことをする人がいるはずがない』って思えてきて。だって、脚本通りに人を殺すなんて……そんな脚本が上がってきたら、テツ君、どうする？」

「速攻で破り捨てる、かな。陳腐過ぎる」

「でしょう？　お芝居の世界でもあり得ない話なのに、本当にそんな事件を起こす人がいるとは思えないわ」

「ああ」恐怖から逃れるために、自分に都合のいいように作り上げたストーリーにすがる人はいる。早紀もそうなのかもしれないが、だからといって、非難することはできない。

「だったら、僕の警護は無駄だろうか」

「テツ君といるのはいつでも歓迎だから」花が開くような笑顔。だが、菜緒とはやはり違う。真夏の陽光に輝くひまわりではなく、もっと香りが強く妖艶な花、という感じがした。

「とにかく、局に入るまではお供するよ」立ち上がった有子――ひどく小柄だと改めて気づいた――に確認する。「テレビ局までの足はどうしますか？」

「今日は、会社から車を出しています。タクシーよりも安全でしょう？」有子は、大友がいることに不満たっぷりの様子だった。

「そうですね」はっきりさせておこうと、強い口調で質問する。「僕は邪魔でしょうか」

「はい？」眼鏡の奥で、有子が目を細める。

「警察が周囲をうろうろしていると、迷惑になりますか」

「そんなこともないですけど……」有子の顔が赤くなった。

「今後どうするかは、今、特捜本部の中で検討しています。僕がつくのは、あくまで臨時的な措置ですから。でも、警察がうろうろしていると、スキャンダルとして扱われかねないとあなたが心配するのは分かります」

「ええ」有子の言葉に力はない。

「取り敢えず今のところ、家の周辺にマスコミは張っていません。一回りして確認しました。少し早いですけど、出た方がいいでしょう」

「テツ君、お茶でも……」のんびりと言う早紀の声に、危機感は感じられなかった。

「早く出た方がいい」大友は繰り返した。「局内なら安全だろう」

「たぶん」

「もちろん、ワイドショーの取材に関してまでは、責任は負えないけど」

「そう」リビングルームの一角にあるキッチンに向かいかけた早紀が、足を止める。部屋の区切りは、アイランド式のシンク。リビング側は広いカウンターになっており、そこに椅子が二脚置いてある。そうか、食事はここでするのか、と大友は合点した。だが、深夜この部屋に戻って来た彼女が、遅い夕食――夜食を一人で食べる姿を想像すると、急に侘しくなる。自分には優斗がいてくれて本当にありがたい、とつくづく思った。僕が優斗を育てているんじゃない。優斗が僕を助けてくれているんだ。

いや、彼女はこのカウンターに長浜と並んで食事を取るのかもしれない。それなら寂しくはないだろうが……そういえば、カウンターにはスパイスボックスがあり、各種の香辛料が揃えてある。高価そうなオリーブオイルの瓶は、中身が半分ほど減っていた。彼女の料理の腕前は、「ジャガイモをまともに剝けるレベル」を卒業して、かなり上達しているのかもしれない。

食べさせたい相手がいれば、料理の腕は自然に上がる。最初は笹倉？ 次が長浜？ 他に何人の男が、彼女の手料理を食べたのだろう。

そんなことを考えてしまう自分を、どこか浅ましく感じていた。

事務所が用意したミニバンは、プライベートガラスで外と遮断されていた。大友は運転手に挨拶してから、もう一度マンションの周囲を見て回った。隠れているカメラマンはいない。部屋で待機する有子に電話を入れ、すぐに下へ降りるよう要請する。

大友はミニバンの横に立ち、ドアに手をかけたまま待った。周囲への注意は怠らないままで、次第に鼓動が激しくなってくるのを感じる。

五分ほどして、有子に先導されて早紀が出て来た。腿の半ばまである薄手のダウンジャケットに眼鏡、ニットキャップを眉毛のすぐ上まで下ろして被っている。化粧をしていないせいもあるだろうが、普段とはだいぶ印象が違う。大友は思わずにやりとした。芝居で教わり、今でも役に立っていること——髪の分け目を変え、眼鏡を使うことで、人の印象はがらりと変わる。早紀が左手を鍵形に曲げて、重そうなトートバッグをぶら下げていたので、受け取ろうと手を伸ばすと、ごく当たり前のように差し出した。

車に入ると、ほぼ完全な閉鎖空間になった。有子が助手席に、大友と早紀は二列目のシートに座る。早紀がすぐに、一列目との境にあるカーテンを引いた。車内が薄ぼんやりと暗くなる。早紀が溜息をつき、シートに後頭部をもたれかけさせた。白く細い喉が露になる。車が走り出すと、急に体を前に倒して、前を向いたまま大友に話しかけた。

「どう思う？」

「何について？」

「この事件」

「何とも」大友は肩をすくめた。「個人的な感想は控えたいな」

「仲間が誰か、私たちを殺そうとしているのよね」

「そういう風に言う人間は、警察の中にもいる」

答えながら、大友はかすかな違和感を感じていた。犯人の狙いは何なのだろう。脚本通りに殺人を続ける——ミステリで言えば「見立て殺人」ということになるのだろうが、そうすることによって犯人は、自分に対する捜査の網が狭まってくるのを意識するはずだ。捕まるのを覚悟でやっているのか……一種の劇場型犯罪ということも考えられる。次の犯行を警察に推理させ、それを楽しんでいるのかもしれない。

分からない。実際の世の中では、ミステリ小説のようなことは起き得ないのだ。

「はっきりしないのね」

「正直言って、警察はこの種の犯罪に慣れていない」

「そうなの？」早紀が首を傾げる。

「犯人がアリバイ工作をしたり……それどころか、こんな風に派手に、計画的な殺しを続けることなんて、実際にはほとんどないんだ。殺しは、常識が破綻したところで起きるものだから」

「その台詞、どこかで使えそうね」

「これは芝居じゃないよ」どこか他人事のような早紀の言い方に、大友はかすかな苛立ちを感じた。一晩経っただけで、夕べの恐怖を完全に忘れてしまったわけではあるまいに。「状況はよくないんだ」

「そう」急に素っ気無く言って、早紀が足を組んだ。細い、脚に張りつくようなジーンズは、昔から彼女の定番のスタイルである。ちらりとそちらを見てしまったのを気づかれた。

「私の脚、気になる？」

「長いからね。目立つんだ」

「この脚で、お金を稼いでいたこともあったし」早紀が体を前へ倒し、膝から脛《すね》へかけて手で撫で下ろした。「パンストのモデルとか」

「いつ頃？」

「大学を卒業してすぐ。あなたは当然、知らないわよね」

「パンストに興味はないから」

「そうよね」早紀が喉の奥で笑った。「でも、この脚、結構コンプレックスなんだ。私がスカート穿いてるの、見たことある？」

「いや」否定してから、大友は頭の中のアルバムをめくった。テレビでは見たことがある。だが私生活では……少なくとも学生時代には、一度も見たことがなかった。「ない、かな」

「菜緒ちゃんって、脚が格好よかったよね」

「そうかな」

「運動選手の脚って、理想的な筋肉のつき方になるのよ。バランスがいいから、ミニスカートが似合うし。私なんて、棒が二本出ているみたいなものだから」

笑っていいのかどうか分からず、大友は一瞬窓の方に顔を向けた。確かに菜緒の脚は見事だった。結婚してからも、ずっと定期的に運動を続けていたせいで、贅肉のまったくない筋肉質の脚は、鑑賞に堪え得るものだった。

「菜緒ちゃんに対するコンプレックスって、結構大きかったわ」

「そう？」

「テツ君には分からないかもしれないけど。菜緒ちゃんしか見えてなかったもんね」早紀の言い方には、少しだけ棘が感じられる。

「それは否定できないな」大友は意識して素っ気無く言い返した。

テレビ局で、大友は早紀が出演するドラマのプロデューサーに面会し、警備を厚くするよう、入念に依頼した。警備担当者にも事情を説明し、局内での彼女の安全を委ねる。本当は、銃を持った制服警官をスタジオの内外、控え室にも待機させておきたいところだが、そうもいくまい。最後に早紀に挨拶してから出ようと思い、スタジオに向かって廊下を歩いて行くうちに、携帯電話が鳴った。美知が、せかせかした口調で指示を与える。

「少し待機して。今、援軍を出すから」

「今のところ、異常はありませんが」こちらへ来る道中、大友はやるべきことを見つけ出していた。今は縛られたくない。

「念には念を入れて、ということよ。あなたはそこにしばらく残って、援軍に事情を説明して」

「ちょっとやろうと思っていることがあるんですが」

「それは引き継ぎが終わってから。いいわね？」

「……分かりました」有無を言わさぬ美知の口調に、大友は文句を呑みこんだ。「何か状況が変わったんですか？」

「上の方の話し合いでね。これ以上犠牲者を出すわけにはいかないから」

テレビ局の廊下はほとんど公道と同じで、多くの人が行き来している。大友は話を聞かれないよう、壁に手をつけて、人の流れに背を向けた。

「見立て殺人だということは、認めているんですね」

「まあね」美知は不満そうだった。そういうことは、小説や映画の中だけのことだと思っているのだ——大友と同じように。

「そういうことなら、一つだけ、はっきりと結論が出ているんですね」大友は念押しした。

「何？」

「古橋は犯人ではない。偽装するために、わざわざ自分から毒を呑んだわけではない、と」

「完全にそうと決まったわけではないわ。偽装工作を否定するだけの材料もないんだから」

「今日も事情聴取したんでしょう？」

「いい結果は出てないけどね」

「後で、状況を詳しく聞かせて下さい。今、話しにくいので」

「じゃあ、そこを出たら、一度特捜本部に寄って」

「了解しました」

よし。しばらく待機か。早紀を見守りがてらスタジオの見学でもしようと思ったが、また電話が鳴り出した。柴あたりだろうと思って、着信を確認もせずに出ると、福原だった。

「もう三日目だぞ。何をやってる」

「指導官……」素人じゃないんですから、という言葉が喉元まで出かける。彼が確率論を念頭に置いているであろうことは明らかだった。事件の解決率は、時の流れとともに急降下する。横軸を時間、縦軸を解決率にしてグラフを描けば、見事に右肩下がりになるものだ。しかしこの事件が、そういう範疇《はんちゅう》に入らないものであるのは、今の時点で明らかである。間違いなく解決には時間がかかる。しかも、これ以上犠牲が出なければ、という前提での話だ。

しかし、口答えが許されない相手はいる。大友は素直に、「すいません」と謝るしかなかった。

「で、見通しはどうなんだ」

大友は周辺を気にしながら、脚本をなぞった見立て殺人であるらしいことを話す。当然、福原の耳にも入っているはずだが、改めて自分の口から説明しておきたかった。話し終えると、福原が深く溜息をつく。

「俺は、三十五年以上警察にいる」

「はい」

「こんな阿呆な事件は経験したことがないぞ」

「私もです」

「お前と一緒にするな……いいか、次の犠牲者は絶対に出すな」

「了解してます」

「しかし、何だ」福原が急に砕けた口調になった。「芝居をやってる連中は、変わり者が多いのか」

「否定できません」

「その割に、お前はまともだ」

「まともだから、役者でやっていく自信がなかったんです」

「それは至言だな。芝居は人生の映し鏡に過ぎない。鏡に映った自分が本当の姿だと思っているから、おかしくなるんだ。オスカー・ワイルドは『演劇は人生よりはるかに現実的だ』と言っているが、芝居は芝居だ。舞台で人は死なない」

「当然です」

彼の口からオスカー・ワイルドの名前が出たので驚いた。福原はどうやって、こういう格言を集めてくるのだろう。

ずっと聞こうと思って果たせず、今回もこれまでと同じことになった。福原は例によって、いきなり電話を切ってしまったのだ。

ソファの上の塊がもぞもぞと動いた。大友は一瞬ぎょっとしたが、すぐに市谷が苦笑しながら「寝てるだけですから」と説明した。反射的に腕時計を見る。午後二時。昼寝の時間ではあるが……。

「起こしていただいて構いませんよ」市谷が、窓際に置かれたデスクに向かった。「寝たのは……八時頃ですから、もう十分でしょう」

「いいんですか」

「甘やかしてると、ろくなことになりません」首を振り、市谷がカーテンを開けた。午後の陽射しが柔らかく室内を満たし、毛布の動きが一層激しくなる。

「ずいぶん厳しく教育してるんだ」

「誰かがやらないと……締め切りは待ってくれませんから」

しかし大友は無理に中川に声をかけず、彼が起き出すのを待つことにした。その間、室内を見回す。広い部屋では、窓際一杯に広がる作りつけの広いテーブルがまず目に入る。長さは三メートルほどもあるだろうか、大型のモニターが二台並び、その他のスペースには本やゲラが乱雑に散らばっている。右側の壁は、床から天井までの本棚。しかし本が入っているのは半分ほどで、他のスペースにはミニチュアの自動車が大量に載っていた。中川にこんな趣味があったのだろうか。夜中に原稿書きに行き詰まり、一人ミニカーを手にしてぼんやりと現実逃避する彼の姿を想像すると、正直ぞっとする。座り心地のよさそうな長いソファがあるのに、中川はわざわざ一人がけのソファに縮こまり——両足を引き上げて体を丸めているようだった——眠っている。あれでは疲れは取れないだろう。

「コーヒー、飲みますか」

「面倒でなければ」

市谷がキッチンに向かった。ほどなくコーヒーの香りが漂い始めたせいか、毛布がわずかにずり落ちて、中川の頭の天辺が覗く。ほとんど手入れもしていないようで脂っ気がなく、もじゃもじゃだった。この天然パーマは、学生時代から彼のトレードマークである。

「今日のお通夜、行かれます？」キッチンから市谷が声をかけてきた。

「そのつもりです」参列ではないが。

「私も行きます。中川さんは……」

「本人の意向に任せた方がいいんじゃないかな」

「……ですね」

「行かないぞ、俺は」毛布の下から、中川が呻くような声を上げた。起きていたのか。大友はソファに歩み寄り、毛布を引っぺがした。光を恐れるように、中川が両足を抱えこんで体を丸める。

「いい加減にしろよ。何時だと思ってるんだ」大友はわざと乱暴に言った。

「睡眠時間は削れない。八時に寝たなら、四時までは寝てるべきなんだ。きっちり八時間はキープだぜ」

「今時、八時間睡眠を取ってる人間なんていないよ。都市生活者なら、もっとずっと短いぞ」

「煩いな……俺はお前みたいなイケメンじゃないんだ」

「何だ、それ」

久しぶりに会ったのに、離れていた時間がなかったかのような中川の喋り方に、大友は思わず苦笑した。

「下らん脚本を書いて生きていくには、体調維持が何より大事なんだ。そのためには、まず規則正しい睡眠だろうが」

「馬鹿言うな」大友は長いソファに腰を下ろし、足を組んだ。「寝始める時間が朝八時じゃ、規則正しいもクソもない」

「睡眠時間が毎日同じなだけじゃ、駄目なのか？」中川が、本気で不安そうな口調で訊ねた。

「駄目。だいたい、昼間起きてないと、体内時計が狂うんだ」大友は呆れて溜息をついた。中川の変人ぶりには磨きがかかっているようだ。「いい加減、ちゃんと目を覚ませよ。大事な話があるんだから」

「お前、ＮＨＫの回し者じゃないだろうな。原稿の取り立てに来たとか？」疑わしげに言って、中川が両目を思い切り擦る。

「まさか」

市谷がコーヒーを運んできた。その香りでようやく本格的に目が醒めたようで、中川がやっと両足を床に下ろす。裸足の足は蒼白く、長い間日を浴びたことがないようだった。襟口が大きく広がった横縞の長袖Ｔシャツに、皺になっていない部分を見つけるのが難しいコットンパンツ。学生時代に比べて一気に老けたように見えるのは、顔がさらに細くなっているせいかもしれない。明らかに栄養不足、寝不足で、このまま倒れてもおかしくない感じがした。

「ＮＨＫの仕事、そんなに大変なのか」

大友はブラックのままコーヒーを一口啜り、訊ねた。中川はコーヒーの湯気を観察するように、カップにじっと視線を据えたままである。

「お前に言っても、想像もできないだろうな」

「少しは分かるかもしれない」

中川が落窪んだ目を大友に向ける。全身疲労困憊の中で、瞳にだけはやけに強い光が宿っていた。踏まれても潰れない意思の強さを感じさせ、それだけを頼りに何とか生きている様子である。

「愚痴になるからやめとくよ……それで、どうした？　俺を取り調べに来たのか」

「アリバイ、あるんだろう？」

中川の顔が引き攣る。舌を火傷《やけど》しそうなほど熱いコーヒーを一気に飲むと、ようやく意識がはっきりしたようで、背筋をぴんと伸ばす。薄い両手でカップを握り締めたまま、大友の顔を凝視した。

「ないといえばないかな」

「そうなのか？」ふざけているのか真面目なのか見極めようとしたが、大友はその努力をすぐに放棄した。この男の腹の内はまったく読めない。昔からなかなか本音を言わない男だったが……彼なりの処世術だったのかもしれない。笹倉のような暴君とつき合うには、本音を隠してただ頭を下げているのが一番だ。そのうち向こうが飽きて、攻撃しなくなる。

「だって俺、ずっとこの部屋に籠りきりだったんだぜ？　出入りを確認していた人間もいないんだから。何だったら、マンションの防犯カメラの映像でもチェックしてみたらどうだ？　事件当日の映像はまだ残っているはずだ」

「何でそんなこと、知ってるんだ」

「ああ、確かめたんだよ」さりげなく中川が言った。「シナリオに書くんで、確認する必要があってさ。ああいうビデオがどれぐらいの期間保管されているかが、重要なポイントだったんだ」

「そうか」

うなずき、中川が大きく欠伸した。体を斜めに倒して左足を尻の下に敷き、伸びた襟首から手を突っこんで肩の辺りを掻く。何をするのも面倒臭そうだった。

「お前、どうして今回の公演に来なかったんだ」

「呼ばれなかったから」少しだけ、中川の瞳に真剣味が増した。

「でも、知ってはいたんだろう？　市谷君は呼ばれてたわけだし。お前だってＯＢなんだから、堂々と顔を出せばよかったじゃないか」

「無理、無理」中川が顔の前で思い切り手を振った。「夢厳社とは、二度とかかわり合いたくないね。俺と笹倉さんが合わないの、知ってるだろう。犬猿の仲、じゃなくて、俺の方が蛇に睨まれたカエルなんだから」

「大河ドラマの脚本を書くような立場になっても、まだ笹倉さんが怖いんだ」

「苦手なんだよ、あの人」中川が力なく首を振る。「俺はプレッシャーに弱い。笹倉さんとつき合って鍛えられたかと思ったけど、実際には胃が痛くなっただけだった。さっさと辞めればよかったけど、いろいろしがらみもあるじゃないか。それにあの頃、俺の脚本を使ってくれる劇団なんか他になかったし」

「だから、チャンスが来た時、すぐに逃げ出した」

「チャンスねえ……構成作家の仕事なんて、クソだったけどな」中川が自嘲気味に笑った。「クソだけど、笹倉さんに苛められるよりはましだった。それに、あの仕事をやったから、脚本も書けるようになって、今につながってるんだし。俺は間違ってなかったよ」

「そうだろうな」コーヒーをもう一口。この男は本当に事件に絡んでいないのだろうか？　おそらく、関係ない。自分の世界に没頭し、疲れ切って、余計なことをする気力すらないだろう。

「それで？　犯人の目処《めど》は」

「まだだ」

て笑い続ける。一瞬の沈黙の後、中川が笑いを爆発させた。左手でカップを持ったまま、体を震わせに落ち、小さな水たまりを作る。細い体は、その勢いで分解してしまいそうだった。コーヒーが零れて床をしかめてティッシュペーパーを持って来た。立ったまま二人のやり取りを見守っていた市谷が、顔掃除してやるほど甘やかすつもりはないのか、中川に差し出して、無言で床を見詰める。カップを慎重にテーブルに置いた。体を屈めて零れたコーヒーを拭き取ると、ティッシュペーパーを丸めてテーブルに放り投げる。中川は静かに笑いを引っこめながら、ユペーパーを丸めてテーブルに放り投げる。素早くつまみ上げた市谷が、ゴミ箱に捨てに行った。

「お前、容疑者なのか？」

「俺以外に容疑者は？」

「そんなことしてる暇、ないよ。でも、お前が捜査してるなら、俺を疑ってるんだろうと思ってた」

「昔のことがあるから？」

「ああいう事件があると、恨みを持ってる人間を探すだろう？」

「そんなに恨んでたのか」

「どんなに成功しても、よく悪夢にうなされて目が覚めるとか、さ。笹倉さんが原稿の束を俺に投げつけて、それがはらりと舞って床に落ちる」中川が両手を広げ、ひらひらと揺らした。「そんなこと、実際にはなかったんだよ？　当時だって、プリントアウトじゃなくてフロッピーディスクで渡してたんだから。笹倉さんは気に食わないと、いきなりフロッピーディスクを初期化した。ファイルを削除するんじゃなくて、初期化だぜ？　あり得ない」

「それがどうして、紙の原稿の夢になるんだ？」

「何か、そんなイメージなんだろうな。空になったフロッピーディスクを突き返される時、二百字詰めの原稿用紙が宙を舞う様子を想像してたんだと思う。馬鹿らしい話だよ」

「その夢にうなされて、恨みを募らせていたわけか」

「馬鹿、違うから」にやけ笑いを浮かべながら、中川がひらひら手を振った。「もう、立場が違うんだよ。夢厳社も客を呼べるようになったし、笹倉さんも映画やテレビの出演で金を稼げるようになったけど、あの人は依然として、基本的には貧乏だった。こっちは、使う暇はないけど金はあるからね」

「金だけが全てか？」

「いーや」中川が肩をすくめた。「お前はどう思うか知らないけど、俺はこの世界でちゃんと結果を残してきた。中には下らない作品もあったし、自分で納得してない物もあるけど、喜んで観てくれる人がたくさんいたのは事実だからね。嫌な夢を見た直後は苛々するけど、笹倉さんを恨んでる暇なんて、今はないんだ」

「じゃあ、夢厳社とは完全に切れてるわけだ」

「当然。昔の仲間とも会わないし。ある意味俺は、お前と一緒なんだよ。金になるかならないか分からないものから手を切って、ちゃんと生きてるんだから」

うなずきながら大友は、自分は成功しているとは決して言えない、と思っていた。何より、菜緒を亡くしている。一人でいる時に交通事故に遭ったのだから、自分にはどうしようもないことは分かっていたが、後悔の気持ちは今でも燻《くすぶ》っている。

僕は何のために警察官になったんだ。

「だけど、市谷君は夢厳社の出身だ」

中川のこめかみがぴくりと動いた。自分の理屈の穴を突かれた、と思ったのかもしれない。

「私が無理に、中川さんの所へ押しかけたんです」慌てて市谷が弁明した。「役者としてやっていけないのが分かりましたから、芝居にかかわるとしたら、作る方に回るしかないでしょう。それで、昔から憧れていた中川さんの所へ……」

「俺は基本的に弟子は取らない」わざわざ低い声を作って中川が言った。「弟子」。剣豪を気取っている様子である。「彼が、一生でただ一人の弟子かもしれない……土下座されたら、断れないよな。俺は、人が生で土下座するのを初めて見たよ」

そうか、お前は「自分では」見ていないんだな。大友は暗い気分になった。中川本人は、笹倉に責められて、彼の前で土下座したことがあるのだが……あの時の暗く重苦しい雰囲気は、今でも忘れられない。もちろん、刑事になって多くの死体を見て、泣き叫ぶ遺族を慰めたことも一度や二度ではないが、人間の尊大さと卑屈さが、同じ場所であれほど見事に交錯したのは、あの時だけである。嫌な気分だけが残った衝突だった。

暗い気持ちを振り払い、大友は質問を変えた。

「この事件、『アノニマス』の脚本通りに進んでいる」

「市谷から聞いたよ。だけど、そんな馬鹿なことをする人間がいるのか？　意味が分からない」

「それはこっちも同じだ」

「お前でも？」中川が目を見開いた。「敏腕な刑事さんじゃないのかよ」

大友は首を振らざるを得なかった。今回の事件に関しては、自分の勘は狂いっぱなしである。犯人の目処がつかないまま、第二の事件を許してしまった。早紀の安否を考えると、頭の芯が痺れるように痛む。

「刑事は、前例に頼ってしか仕事ができないんだ」

「公務員、だな」軽く嘲る調子で中川が言った。「で、本当は俺に何の用なんだ？　犯人扱いは勘弁してくれよ。次の締め切りまで時間がないんだ」

「あの脚本――『アノニマス』の脚本を手に入れられた人間、何人いる？」

「俺経由で、ということ？」

「ああ」

「ゼロから五千万人ぐらいかな」

「どういう意味だ？」ふざけているのか。変人なのは分かっているが、捜査を茶化しているなら許せない。

「こんなこと言っていいのか……」急に、中川が勢いをなくす。「ばれたらまずい話なんだけど」

「言ってくれないか。どんな話でも参考になる」

「実は俺、あの頃ホームページを作ってたんだ。個人でもホームページを作るのが流行ってた頃なんだけど……そこで、『アノニマス』の脚本を公開したんだよな」

「そんなの、初耳だ」大友は顔から血の気が引くのを感じた。ウェブで公開していたなら、「五千万人」も冗談に聞こえなくなってくる。

「本当はやっちゃまずかったんだろうけど、初めて上演されて、嬉しくてさ。もちろん上演後だけど、アップしちまったんだ」

「ログは残ってないのか」

「分からない」中川が力なく首を振る。「そのホームページを作る時に契約していたプロバイダーは倒産しちまったし、俺が自分で管理していたログも、とっくになくなってる」

「中川……」大友は胸に顎を埋めた。「容疑者が際限なく広がるんだぞ？」

「そんなこと考えてホームページを作る人間なんて、いると思うか？」

いない。だが、彼の前で否定するのが悔しく、大友は口をつぐんだ。

6

比較的まとも、というか穏便な渡辺がとうとう切れた。

「だったら、どこまで範囲を広げて調べればいいんだ！」特捜本部に割り振られた会議室のテーブルを思い切り蹴飛ばし、痛みに顔をしかめる。

「まったく分かりません」大友は正直に認めた。「中川が契約していたプロバイダーは、確かに倒産していました。当時のログについてはサルベージ不可能です」

「そんないい加減なことでいいのか？」

「個人データは全て、完全に消去したそうです。妥当な処置だったかと思います」

「ということは、中川が嘘をついている可能性もあるんじゃないか？」渡辺が粘っこく食いつく。「本当にホームページを開いていたか……彼が本当のことを言ったかどうかも、証明しようがない」

「だとしたら、動機は何なんでしょう」彼のしつこさが、大友の苛立ちを加速させた。「我々を惑わせて、捜査を妨害するためですか？　あいつにはそんな暇はありませんよ。だいたい、本当に忙しくて死にそうでした」

「それは、刑事としての冷静な目で見ての結論なんだろうな」

自信はない。一瞬口籠ったわずかな隙に、渡辺が気づいただろうか、と不安になる。

しかし渡辺は、そこに突っこんではこなかった。自分の怒りとつき合うので精一杯の様子である。

「それより、昨夜の状況は再現できたんですか」

「どの口がそんなことを聞く？　お前はスーパーバイザーか？」

皮肉をぶつけながらも、渡辺がホワイトボードの前に立った。フェルトペンを使って、昨夜の座り位置を手早く描いていく。大友は、六番目に自分の名前が書かれた時、嫌な感じを覚えた。これではまるで容疑者扱いではないか。

「夜の捜査会議で話すつもりだが、ここで一回まとめておこう。榛名係長、説明を頼む」

渡辺に促され、無言で美知が立ち上がる。顔には疲労が降り積もり、今日は四十歳より五十歳に近く見えた。大きく伸びをしてから、渡辺からペンを受け取る。渡辺が高い位置に見取り図を描いたので、背伸びしながら指差し、説明を始めた。

「お店に来た順番から行きましょう。石本、武智両名が、八時四十五分頃、連れ立って来店。八時五十分、高山。九時、市谷。九時十五分、被害者の古橋……大友君、あなたが古橋から電話を受けたのは九時前だったわね」見取り図の下に、時間と名前を縦に積み重ねて表にしていく。

「八時五十分頃です。捜査会議が終わった直後でした」

「呼び出されて不安だから、同行して欲しい、ということだったわね。それで、あなたと柴君が店に入ったのが、九時二十五分頃」

「正確には、テツが二十三分。俺が一分遅れで二十四分です」皮肉のつもりなのか、柴がやけに正確な時間を出して来た。

「あなたたちが犯人でない限り、そこまで細かいデータは必要ないわ」

「そりゃどうも」あっさり撃退され、柴が不機嫌な表情で腕組みをした。

「最初に石本、武智両名が瓶でビールを注文。後から来た高山が『人数が増えるから』とピッチャーでビールを追加注文。高山は発泡性のミネラルウォーター。市谷は白ワインをフルボトル。最後に来た古橋が、自分では注文しないで、ピッチャーからビールを注いで呑んだ」

「つまり、古橋以外の人間は、誰でも犯人になり得る可能性があったわけだ」渡辺が結論づけた。

「古橋が自殺を図った可能性もまだ捨て切れませんよ、管理官」柴が訂正した。

「今はそれは考えなくていい。そもそも古橋は否定している。自殺を図った人間が、死に損なったからと言って、自分のやったことを否定するとは考えられない」

「……ごもっとも」またも推理を否定され、柴の声は一段と低くなった。

「トリカブトはどこから検出されたんですか」大友は訊ねた。

「今からそれを話すところ」美知がぴしゃりと言った。「高山が注文したビールのピッチャーからは、何も検出されていない。トリカブトの抽出液が検出されたのは、古橋のグラスからだけ」

「つまり、無差別殺人ではなく、明確に古橋を狙っていたわけですね」

「犯人がこの中にいれば」大きく背伸びして、美知が見取り図をぐるりと円で囲んだ。

「そんなことが可能だったんですかねえ」柴が首を捻る。「古橋が来る前に、他の人間の目を盗んで、グラスにトリカブトを入れたんでしょうか」

「あるいは、古橋が来てからかもしれない。彼は店に来てからすぐ、トイレに入ったそうよ」

「そのわずかな隙で？　誰かに見られそうですけどね」柴が食い下がる。

「ところが他の四人は四人とも、話すのに夢中で、空いているグラスなんか見てなかったというのよ」

「全員が共謀してるんじゃないですか？　テツ、元々はそういう脚本なんだよな」柴が確認を求める。

「ああ。そして最後には、探偵役が全員に殺される」

「大友、いっそのことお前が探偵役をやったらどうだ」冗談か本気か分からない顔つきで、渡辺が言った。「関係者を全員集めて、適当に犯人を指摘する。そうしたらお前は、脚本通り狙われるかもしれない。餌になって犯人をおびき出すんだ。なに、心配はいらない。警護はちゃんとつけてやる」

「管理官、我々はそこまで追いこまれていないはずです――今はまだ」

　途端に渡辺の顔が赤くなった。何となく彼は、この事件を重く捉えていないのではないかと思えてくる。劇団などという、浮世離れした閉鎖集団の中で起きた事件。犯人の動機はおそらく、役に対する不満か何かで、真面目に取り合う気にもなれない、と。刑事としてそういう態度が許されないのは当然だが、彼の気持ちも理解できないではなかった。夢厳社の関係者は皆、大友の常識とはわずかにずれたラインで動いている気がしてならない。それ故、今までにない疲弊感を覚えるのだった。十数年前は自分もそちらの世界にいたのに……僕の場合は、社会適応のためのリハビリが済んだということなんだろう、と皮肉に思った。

　この事件では、つい皮肉に考えることが多くなる。このままだと、本物の皮肉屋になってしまいそうだった。

「それとだな」渡辺が真剣な表情に戻った。「劇団の財務状況についてだ。あの劇団が、高円寺に自社ビルを持っているのは、諸君らもご存じの通りだ。三年前に完成したばかりなんだが、土地と建物で三億かかってるそうだ」

　三億か……そもそも銀行は、何故そんな無茶な融資をしたのだろう。この時代、少しでも不安がある相手には貸し渋るはずなのに。夢厳社は若者に絶大な人気を誇っているとはいえ、劇団四季ではない。笹倉も決して、銀行の人間を信用させられるタイプではないはずだ。

「どういう事情で融資が行われたかは分からないが、とにかくそういうことだ。しかし、半年前からは、返済が度々滞るようになっている……大友、夢厳社のビルへ行ったことはあるか？」

「いえ」

「ビルの一階にカフェとうどん屋が入っていたが、半年前、うどん屋が撤退した。当然だろうがな」

大友には、渡辺の言い方が気になった。「どういうことですか」と訊ねると、平然とした顔つきで「死ぬほど不味かったから」と答える。

「全く偶然なんだが、俺はそこのうどん屋で飯を食ったことがある。一年ぐらい前だったか……当時は、そこが夢厳社のビルだなんて気づきもしなかったわけだが、とにかく不味かった。讃岐うどんっていうのは、やっぱり本場で食わないと駄目なのかね。うどん屋が撤退した後、新しいテナントも見つからなかったんで、期待していた金が入ってこなくなったんだろう」

「給料カットの予定があったそうよ」美知が補足する。「これは武智から聴いた話だけど、このまま新しいテナントが決まらない場合は、近々そうなる予定だった」

「大友よ、劇団ってのはそんなに金がかかるものなのか？」渡辺が疑わしげに訊ねる。

「ええ。劇場を借りるのだって、只じゃありませんからね。一日で、安くて十万……一週間連続上演となると、百万ぐらい、平気で飛んでいきます」

「しかし、三百人入る劇場で、チケットが五千円だったとすると、一回の公演で百五十万だぞ？　楽勝で黒字じゃないか」

「舞台装置を作ったり、衣装を揃えたり、凝った照明や音響を使ったりすれば、あっという間に金は消えるんです。劇場の使用料よりも、そういうところに金がかかりますね。団員にそれなりの給料を払ったら、すぐに金は底を尽きます」

「赤字か」

「そうかもしれません。チケットはここのところ値上がり傾向ですけど、急に何倍にもできるものじゃありませんからね」

「自社ビルねえ……身の丈に合わないことをしたようだな」渡辺が馬鹿にしたように目を細める。

「でも彼らには、私たちがなくしたものがあるんですよ」

「何だ、それは」

夢。大友は、その言葉を口に出すことができなかった。夢を捨てて現実を選んだ自分に、今なお夢を追っている人間について語る資格があるとは思えなかった。

夢厳社の近くにある葬祭センターで行われた笹倉の通夜は、大友が想像していたよりも大規模なものになった。十年以上、芝居の世界で生きてきた笹倉の人脈は、かなり広かったのだ。参列者は主に舞台関係者が多かったようだが、テレビや映画を主戦場にする俳優や監督たちの姿も見受けられた。大友は受付のところに立ったまま、参列者の名前と顔をチェックし続けた。名簿は後でコピーし、持ち帰らなくてはならない。犯人がこの中に紛れこんでいる可能性もあるのだ。

六時過ぎに通夜が始まる直前、大友は会場に入った。夕べあんなことがあったにもかかわらず、古橋が倒れた店にいた四人も、全員が顔を見せている。他にも、大友が知っている夢厳社の関係者は、ほとんど全員が参列していた。

弔辞は、「劇団第四世界」の代表、蛭川《ひるかわ》が読んだ。笹倉が、高校時代にこの男の舞台を見て演劇を志した、という人物である。大友も、「第四世界」の舞台は何度も見ていた。劇団名はシリアス――昔だったら「アングラ劇団」とか呼ばれそうだ――なのだが、舞台はいつも底抜けに明るい。基本的には頭で考えさせるのでなく、体で感じさせるものだ。笹倉が夢厳社で目指した社会派の芝居とは正反対だったのだが、彼は第四世界の「熱さ」を身に着けたのだった。

「逸朗」

蛭川が遺影を睨みながら、静かに語りかける。原稿は用意していないようで、手を後ろに組み、背筋をぴんと伸ばしている。ブラックスーツに、背中まで届きそうな髪を細く縛った姿がアンバランスだった。

「日記を読み返してみた。お前とは、百五十三回、酒を呑んでいる。最後に呑んだのは、一月前だったな。記念公演を終えたら、次の十年に向けて少し充電するって言ったのを覚えてる。だけど、こんな充電の仕方はないぞ」

アドリブだ。役者の性《さが》か……この男は、弔辞さえ即興劇にするつもりのようだった。低く静かな声は次第に熱を帯び、時折涙が混じり、最後はまた静かなトーンに戻って終わる。内容は感傷的、かつ個人的なもので同調できなかったが、大友は不思議と心を揺さぶられていた。

いつの間にか、体中に線香の臭いが染みついてしまったようだった。僧侶が退場するのを追うように大友は外へ出て、会場から去る人たちを確認した。厄介なのはマスコミの連中で、会場での取材は遺族が拒否したものの、駐車場へ至る場所に陣取って、参列者のコメントを取ろうとしている。誰か、余計なことを喋らなければいいのだが……武智たちが出て来た。古橋を除いた昨日のメンバーが固まっている。一様に暗い表情で、マスコミに摑まるのを恐れるようにうつむいたまま、足早に駐車場へ向かう。声をかけようかとも思ったが、そんなことはできそうにない雰囲気だった。しかし大友がやるまでもなく、他の刑事たちがすっと近づいて取り囲んでしまう。彼らは、夜も事情聴取を受けるのだ。実際、朝からずっと警察に呼ばれていて、通夜に参列するために、一時的に解放されたメンバーもいる。

この中の誰が犯人なのか……びくびくしているだろう、と大友は思った。逃げ出せば、自ら犯人だと認めてしまうことになるし、取り調べに耐え続けるのも地獄である。プレッシャーは、舞台に立つ時の比ではあるまい。

それは分かっていても、大友は彼らの中に犯人がいるとは思えなかった。いないと信じたい、と言うべきか。
いつもの自分ではない。今さらながら大友は、この捜査に手を挙げて参加したことを後悔した。それでも、途中でギブアップはできない。走り出した以上は、完走するしかないのだ。

早紀の帰宅の同行者は、大友の他に所轄の刑事二人だった。また事務所のミニバンに同乗してきたのだが、二人の刑事は三列目のシートに収まっても、まだもぞもぞと体を動かしている。顔の知れた女優を前にして、どうにも落ち着かない様子だった。大友は敢えてあまり口を開かず、静かに車の揺れに身を任せていた。午後九時。本当は、早紀はこの後会食の予定があったのだが、無理にキャンセルしてもらった。彼女がずっと不機嫌なままなので、大友としては余計なことを言って、さらに機嫌を損ねるつもりはなかった。

テレビ局から自宅まで二十分。車がマンションの前に着くと、大友は早紀に「少し待っていて」と言い残して車を降りた。大友は、腰の重さを意識しながら一人うなずいた。念のため、今日は銃を持ち出している。狙撃される恐れは少ないはずだが、万が一を考えてのことだった。

マンションの正面、ミニバンの前にパトカーが一台、待機している。助手席の窓を叩いて、中の制服警官に異常の有無を確かめた。

「特に動きはありません」緊張した顔で、若い制服警官が答える。

心配なのは、マンションの左側だった。右側には別のマンションがくっつくように建っており、そちらからの侵入はほぼ不可能だ。左側では、新しいマンションを建築中。工事現場と早紀のマンションを隔てるのは細い一方通行の道路だけで、そちら側からのアプローチは容易だ。大友は腰を曲げた姿勢のまま、パトカーに少し後ろに下がるように命じた。

「脇道を監視できる場所にいてくれ。そっちの方が心配だ」

「了解」

もう一台パトカーを用意してもらう手もあるが、同じことだ。むしろ、制服のまま立っていてくれる方がありがたいのだが、今夜は特に冷えこむ。そこまできつい勤務を頼む権利は自分にはない、と大友は思った。

戻ると、二人の刑事がミニバンのドアを両側から挟むようにして立っていた。早紀はシートに横座りし、右足だけを地面につけている。外からはほっそりとした脚だけが見えていたが、確かにこれならパンストのモデルに使えそうだ。

声をかけると、早紀が車から降りてすっと背中を伸ばす。やはり、夕べからずっと緊張状態が続いているのだ。ゆっくりと伸びをすると、恥ずかしそうに笑みを浮かべる。

「大丈夫だ」

「早く中へ入った方がいい」

「まだ危ないと思ってるの？」

「念のためだよ」

　外側の自動ドアが開く。その奥のオートロックのドアを早紀がリモコンで解錠すると、私服の二人組がそのままロビーに入って内部を確認した。少し神経質過ぎる動きだったが、用心し過ぎということはない、と自分に言い聞かせる。ほどなく、二人が同時に「ＯＫ」のサインを出した。

「行こう」

　早紀が無言でうなずき、大友の後に続いて中へ入る。

「ありがとう」オートロックのドアが閉まり、空気の流れが途絶えると同時に、早紀が溜息を漏らした。硬い笑みを浮かべ、大友に向き直る。「ここまででいいわよ」

「いや、部屋まで行く」

「大丈夫よ」

「そういう決まりなんだ」

「そう」早紀は無理に抵抗しようとしなかった。「部屋には入らないでしょう？」

「できたらチェックしたい。プライバシーは守るよ」

「その心配はないと思うけど」

　訳が分からず、大友は首を傾げた。早紀は何も言おうとせず、「大丈夫だから」と低い声で、しかしはっきりと断じた。

精神的にかなり不安定になっているな、と思った。じわじわとプライバシーが侵されている不安は大きいだろう。人に見られるのが仕事の人間にとって、家は唯一気を抜ける場所だろう。そこが誰かに狙われているという恐怖。そして土足で踏みこんでいく警察官たち。仕方のないことだと分かっていても、苛立ちは募る一方だろう。早く犯人を捕まえることが唯一の解決法なのだが、今のところ具体的な手がかりはない。

「分かった。とにかく家の前――ドアの前までは送らせてくれ。君が無事に家に入るところまで確認したい」

大友は二人の刑事に目で合図し、早紀の後ろを守るように歩き始めた。エレベーターが動き始めた瞬間を狙って、声をかける。

「誰かいるんだね？」

早紀は返事をしなかった。誰なのか……長浜だろう、と想像する。その事実を知られたくないのだ。というより、つき合っているのをあくまで隠しておきたいのか。自分は刑事であり、職業上知り得た事実を他に漏らすことは絶対にない。それより何より、仲間なのだから――言い訳がいろいろ思い浮かんだが、何となく口にするのは憚《はばか》られる。エレベーターが停まるまで、大友は何も言えなかった。

廊下を無言で歩き、早紀の部屋の前に立つ。ドアの横の窓に灯りが点いているのが見えた。ああ、やはり誰かいるのだ。自分の役目はここまでだ、と気持ちを切り替える。

「明日も護衛がつくの？」

「ああ」大友は既に、マネージャーの有子から明日の予定を確認していた。「午前中がボイストレーニング、午後は今日と同じでドラマの収録だね」

「そのどこかに、ジムへ行く時間を押しこんでもらえないかしら」

「それは、僕には何ともできないな。マネージャーじゃないんだから」

「そう」素っ気無く言った後、早紀の口調は極めて事務的になった。「心配なら、部屋へ入ってから合図しようか」

「そうだね」灯りが点いているのだから、誰かが部屋にいるのは間違いないのだが、万が一ということもある。「中に入って何もなかったら、内側からドアを二回ノックしてくれないか。鍵を締めるのはそれからにして」

「いいわよ。二回ね？」早紀がVサインを作った。

「ああ。僕の安心のために」大友は胸に掌を当てた。

「テツ君のためなら、ちゃんとやるわ」少しだけ軽薄な気配を復活させて早紀が言い、バッグから鍵を取り出した。何の躊躇いもなくドアを開け、身を滑りこませる。ノックがない。大友は頭の中で数をカウントしながら、次第に血の気が引き始めるのを感じた。まさか……変な音はしなかったが。

突然ドアが開き、早紀が顔を突き出した。

「何にもないから」

淡々と言って、今度は舌を突き出す。子どもっぽい仕草だったが、ピンクの舌は、大友の目にはやけに色っぽく見えた。ドアが閉まると、わざわざノックの音が二回、その後すぐに鍵が締まる音が聞こえた。

早紀は何を考えているのだろう。ジーンズのポケットに両手を突っこんで廊下をとぼとぼと歩きながら、大友は彼女の本音を読みあぐねていた。昔……そう、学生時代に彼女が自分を意識していたことは分かっている。だが、大友には菜緒がいた。二人の女を愛するほど器用ではないし、そもそも菜緒しか目に入っていなかったのだから、早紀をどうこうしようという気持ちなど、まったく湧かなかった。だから、彼女が自分のことを変に意識しないよう、できるだけ距離を置いてきたつもりである。当時でも、そういうのは自意識過剰だと思っていた。早紀は明らかに、自分のレベルに合う女性ではない。気があるなどと勘違いしたら、馬鹿みたいではないか。彼女も、からかっているだけだろう。

それとも、本気だったのか？

だとしたら、早紀に対して素っ気無い態度を取り続けた自分は、間違っていたというのか？

7

早紀の警護で捜査会議に出られなかった大友は、情報を確認しておくために、タクシーを摑まえて世田谷北署へ向かった。一瞬目を閉じたが、すぐに気を取り直して携帯電話を取り出し、渡辺に電話をかける。

「今日は戻らなくていい」渡辺が素っ気無く言った。

「明日はどうしますか？」

「警護続行だ。予定は分かってるな？」

「十時頃、動き出すようです。午前中はボイストレーニングで、午後は今日と同じテレビ局です。局まで送り届ければ、その後はフリーで動けます」

「明日は、一度所轄に直接顔を出してくれ。地域課の連中が中心になって警護態勢を作るから、合流しろ」

「分かりました」

電話を切り、運転手に行き先変更を告げた。世田谷北署ではなく、小田急梅ヶ丘駅。今から帰れば……十一時前には自宅へ着けるだろう。優斗には会えないが、仕方がない。明日の朝、聖子の家に顔を出しておこう。

梅ヶ丘から町田まで、各駅停車に乗ったまま寝ていこうかと思った。睡眠不足は深刻で、少しでも体を休めておかないと、明日からの仕事に差し障りそうだった。しかし目を閉じた途端、様々な思いが去来して眠気が吹っ飛んでしまう。眠るのは諦め、登戸駅で急行に乗り換えることにした。

冷たい風に吹かれてホームで電車を待っているうちに、ますます頭が冴えてくる。思いは、学生時代に飛んだ。もう一人の、もしかしたら「そうであったかもしれない」自分。何故役者という道を選ばず——才能があるかどうかはともかく、芝居を愛していたのは確かだった——警察官になったのか。周りの誰もが驚いた大友の進路には、理由があった。

菜緒を守るため。

それが子どもっぽい、あまり理屈が通らない動機だったことは、自分でも分かっている。だからこそ、誰にも打ち明けることはなかった。しかし気持ちは、ずっと前から固まっていたのだ。芝居はあくまで学生時代の趣味にとどめ、自分は菜緒を守るために警察官になる。菜緒を守るというか、誰もが安心して暮らせる社会を作るため、微力でも歯車の一つになりたかった。

そして菜緒と静かに暮らす。

早紀には、こういう気持ちが理解できるだろうか、とふと思う。一人の女のために、自分の人生を決めてしまうなど……あるいは彼女も、そうして欲しかったのか。そうなれば、気持ちが満たされたかもしれない。物理的にではなく、精神的に僕を奴隷にしたかったのではないか。意識があろうがなかろうが、彼女は——少なくとも今の彼女は、人を使い、面倒を見てもらうことに慣れている。そしてそういう性格の萌芽は、当然学生時代にもあったはずだ。

菜緒ではなく、早紀に執着していたらどうだっただろう。僕はこんな生活をしていただろうか。まだ芝居の世界に留まり、貧乏なまま、彼女に食べさせてもらっていたかもしれない。

僕は菜緒によって変わった。相手が早紀でも、もちろん変わっただろうが、今とはまったく違う人生になっていたのは間違いない。しかしこれは——単なる思考ゲームに過ぎない。僕には菜緒がいた。それで十分ではないか。人は何度も変われない。変わるほど人生に影響を及ぼす人には、簡単には出会えない。菜緒は間違いなく、いい意味で僕を変えてくれたはずだ。早紀が自分をどんな風に変えたか、興味があることはあるのだが、それが今より楽しい日々になったかどうかは分からない。たとえ今の自分が、子育てと仕事の両立に悩み、細いロープを綱渡りするような生活に追われているにしても。ホームに滑りこんできた急行電車が、大友の頰に冷たい風を叩きつけた。

優斗からのメッセージ、なし。それだけでひどく寂しい気分になった。代わりに、ダイニングテーブルに聖子のメモが残っていた。

『冷蔵庫にハヤシライスがあります』

あれか……どうして聖子があれを「ハヤシライス」と呼ぶのか分からない。牛肉とたまねぎを、トマトベースのソース——というよりほぼ純粋なトマトソース——で煮こみ、ご飯にかけたものである。酸っぱさが際立ち、かなり胃に重い。寝かせておけばまろやかになるわけでもなく、大友はあまり好きではなかった。ただ、聖子から「菜緒が子どもの頃から好きだった」と聞かされていたので、作ってもらった時には大人しく食べることにしている。しかし菜緒自身が、母親の味を引き継いで、自分でこの料理を作ったことは一度もない。最近では、聖子のでっち上げではないかと疑っていた。

ハヤシライスをレンジで温め、ビールを……今日は呑む気がしない。部屋が何となく寒いのだ。優斗がいないと、いつも室温が二、三度低く感じられる。ビールなど呑んだら、アルコールが体を内側から温めてくれる前に、冷え切ってしまうだろう。インスタントのスープがあったはずだ。お湯を沸かし、一人で侘しい夕食に取りかかる。

どうも今日は、酸味が一段と強いようだ。トマトは何を使っているのだろう。糖度の高いフルーツトマトなら、もう少しまろやかな味わいになるはずだが……こういう時は、勢いをつけて食べてしまうに限る。時折インスタントのコーンスープで口中を洗いながら、一気に食べ終えた。ようやく体も温まり、ビールを用意しようかと思った瞬間、携帯が鳴り出す。嫌な予感を覚えながら取り上げる——早紀に何かあったのでは、と思ったのだ。しかし、かけてきたのは高山だった。

「テツ、俺たち、どうなるんだ？」彼の声は、切羽詰って暗かった。得意とする、気弱な役柄そのままのようだった。

「今、どこにいる」

「やっと家に帰った。警察は、こんな遅くまで引っ張るのか？　これって違法じゃないのか」

「今回は緊急性が高いんだ。そういうことで勘弁してくれ」

「冗談じゃないよ。オヤジにも責められるし……何もしてないのにさ」

「人が一人、殺されそうになったんだぞ。深刻な問題なんだよ」

「分かるけどさ、俺は何もやってないんだし」

大友は相槌を返さなかった。高山を調べているのは別の刑事である。下手なことをいって、彼を安心させても心配させてもいけない。あとで「大友がこんなことを言っていた」と持ち出されると、面倒なことになるのだ。

「お前とは、あまり話しちゃいけないんだ」

「どうして。助けてくれてもいいだろう」

「今の僕には、直接お前を助けることはできないんだよ。早く犯人を捕まえるのが、唯一の方法なんだ」

「分かってるけど、こんなことがずっと続いたら、俺、参っちまうよ」泣き言。声の震える様子からして、本当に泣いているのかもしれない。

「大丈夫だ。終わらない捜査はない」

言ってしまってから、馬鹿な台詞だ、と後悔した。終わらない捜査は、ある。重大事件には時効がないのだから、少なくとも理屈の上では、関係者が全員死ぬまで捜査は続けられる。何か励ます言葉をつけ加えようかとも思ったが、高山は何とか納得してくれたようだった。

「何とかなるんだよな」

「ああ」

「とにかく、俺じゃない。怪しいとしたら石本じゃないか」

「どうして」急に具体的な名前が出てきたので、大友は身構えた。こいつは、僕が頼んだスパイの役目を、今果たそうとしているのだろうか。「あいつが何かやったのか？」

「あの店に古橋を呼び出したのが、そもそも石本なんだよ。あいつ、かりかりしてたからな。笹倉さんを殺したのは古橋だと決めつけてたし」

「何か具体的な証拠はあるのか？　石本が毒物を持っているのを見たとか、古橋のグラスに何か入れていたとか」

「そうじゃないけど……」高山の声が萎んだ。

「頭の中で考えていることを、そのまま口にしちゃ駄目だよ」大友は忠告した。「今は、警察に対して以外は、余計なことを言わない方がいい」

「お前は刑事じゃないのかよ」

「友だちとして忠告してるんだ」立場の揺らぎを感じながら、大友は言った。高山は容疑者であるのだが、大友の心証では「濃い容疑者」ではない。余計な一言で追いこまれ、ありもしないことまで喋って捜査を混乱させるのを恐れた。「とにかく、警察には素直に協力してくれ」

「……分かった」ぶっきらぼうに言って、高山が電話を切ってしまった。

溜息をつき、親指に力をこめて終話ボタンを押す。相当かりかりしている。仮に彼が犯人であれば、追い詰められているのも理解できるが、そうでなくても焦りはかなりのものだろう。そして自分は、「大丈夫だ」と請け合って慰めてやることも、完全に接触を絶つこともできない。中途半端な立場を意識して、大友は胃が固くなるのを感じた。

もう、ビールには意識がいかない。さっさと風呂に入って寝てしまおう。明日、登校前に優斗に会うとしたら、それほどゆっくりはできないのだ。

風呂場で服を脱ぎ始めた瞬間、遠くで電話が鳴り出す。思わず悪態をついたが、無視はできなかった。かかってきた電話は逃すな——刑事としてそういう風に教育されている。慌ててシャツを羽織り、リビングルームに戻った。今度は美術スタッフの石本。電話の内容が予想できて躊躇ったが、結局出てしまう。

「どういうことなんだよ、テッ」想像した通り、石本は激怒していた。「何で警察は、俺を犯人扱いするんだ」

「してないと思うよ、今の段階では」

「ふざけるな!」声の大きさは、アルコールの影響を感じさせた。そういえば、背後でざわざわと人の声がする。通夜を挟んで続行された取り調べから解放され、アルコールを求めてどこかの店へ入りこんだのか。この男は酒が好きな割に弱い。吞みながら激昂していると、アドレナリンが駆け巡ってさらに酔いが早くなるのではないか——根拠はないが——と大友は想像した。

「落ち着けよ」

火に油を注ぐような台詞だと分かっていたが、思わず言ってしまった。案の定、石本が絶叫し始める。

「冗談じゃねえぞ！　何で俺が調べられるんだよ。警察は何を考えてるんだ」

「申し訳ないけど、捜査に協力してもらいたい」彼が激怒するのに対して、大友は次第に気持ちが冷えてくるのを感じた。ソファに腰を下ろし、裸足の足を擦り合わせる。空いた左腕をソファの背にもたれかけさせ、天井を仰いだ。

「ふざけるなよ」低く唸るように石本が言った。「だいたいあれは、古橋の一人芝居に決まってるじゃないか」

「どうしてそう思う？」

「あんな場所で、他人のグラスに毒を入れられると思うか？　自分でやったに決まってる」

「どうしてそんなことを？」彼の言い分は、大友の頭の中でもずっと燻っている。

「刑事さんのくせに、そんなことも分からないのかよ。笹倉さんを殺したのはあいつなんだぜ？　その罪の責任を感じて、に決まってるじゃないか。そうじゃなければ、捜査の目を自分から逸らすためだ。殺されかけたとなれば、警察の追及も甘くなるだろう」

「古橋が笹倉さんを殺したという証拠はない」

「まだそんなこと言ってるのか？　あいつ以外にあり得ないぜ」

「証拠はないんだ」大友は額を揉みながら繰り返した。感情的になっている相手に、何を言っても通じないのは分かっている。官僚的な答弁を繰り返して、飽きるまで待つしかないのだ。

「いや、古橋だよ。金の問題で揉めてたのはあいつだけだからな。どんな時だって、金は犯行の動機になるんじゃないか？　あいつはせこいんだ。いつだって金がないって、文句ばかり言っててさ」

「給料カットの話も出ていたそうだけど」言っていいことかどうか吟味する前に、つい口を突いて出ていた。「どうなんだ？　そんなことになったら、皆困ったんじゃないかな」

「……何でそんなこと、知ってるんだ」石本が声をひそめる。

「それぐらいは、調べれば分かる。そのことは、皆知ってたのか？」

「まあ、だいたいは」石本の口調が急に大人しくなった。

「ということは、笹倉さんに対して不満を抱いていたのは、古橋だけじゃないだろう。金の問題は、誰にとっても切実だからね。お前はどうなんだ？　給料カットなんてことになったら、困るだろう」

「困る。困るけど、俺はやってないからな」

「僕は何も言ってないよ」

「だいたい、武智が悪いんだ」石本が、急に攻撃の矛先を変えた。「あいつは幹事なんだぞ？　劇団の運営にも責任を持つ立場だ。それなのに、笹倉さんの言いなりだったんだからな」

経理専門の人間を置かなかったのが、そもそもトラブルの原因だったのではないか、と大友は訝った。自分の知る笹倉は、金の計算もろくにできない人間だった。それが、商業ベースに乗った劇団を運営し、銀行から金を借り……無理をしていたのは否めない。きちんと金の動きが分かる人間を事務職に置いて管理させておいた方が、笹倉も芝居に専念できたはずである。なのに笹倉は、全てを支配下に置き、自分でコントロールしようとしていた。軋みが生じるのは当然である。

「劇団、これからどうするんだ」

「さあね」自棄《やけ》っぱちの口調で石本が吐き捨てる。「そんなこと、俺には分からないよ。ずっと裏方だったし、それはこれからも変わらないからな。早紀や武智みたいに、外でも仕事ができる人間とは違うんだ」

「お前の腕なら、他でも仕事があるだろう」

「そういう問題じゃないんだ。お前だって知ってるだろう？　俺たちの仕事も取り合いなんだから。それに俺は……何だかんだ言って、夢厳社が好きだからな」

自己矛盾に満ちた発言に混乱させられ、大友はゆっくりと首を振った。

「文句ばかり言ってるじゃないか」

「愛憎半ばってことだよ」自嘲気味に石本が笑う。「ずっとここで芝居をやってきて、仲間がいて……この空間が好きだったんだ。だけどな、正直、今は後悔してる。テツ、お前は上手く逃げたよ。お前みたいにまともな道を選んでたら、こんなことに巻きこまれないで済んだかもしれないのに」

「勘違いしないでくれ。僕だって、この件には巻きこまれているんだ」

「刑事と容疑者じゃ、百八十度違うじゃないか」石本の声に、また怒りが混じる。「お前は調べる方、こっちは調べられる方だ。一緒にするなよ」

「分かってる」

「とにかく、お前は上手く立ち回ったんだ。人生、勝ち組だよな」

言い捨てて、石本は電話を切ってしまった。立ち回った？　要領よく生きていると言いたげな彼の指摘に、怒りが沸騰する。よほど電話をかけ直して、十数年前の自分の選択について説明してやろうかと思った。菜緒のために夢を捨てた、しかし後悔はしていない、と。だが、「後悔していない」という一言が、また彼の怒りをかきたてるのは明白だった。余計な刺激を与えないのが正解だろう。礫《つぶて》のように投げつけられた言葉は、甘んじて受け入れるしかない。

受難、などという大仰な言葉が、大友の頭に浮かんだ。

優斗はまた、聖子の家の前の道路を掃除させられていた。掃除する必要などあるのだろうか。街路樹がある場所なら、この季節は落ち葉を掃きまとめなくてはならないが、大友の見た限り、砂埃以外には何も落ちていない。それは優斗も分かっているのか、自分の身長には長過ぎる竹箒《たけぼうき》を、不器用に左右に動かすだけだった。

「優斗」

呼びかけると、ぶすっとしていた優斗の顔に笑みが浮かぶ。手を振りながら近づいて竹箒を取り上げ、代わりに、夕べハヤシライスが入っていた皿を渡した。

「聖子さんに渡してくれ。掃除はパパがやっておくから」

「うん」

泊まる時につき物の義務から解放され、優斗が軽い足取りで家に入っていった。大友は道路を掃き清めながら、こういう生活をいつまで続けていけるだろう、と不安を感じた。優斗も三年生。あと二、三年すると、父親の存在が疎ましくなってくるだろう。父子二人だけの親子関係をどんな風に育てるのが正しいのか、さっぱり分からなかった。友だち同士のような関係がいいのではと思うのだが、そのうち優斗は自分のことを「オヤジ」などと呼び始めるかもしれない。そうなった時、どう対応すればいいのか……菜緒がいてくれれば、とつくづく思う。

こんなことを考えてしまうのも寒さのせいだ、と自分に言い聞かせる。寒いと体が縮こまり、その分心も狭くなるのではないか。一つ所に囚われ、考えがぐるぐる回ってしまう。行き着く先のない思考の流れは、気持ちを沈ませるだけだ。

聖子が玄関から出て来た。

「ご飯は？」

普通なら、食べていなくても「済ませました」と言ってしまうところだ。聖子は食べることには煩い。きちんと三食食べているか、その質は大丈夫か、と追及が細かいのだ。コンビニエンスストアの弁当などで済ませると激怒する。最近のコンビニエンスストアは、弁当にしても総菜にしても上等なのだが……あれこれ言われるのが面倒なので、食事を抜いて腹が減っていても、食べたことにしておくのだが、今朝は何故か「まだです」と答えてしまった。これも寒さのせいだ。風が冷たく、指先が痛いような寒さ。しかも曇天で、雪でも降り出しそうな気候である。考えがまとまらなくなるのも仕方がない。

「食べていったら？　まだ時間、あるでしょう」

「そうですね」どのみち、優斗を学校まで送ろうと思っていた。それでも、動き出すまでには余裕がある。

聖子の家の朝食は、常に和食だ。わかめの味噌汁に卵焼き、納豆、自家製の糠漬けはカブだった。それに、手製の海苔の佃煮がついている。ごく標準的な朝食だが、こういう風に揃えるのが案外面倒なのは、今の大友には分かっている。焦げ目なく卵を焼くのだって、一大事なのだ。大友は家では目玉焼きかオムレツしか作らないが、だいたい中までしっかり火が通って硬くなってしまう。一方聖子の卵焼きは、出汁の味が利いていて、家庭で作る卵焼きの究極、という感じがする。何より寒い朝、暖かい味噌汁がありがたい。

がたい。聖子は味噌を何種類も常備していて、その日の気分でブレンドして使う。今日は赤味噌主体で八丁味噌を混ぜているようで、独特の甘みと渋みが体を内側から温めてくれた。

「箕輪早紀さんって、どういう人？」

いきなり質問され、大友は味噌汁を噴き出しそうになった。何とか無事に呑みこみ、次の衝撃に備えて汁椀をテーブルに置く。

「どういう人って、どういう意味ですか？」

「確か、菜緒と仲がよかったんじゃないかしら。菜緒から話を聞いたことがあるわ」

「そうですね」

「そういう人が女優さんね……やっぱり、舞台でも綺麗だったわよね」

「ええ」自分が警護していることは言わないようにしよう、と決めた。この会話はあまり転がしたくない。

「ああいう人、あなたのタイプじゃないの」

今度は飯を喉に詰まらせそうになった。聖子が見咎め、ティッシュペーパーの箱を差し出す。一枚抜き取り、口元を拭った。

「何ですか、いきなり」

「あなたが愚図《ぐず》愚図《ぐず》してるからよ」毅然とした口調で聖子が言った。「お見合いも断ってばかりだし、私の身にもなってちょうだい」

「自分のことぐらい、自分で何とかできます」

「いつもそう言うけど、私にはそうは思えないわね」

「ちゃんとやってるじゃないですか」

「言い訳しないの」聖子がぴしりと言った。「実際、優斗の面倒も見られないんだから」

優斗は心配そうに、大友と聖子の顔を交互に見ていた。大友は微笑みかけて優斗を安心させてやったが、聖子の攻撃をかわすことはできない。

「だからね、早紀さんだっていいじゃないの」

「どこからそういう発想になるんですか？　相手は女優ですよ。僕たちとは、住む世界が違う」

「女優さんだって、普通の人でしょう。昔みたいに、私生活が全然見えない大女優なんて、最近はいないはずよ」

「女優は女優ですよ。私生活に入っていける人間は……」

「人間は？」

言葉を重ねるようにして聖子が訊ねる。同業者？　金持ち？　とにかくたかが公務員の自分ではない、としか言いようがない。だいたい聖子は、どうして早紀を引き合いに出すのだろう。その思考方法がまったく理解できなかった。

「向こうにその気があるかどうかも分からないでしょう。だいたい彼女は、今回の事件の関係者ですから」

「容疑者ということ？」聖子の口調に、ゴシップ好きの本音が覗いた。そういえば長浜のファンでもあるわけで……今回の件では、なるべく聖子を遠ざけておくようにしよう。そうでないと、あれこれ口を出されて厄介なことになる。悪い人ではないのに、時折度を越してしつこくなるのだ。特に大友に見合いを勧めてくる時には。

「捜査のことですから、何も言えませんよ」大友は、口の前で両手の人差し指を交差させた。

「少しぐらい、大丈夫でしょう」

「そういうわけにはいきません。こっちは真剣にやってるんですから」

「お嫁さん探しも、それぐらい真剣にやって欲しいわね。ねえ、優斗もママが欲しいでしょう？」

優斗が「うーん」とつぶやいて曖昧に笑った。事情が分からない子どもの表情ではなく、愛想笑いで窮地を誤魔化すことを知った大人のやり口である。いい加減にして欲しい……鳴り出した携帯電話が救いの神になった。聖子の攻撃から逃れる最高の言い訳なのだが、その時の大友は、こんな時間にかかってくる電話はろくなものではないというジンクスを、完全に忘れていた。

8

大友は早紀のマンションの前に立ち、鑑識の係員たちが忙しく立ち働くのを見守っていた。柴がマンションの中に入りこみ、警備員と早紀に事情聴取をしている——長浜が夕べ早紀の部屋にいたはずだ、と教えたのは大友だった。その他の刑事たちは、近所の聞き込みに回っている。

風が強いため、鑑識作業は難航している。何か証拠が残っていても、この風で吹き飛ばされてしまったかもしれない。大友はコートの襟を立て、そこに——歩道と車道を分ける植えこみの脇に倒れていたという長浜の姿を想像しようとした。しかしどうしても、死体役をやっている役者の姿しか思い浮かばない。「カット」の声がかかれば、汚れを叩き落としながら立ち上がる姿が。

長浜は死んだわけじゃないぞ、と自分に言い聞かせる。頭を殴られ、気を失って倒れてはいたが、重傷ではない。全治二週間程度、という情報が既に入っていた。念のために二、三日は入院するらしい。

風がコートの裾をはためかせる。こんな場所でぼうっと突っ立っている場合ではない、聞き込みに参加すべきだと分かっているのだが、足が動かなかった。

自分は「アノニマス」の芝居通りに事件が起きているものと思っていた。劇団ずれ。

関係者が、何らかの意図を持って、舞台を現実のものとして再現しようとしているのだと。しかし脚本では、三番目に襲われるのは早紀だったはずである。ここで読みが狂った。あるいは二番目に古橋が襲われたのも、脚本とは関係ないことだったのか。だったら、最初から読みは間違っていたことになる。

報道陣が増えてきた。大友はカメラに映りこむのを嫌い、マンションの中に逃げこんだ。オートロックの扉の前では、警備員が険しい表情で警戒している。大友は彼に訊ねた。

「マスコミの連中、まだここを突破しようとしてませんか」

「何人か、来てます」

「絶対に入れないようにして下さい」

「当然です」馬鹿にしたように警備員が言った。その台詞が合図になったかのように、同じ制服を着た警備員が三人、外から入ってくる。どうやら警備会社からの援軍らしい。四人いれば、マスコミの連中をシャットアウトできるだろう。

オートロックの扉が開き、マンションの中から柴が顔を出す。美知も一緒だった。

「テツ」柴が疲れた声で呼びかける。大友はマスコミを避ける目的も兼ねて、ロビーに入った。三人でソファに腰を下ろし、しばし沈黙を分け合う。何かあった時に、即座に反応して仕事に集中できる刑事はいない。大きな事件であればあるほど、一瞬意識を喪失するようなショックに襲われ、動きが鈍くなるものだ。

「どうなってるんだ、テツ？」

「分からない」

「脚本通りじゃなかったの？」美知が疑わしげに訊ねる。

「外れたみたいですね」今はその程度しか言えない。大友は首を振り、気を取り直して柴に訊ねた。

「正確に状況を教えてくれないか？」

不満そうに口をもごもごと動かしながら、柴が手帳を広げる。視線を落としたまま、説明を始めた。

「長浜が、箕輪早紀の家に泊まったのは確認できている。今朝、家を出たのは朝六時」

「ずいぶん早いな」

「仕事だそうだ。どうやらタクシーを拾おうとしたんだが、家を出た途端に襲われたらしい。犯人は、背後から頭を殴りつけたようだな。発見されたのが六時三十分頃」

「三十分も、誰にも気づかれなかった？」大友は違和感を覚えた。「この辺、六時ぐらいでも人通りがあるだろう。車だって多い場所だし」

「理由は分からないが、たまたま、ということなんだろうな。そこの説明まで、俺に期待しないでくれ」苛立った口調で言って、柴が音を立てて手帳を閉じる。大友を見る目は、不機嫌に暗かった。

「僕のところに連絡がきたのが……」大友は腕時計を見た。「七時半過ぎだ。ずいぶん時間がかかったね」

「最初、人定できなかったんだ。荷物を何も持ってなくてな。免許証も携帯電話もないと、身元が分からないだろう。奪われたのかもしれないな」

「顔を見ても分からなかったのか？」

「殴られて気を失ってる人間だぜ？　意外と分からないもんだよ。それよりテツ、何がどうなってるんだ？　夕べ、ここに長浜がいるのは分かってたんだよな」

「確信はなかった。プライベートなことだから、確認もできなかったし。ただ、安全だと判断した」ミスを責められているようで、大友はかすかな胃の痛みを感じた。

「彼女と間違えて長浜が襲われた可能性は？」

「それはないだろう。男女を見間違えるとは思えない」

「ということは、犯人は最初から長浜を狙っていたわけだ」突然、柴の表情が崩れる。

「だったら絞りこみは難しくない」

「そうだな。彼のスケジュールを知っている人間は多くない。ましてや、プライベートな時間にどこにいるかは、分からないだろう」

「事務所の人間なら、ある程度は分かる」

「あるいはストーカー」

「その辺の事情は、まだ聴けてないんだ」柴が首を振った。「意識はあるんだが、まだ事情聴取できる状態じゃない。少し時間が必要だろう」

「彼女はどうしてる？」

柴が鼻を鳴らした。つき合いの長い男だが、彼のこの態度がどういう心情の表れなのか、大友には判断しかねた。

「上にいるよ」説明する柴の口調は無愛想だった。

「平然としてね」美知がつけ加えた。

「どういうことですか？」

「恋人が襲われたばかりの女性のようには見えない、ということ。普通、取り乱すでしょう？　病院に行きたがるとか」

「そういう状況じゃないんですか」

「眠そうにしてただけ」美知も鼻を鳴らした。どうやら二人の間では、早紀の評判は急降下しているようだ。

「一人ですか」

「マネージャーが一緒。特にマネージャーの仕事をしてるわけじゃないけどね。慰めるわけでもないし。こっちが事情聴取してる間にやってきて、お茶の用意をしただけよ」

「彼女と話をしてみていいでしょうか」美知に申し出る。

「構わないけど……」美知の視線が泳いだ。「そうね、ここはあなたに任せた方がいいかな。どうも彼女は、簡単には人に心を開きそうにないタイプだから」

「女優さんだからな」柴が呆れたように言った。「ああいう人たちの本心は、どういうところにあるんだ、テツ？」

「それは僕にも分からない」

　ドアを開けた有子は、朝から疲れきった様子だった。早朝から――おそらく寝ているところを呼び出され、慌ててここへ来たのだろう。疲れるのも理解できる。

「彼女、どうしてますか」

「どう、と言われても」ドアを押さえたまま、有子が言った。「早紀は朝の情報番組を見ているようで、室内から低く音が流れてくる。「普通に」

「入りますよ」

「ええ……」ちらりと振り返ってうなずく。アイコンタクトで、早紀に確認を取ったようだ。「どうぞ」

　大友は無言で玄関に入り、きっちりと鍵を締めた。リビングルームに入ると、早紀は立ったまま、ぼんやりとテレビを見下ろしていた。今朝は長袖のカットソーに、ゆるりとしたジャージという、完全な部屋着である。化粧をしていなくても、どこか薄いバリアをまとっているような彼女だが、あまりにもラフな格好のせいで、今は弱い心がむき出しになっているようだった。

　早紀が無言のまま大友に近づいて、いきなり抱きついた。肩に顎を乗せ、頬を寄せる。大友は軽く背中を叩いてから彼女を引き剝がそうとしたが、早紀は大友のコートをしっかり摑んで離そうとしない。宙ぶらりんになった両手の処置に困り、大友は彼女の背中を軽く、リズミカルに叩き続けた。早紀は嗚咽《おえつ》している。頰に暖かな物が触れるのを感じた——涙。しかし大友は、彼女に対して必要以上の同情を感じなかった。この涙が本物かどうか、どうやって判断する？

しばらくして、早紀がようやく体を離した。自分から抱きついてきたのに、腕を伸ばして大友を突き放すようにする。大友はゆっくり二歩下がって、早紀と向き合った。

「大丈夫……じゃないね」

「当たり前じゃない」声が冷たい。

「僕の同僚には、違う顔を見せたようだけど」

「知り合いじゃないのよ？　泣いたって何にもならないじゃない」

「僕にはいいわけだ」

「テツ君は、友だちだから」早紀が無理に笑った。まだ泣き顔の尾を引きずっており、表情はひどく幼く見える。とすると、今の涙は演技ではなかったわけだ。

「座ろうか」

「そう、ね」低い声で言って、早紀がソファに腰を下ろした。低いソファなので、長い脚を持て余してしまう。揃えて左側に流すようにしたが、かなり無理をしているのは明らかだった。

大友は、L字型に置かれたソファの、短い方に座った。浅く腰かけるとやはり脚の置き場がないので、仕方なく、背もたれに背中を預ける。何となくだらしない格好になってしまうが、こうしないと話も聴けない。すぐに有子がコーヒーを運んできた。軽く頭を下げ、コーヒーには手をつけずに質問を始めた。

「もう他の人には話したかもしれないけど、もう一度確認させて欲しい」

早紀がのろのろとうなずく。コーヒーカップを持ち上げ、体を温めるように両手で包みこんだ。飲もうとはしない。

「夕べ、ここにいたのは長浜だったんだね」

無言でうなずく。言葉にして認めるのが辛いようだった。

「つまり、君たちはつき合ってたわけだ」

「結果的に嘘をついたことになるけど……分かるでしょう？」

「ばれたらまずいから」

「いろいろ煩いのよ。別に若いアイドルでもないのに、芸能マスコミは、ね」早紀がカップを持ったまま肩をすくめる。

「何か、痛い目に遭ったこと、あったっけ？」

「ないわけでもないけど、今こうやって普通に仕事をしてるのは、致命傷じゃなかったからね。ちなみにその記事は、完全に嘘だった」

「今回は、どうしても隠したい？」

「だから、病院へも行けないのよ」ふいに早紀の目から涙が零れる。その涙は演技には見えなかった。慌ててカップをテーブルに置き、細い指先で目尻を拭う。

「何とかなると思う。僕たちもフォローするし」

「病院にもマスコミは一杯よ」

皮肉っぽく言って、早紀がテレビに目をやる。事件発生から三時間も経っていないのに、早くも病院の前から中継が行われている。女性レポーターが深刻な表情で喋っていたが、大友にはどこかぴんとこなかった。

「裏口を使うなり、君が変装するなり、何か手はあるんじゃないか？　僕たちがガードして、正面突破してもいい」

「話を複雑にしたくないわ」早紀が溜息をついた。それはそうだ。夢厳社の関係者が、三人続けて事件の被害に遭っている。芸能マスコミにとっては、これ以上美味しい事態はないだろう。早紀が長浜を見舞ったのがばれたら、事態はさらにややこしくなる。

「分かった。とにかく、長浜はそれほど重傷じゃない。すぐ退院できるよ」

「そう、ね」カップに手を伸ばしかけてやめる。「自重するわ」

「寂しいだろうけど、我慢してくれ」

「寂しい、か……そうかもしれないけど。自分の気持ちが分からない」

安易な慰めの言葉をかけたくなかったので、大友はうなずくだけにした。自分には、それだけのキャパシティがないような気もしている。代わりに、事実関係の確認を進めた。早紀はまだ動揺しているが、気持ちを強く持って質問に答えてくれた。

「――ということは、彼は今日は一人で現場に向かうつもりだったんだ。いつもそうなのか？」

大友は有子に視線を向けた。有子は早紀に視線を送り、彼女がうなずくのを見てから小声で説明した。

「ケースバイケースです。タクシーを使う人もいるし、自分で車を運転してくる人もいます。時間が早い時は、事務所から車を回すこともありますし」

「長浜は？」

「今日は、タクシーを摑まえるって言ってたわ」早紀がポツリと言った。「ここ、朝早くても車は走ってるから」

「見送りはなし、か」

「そういうところを狙ってるカメラマンもいるのよ」

「ああ」彼女が用心するのも分かる。今や夢厳社は、大きなネタなのだ。現在も籍を置いている中で、一番の有名人が早紀。何かが起きるのではないかと狙って、カメラマンが張りこんでいてもおかしくはない。

「それで君は、今日は予定通りに出るつもりだった」

「そうね」

大友はカップを取り上げ、一気に飲み干した。熱いが火傷するほどではない。かなり苦味の強いコーヒーのおかげで、一気に目が覚める。立ち上がり、カップをキッチンに持っていった。コーヒーメイカーには、まだ一杯分ぐらい残っていそうだ。

「やりますよ」

有子が止めたが、大友は首を振って断り、自分でコーヒーをカップに注いだ。ふと流しに目をやると、汚れた皿が何枚か置いてあるのが見える。今朝はスクランブルエッグにハムか何かか……朝六時に家を出る長浜のために、わざわざ早起きして食事の用意をする早紀。不思議な光景に思える。カップの縁近くまで注いだコーヒーが零れそうになった。慌てて口をつけて一口啜り、立ったまま彼女に訊ねる。

「こんなことをした人間に心当たりは？」

「あるわけないでしょう」早紀が尖った声で否定した。「分かってたら言ってるわよ」

「『アノニマス』の脚本通りに事件が進んでるという想定は、崩壊した。狙われたのは君じゃなかったからね」

「私が襲われた方がよかった？」

「まさか」大友は首を振った。「誰にも怪我して欲しくない」

「そう……」カップを持ち上げ、早紀が立ち上がった。窓からぼうっと外を見ていたが、すぐに飽きてしまい、大友に向き直る。「病院、行く？」

「たぶん」

「彼によろしく言っておいて」

「メッセンジャー役なら、喜んで引き受けるよ」

「何か……人生、ぐちゃぐちゃね」早紀が唇の端を持ち上げるようにして笑った。「大丈夫なのかな、こんなことで」

「君はちゃんと仕事をしている。それは誇っていいんじゃないか？　君の演技を観たい人は、たくさんいるんだから」

「ありがとう」早紀の笑みが柔らかく開いた。「テツ君にそんな風に言われると、ほっとするわね。昔から、誠実さは変わらないんだ」

「そういうのは、自分では分からない」大友は首を振った。

「菜緒ちゃんが惹かれたのも分かるわ……ねえ、テツ君、どうして刑事になったの？菜緒ちゃんのことで何かあったんでしょう？」

「それは、誰にも言ったことがない」

「私にも教えてくれない？」

「誰にも言っていないんだ」大友は繰り返し言って、口元を硬く引き締めた。

「例外はないっていうことね」

「ああ」

「そう……」早紀が突然、カップを窓に投げつけた。コーヒーが宙に茶色い痕跡を残し、鋭い音を残してカップが砕ける。心臓を停まらせるような衝撃だったが、大友は唇を引き結んで耐えた。

早紀は大友と目を合わせようとしない。大友は一礼して、部屋を出た。彼女の奇妙な執着は何なのだろう。その原因が自分だとしたら……この事件の捜査からは、やはり手を引くべきかもしれない。

「マスコミの連中ってのは、何なのかね」柴が毒舌を吐いた。独り言というには少しだけ声が大きく、すぐ近くを通り過ぎたテレビ局のカメラマンに向かって聞こえるようにしたのは明らかだった。

「よせよ」

「いいんだよ。聞こえたって、どうせ反省しないんだから」

病院の周りは、報道陣で一杯だった。事務所側からも病院側からも何の説明もないので、何か起きるまでここに留まるつもりらしい。長浜が出てくると思っているなら、考えが甘いが。有名人がよく入院しているこの病院には、出口が何か所もある。実際大友もかつて、暴行事件の被害に遭った歌手が、裏口から誰にも見つからずに脱出する現場に立ち会ったことがある。

二人は、長浜が入院する病室の前に来た。さすがにここまでは警備されていないが、中には事務所の人間らしき人間が二人詰めている。若い男と、四十歳ぐらいの女性。大友たちが入って行くと、二人が揃って露骨に顔をしかめた。

「警察です」柴がバッジを掲げた。

「後にしてもらえませんか」女性が立ち上がり、冷たい表情で壁を作った。「意識が戻

「事情聴取しても問題ないと、病院の方から話を聴いています」

大友が言うと、長浜が呻き声を上げた。

「亜矢子《あやこ》さん、構いませんから」

「だけど……」亜矢子と呼ばれた女性が、ベッドの上の長浜を心配そうに見た。

「問題ないです。そいつは知り合いですから」

「そう？」

「早く済ましてしまいましょう。ちょっと外してもらえますか」

助け舟を出されて、大友はベッド脇に歩み寄った。長浜は少し起こしたベッドに背中を預けている。頭には包帯が巻かれ、大友に微笑みかけたが、表情に力がない。

「大丈夫か？」

「何とかな」多少、呂律《ろれつ》が怪しい。

「痛みは」

「何か、首から上が痺れてる感じだ」

「薬が効いたんだろう」

長浜が亜矢子に目で合図した。亜矢子は一瞬大友を激しく睨んだが、すぐに頭を下げて病室を出て行く。若い男も続いた。スーツに着られているように見えるのは、本当に若い証拠だろう。

「今のは？」大友は椅子を引いて座りながら訊ねた。

「社長。若いのはマネージャーだ」

「今年入社したばかりって感じかな」

「当たりだ」長浜がにやりと笑う。目に力がないのに大友は気づいた。痛みのせいなのか、それとも恐怖に縛られているのか。

「それで？　何が起きたんだ」大友はゆっくりと体を屈めて、長浜に顔を近づけた。今朝は髭を剃っている暇もなかったのか、無精髭が顔の下半分を汚している。

「分からない。いきなり後ろから殴られたみたいなんだけど、殴られたかどうかも分からないんだよ。後頭部に痛みが走って……やっぱり、殴られたんだろうな」

「こっぴどくね。頭蓋骨が硬くなかったら、大変なことになってたと思うよ」

長浜が恐る恐る後頭部に手を伸ばした。触れる寸前で慌てて手を引っこめ、苦笑を浮かべる。

「死体の役をやったことは何度もあるけど、参考にはならないな」

「死んだわけじゃないし」

「ああ」長浜が顔をしかめた。

「それで、当時の状況なんだけど」大友が話を引き戻すと、長浜の背中がすっと伸びた。

「夕べ、早紀のところに泊まったんだよな」

「どうせ聴かれることだから言っておくけど、彼女とはつき合ってるよ」

「いつから？」

「かれこれ一年ぐらい前かな」

「結婚しないのか？」

「何となく、タイミングが合わなくてね。二人とも忙しいから」長浜が肩をすくめた。

「分かるよ」うなずいてから、本題に入る。「夕べ、何か異常なことはなかったか？」

「俺が知ってる限りでは。彼女、次は自分が狙われるって言ってたけど……」

「僕たちはそう読んでたけど、外れたな。脚本通りにはいかないものだね」

「ああ、『アノニマス』の脚本通りに事件が起きるって話か。それはちょっと、考えられないけどなあ」

「一連の事件とは関係ない話だけど、最近誰かに恨みを買うようなことはなかったか？仕事関係とか、プライベートで」

「思い当たらないんだよな。そりゃあ、トラブルもないわけじゃないけど、そんなに深刻なものじゃないし。こんなことをするほど度胸のある人間がいるとは思えない」

「そうか」

本当にたまたま、強盗の被害に遭ったのかもしれない。殴って財布を奪う――強盗としては、ごく一般的な手口だ。

「財布は？」

「たぶん、盗まれた」長浜が顔を擦った。「まずいよ。現金はともかく、カードの類も全部一緒だから」

「現金とカードは分けて持っていた方がいいんだ。僕はそうしてる」

「これからは用心するよ。それより、さっさと犯人を捕まえてくれよな。どうにも落ち着かない」

「ああ」

「何だか、警察は今回の件では後手後手じゃないのか？　犯人が誰か、全然目処がつかないのか？」

「今のところは」

そして劇団員は全員が疑心暗鬼で、互いに疑い合っている。もしも犯人の狙いが、劇団を崩壊させようということなら、完全に成功したと言えるだろう。一年後、夢厳社が新しい舞台に取り組んでいる可能性は極めてゼロに近い。

「まさか、俺まで巻きこまれるとは思わなかった」長浜が溜息をついた。「俺、劇団とは関係ないのにな」

「劇団というより、犯人は『アノニマス』の関係者として見てるのかもしれない」

「お前も用心しろよ。犯人を指摘した途端、殺されるかもしれない」

「脚本通りの犯行は、もう破綻したんだ。そんなことにはならない」

「だけどこの犯人は、警察の一歩も二歩も先を行ってるんじゃないか？　だったら、用心するに越したことはないだろう」

「十分気をつけるよ」

選手交代して、今度は柴が事情を聴いた。長浜は大友に対するよりも少しだけ丁寧に話したが、所々で警察に対する皮肉を滲ませた。一見にこやかだが、相当頭にきているのは間違いない。

三十分ほど話を聴き、大友は一つの方向性を見出していた。この事件はあくまで、夢厳社に対する一連の事件の続きである。強盗の可能性は低い。人を襲って財布を狙うような連中は、夜明けには動かないものだ。闇に乗じるのが普通である。財布を奪ったのは、一種の偽装工作だろう。

——そんなことは、この病室に来る前から、ある程度分かっていた。

どうして一歩も進めないのか。戸惑っているうちに次の事件が起き、犯人に捜査をかき回されているだけではないか。長浜ではないが、常に警察が後手後手に回っているのは間違いない。

「今日は、取り敢えずこれで終わりにします」柴が手帳を閉じた。

「どうも」溜息をつきながら、長浜が頭を下げた。「よろしくお願いしますよ。命がいくつあっても足りない」

「養生してくれ」大友は声をかけて立ち上がった。

「一つ、聞いていいか？」

「何だろう」

「お前、どうして早紀じゃなくて菜緒を選んだ？」

「それがそんなに重要な問題なのかな」大友は首を捻った。

「昔から疑問に思ってただけだよ。お前ってさ、意識してないと思うけど、自然に女子を引き寄せちまうんだ。気をつけないと、そのうち大怪我するぜ。菜緒が生きていれば、そんな心配はしなくて済んだかもしれないけど」

「菜緒は生きてるよ」大友は拳で胸の真ん中を叩いた。「ここに」

病室を出ると、亜矢子が苛立ちを隠そうともせず、詰め寄って来た。スケジュールが狂う、警察は仕事をしていない、等々。大友は真剣な表情で一々うなずきながら、彼女の言葉をやり過ごした。

ようやく解放され、二人が病室に消えるのを見届けて、柴がぐるぐると肩を回した。

「何だか疲れるな、おい」

「ああ」

「どうも、長浜先生は警察が嫌いみたいだな。何だよ、あの上から目線は」

「どうしてもそういう風になるんじゃないか？　普段から、持ち上げられるのに慣れてるだろうし」

「あんな風にはなりたくないね」

「心配するな。お前が役者デビューする可能性はゼロだから」

「煩《うるさ》いな」

　柴が素早く、大友の脇腹に肘を入れた。肋骨にぶつかる衝撃と痛みに、大友は思わず顔をしかめた。柴はとにかく手が早く、動きにも切れがある。油断していると、痛い所を突いてくるのだ。

「どう思うよ」廊下を歩き出しながら、柴が真面目な声に戻って訊ねた。

「一連の事件の続きだと思う」

「脚本の件は」

「それが謎なんだけど……」大友は、視界の隅で何かがちらりと動くのを見た。病院で、多くの人が出入りしているからおかしくはないのだが、その動きが気になる。どうもこちらの様子を窺っていて、慌てて逃げ出した感じである。大友は走り出しながら、頭の中で、今見た人間の様子を再生した。男……男だ。小柄。薄いベージュのコートだったと思う。しかし、それにとらわれてはいけない。冬場、コートは人の印象を変えるのに一番手っ取り早い。脱いだり着たりで、見た目が一気に変わる。

「テツ、どうした？」

　大友は答えず、スピードを上げた。何かが気になる。根拠はないが、何かが。

第三部　見えない壁

1

非難の視線を浴びながら、大友は廊下を走り続けた。角を曲がったところで、早足で立ち去る男の背中を視界に収める。コートはやはりベージュだったが、それよりも靴に注目した。コートは脱いだり着たりが簡単だが、靴はすぐには履き替えられないからだ。足が動く度に、穿き古してほつれたジーンズの裾から踵が覗く。短靴ではなく、革のブーツのようだ。よし、あれが目印になる。

「テッ!」柴がまた呼びかけた。大友は一度だけ振り返り、唇に人差し指を当てて黙らせた。これだけで、あの男なら分かってくれるだろう。

男は、病室が集まっているフロアを足早に通り抜け、エレベーターに向かった。追いつく直前で扉が閉まったので、思わず舌打ちする。

「階数は見てる」柴の言葉を背に受け、大友は階段を駆け下り始めた。ここは五階……

どう考えてもエレベーターには敵わないのだが、とにかくスピードを上げた。途中、よろよろと上がって来る入院患者の老女とぶつかりそうになり、慌てて身を翻す。それでロスしたのは一秒か二秒だろうが、大友は決定的なミスを犯したように焦った。

携帯は……鳴らない。ということは、男は一階まで降りたのだろう。二階まで来た時、携帯が鳴った。無言で通話ボタンを押し、耳に押し当てると「一階」と柴の声が聞こえてくる。何も答えずに通話を切って背広のポケットに落としこみ、さらにスピードを上げて階段を駆け下りた。

いた。エレベーターの前を離れた男が、依然としてかなりのスピードで、ロビーの方に向かって急いでいる。追跡には気づいているだろう。そうでなければ、年寄りを突き飛ばしそうな勢いで歩くわけがない。一度でも振り向いてくれれば、その顔立ちを頭に叩きこめるのだが……大友は必死で、相手を特定できる可能性がある靴の特徴を観察した。ブーツといっても、脛まであるような長いものではなく、おそらく踝《くるぶし》丈の六インチ。明るい茶色で、ヒールはかなり高い。スピードが上がるに連れて足の動きが激しくなり、靴底が何度か見えた。ごつごつしたビブラムソール……本格的なワークブーツだ。それにしても靴というのは、案外特徴に乏しい。一目見てブランドが分かるのは、グッチぐらいだろう。一世を風靡したビットローファーならば……しかしそれも、背後からだと、普通のローファーと見分けがつかない。

男がコートの裾を翻し、ロビーから外へ飛び出した。邪魔者がいなくなると、全力で走り出す。大友もスピードを上げたが、短距離走者のような男の走りに、なかなか距離を詰められなかった。冷たい空気が肺を刺す。

男が歩道に出て一瞬立ち止まり、左右を見渡した。よし、追いつける——大友は男に向かって最短距離で迫った。追いつくかと思った瞬間、男の目の前でタクシーが停まる。男はドアが開くのを待たず、自分から引き開けてシートに滑りこんだ。勢い余って車道まで飛び出してしまった大友は、後ろからクラクションを浴びながら、タクシーのナンバーを頭に叩きこんだ。駐車場に戻って覆面パトカーで尾行するか、あるいは後続のタクシーを拾うか——一瞬躊躇している間に、タクシーはどんどん遠ざかり、病院の先の交差点で左折して姿が見えなくなった。

「何だったんだ？」追いかけて来た柴が後ろから声をかけてくる。声がわずかに弾んでいた。

「分からない」

そう、分からない。あの男が何をした？　ただ長浜の病室の近くにいただけではないか。だが、あの素早い動きはどこか気になる。こちらの動きに感づいて——あるいは大友たちの姿を見つけて——すぐに逃げ出した感じではないか。だいたい、まだ面会の時間ではないのだから、普通の見舞い客は病室の近くまで来られない。

襲撃犯が長浜の様子を見に来た？　それも考えにくい。わざわざ危険に身を晒してまで、確認する必要はないだろう。ニュースに注意しておけば、長浜の状態は摑めるはずだ。いや、既にニュースで「軽傷」だと知ったからこそ、止めを刺しに来たとか。

「あれは犯人じゃないぞ」大友の考えを読んだように、柴が言った。

「たぶん」息を整えながら大友は答えた。

「タクシーのナンバーは」

「覚えてる」大友は手帳を取り出し、記憶が薄れないうちに書きつけた。「すぐ手配しよう」

「犯人じゃないのに？」

「だったらあいつは何なんだ？　あの逃げ方、お前も見てただろう？」詰め寄ったが、柴は肩をすくめて顔を背けるだけだった。すぐに大友を真っ直ぐ見詰めて、「お前はどう思うんだよ」と切り返す。

「犯人じゃない。だけど、怪しい」

「中途半端だな……で、ナンバーは？」携帯電話を取り出しながら柴が訊ねた。大友の手帳を見て照会を依頼してから、乱暴に電話を切る。

「どうするよ」

「タクシーが割れたら、すぐに聞き込みだ」

「テツよ、どうも俺は、この一件が気に入らないんだがな」柴が苛々した口調で言った。

「だからといって、放っておくわけにはいかないよ」

「できれば放り出したいよ。かかわり合いになるのは疲れる」

「疲れるかどうかで仕事を選んだら、まずいだろう」

「刑事だって人間なんだぜ？　俺は、何だか下手な芝居を見てるような気分だよ」

そうかもしれない。しかし、その下手な芝居の種明かしができず、煩悶しているのは誰だ？　もしかしたら柴の言葉は、他の刑事たちの気分を代弁するものかもしれない。劇団という非日常的な世界で事件が起きたから、何だというのだ？　どうせ変わり者の集まりだろう、勝手に殺し合いをさせておけばいい——まさか。柴を疑う気持ちを否定すると同時に、脚本通りに、大友は、自分自身がそう考えているのに気づいた。これは悪質なジョークだ。脚本通りに事件を起こし、警察に挑戦する。そんなことを、普通の人間は考えない。悪ふざけにもほどがあるわけで……大友は、自分の発想が役者のそれではなく、完全に刑事の経験に色づけされている、と認めた。

僕はもう、あの世界の人間じゃないんだから。


大友はすぐにタクシーの追跡をしたかったが、渡辺に呼び戻された。正式の捜査会議ではないが、どうしても一度情報を整理しておきたい、という。

「お前はスーパーバイザーだから」という言葉には、皮肉というには強すぎる非難の調子が混じっていた。

午前十時過ぎから始まった打ち合わせは、延々と昼前まで続いた。その間も、次々と報告が入ってくる。

・病院前から男を乗せたタクシーの運転手への事情聴取は完了。タクシーは病院から渋谷まで行き、道玄坂を下って駅前のスクランブル交差点の手前で男を下ろした。運転手は男の顔を覚えていない。タクシーに乗るとすぐにキャップを目深に被り、十分ほど乗っている間、ずっと寝ていたようだったという。
・長浜の事務所の社長、亜矢子が、病院の前で簡単に記者会見して事情を説明した。その時紹介した、長浜のコメント。「お騒がせして申し訳ありません。怪我は軽いので、すぐに復帰できると思います」。
・早紀は午前十時前に自宅を出て、青山のスタジオ入り。ボイストレーニングは一時間ほどで、十一時半にスタジオを後にした。食事は取らず、すぐにテレビ局へ。現在も収録中。
・十一時から、笹倉の葬儀が始まった。場所は夕べの通夜と同じ葬儀場。入りこんでいる刑事たちの報告によると、参列者は昨日よりも多いようだ。動向警戒を続けているが、怪しい挙動を見せる者は一人もいない。

「そういえば、古橋のところには誰も行っていないんですか」大友は思い出して訊ねた。

「今日は誰も行ってないな」渡辺が答える。既に彼に対する関心を失った様子だった。

「後で顔を出してみていいでしょうか」

「別に構わないよ。お前はスーパーバイザーなんだから」

「見舞いならやめておけよ」脚を組み、椅子に浅く腰かけていた柴が忠告した。

「事情聴取だ」大友は目をそらしたまま答えた。

「今のお前に、冷静に事情聴取ができるとは思えないがね。さっき長浜と話していた時も、無駄話が多かった」

「あれは、彼をリラックスさせようとしていただけだ」つい言い訳してしまう。みっともないと思いながら、さらに言葉を重ねてしまった。「ああいうタイプはプライドが高いんだ。襲われたことだって、相当プライドには応えてるはずだよ」

「本当は、軽くいなせたってわけか」

「映画の中では、ヒーローは必ず生き残るからね」

「現実と妄想の境目がなくなってるってことじゃねえか」乱暴に吐き捨て、柴が立ち上がる。渡辺の前に歩み出て、デスクに両手をついて前屈みになりながら懇願した。「本当に俺、この件から下ろさせてもらえませんかね。どうにも調子が狂う」

「駄目だ」腕組みをした渡辺が、ぴしゃりと言った。「お前の調子が狂おうが何だろうが、関係ない。捜査は捜査だ」

「ああ、そうですか」吐き捨て、柴が大股で部屋を出て行こうとした。

「おい、柴！」

渡辺の呼びかけに振り返り、「煙草です」と怒鳴り返して、大股に部屋を出て行く。

「しょうがねえ奴だな」渡辺がぼそりと言って、書類に目を落とした。しかし大友がまだ目の前に立っているのに気づき、訝しげに顔を上げる。

「どうした」

「今の柴の態度が、今回の事件における標準的なものじゃないですか」

「何言ってる？」

「管理官も、どこか嘘臭いと思ってませんか？」

「俺はプロだ」渡辺が両手を組み合わせる。「プロは、そんなことを考えない。目の前の事件に全力投球するだけだ」

「そうですか」

「何か不満なのか？」目を細め、じっと大友を睨む。

「いえ、特に不満はありません。失礼します」

一礼して、渡辺に背中を向ける。プロか……僕はプロになりきれていないな、と反省する。自分は役者ではなく刑事なのだと何度言い聞かせても――それは間違いない事実なのだが――思い切って、かつ冷静に突っこめない。どうしても仲間たちと一緒に過ごした日々を思い出してしまい、追及が甘くなるのは認めざるを得ない。長浜のように高慢になってしまった相手に対してさえ、同様だ。

今の僕は、同窓会に出席して、壁の花になっているようなものだ。皆が歓談しているのを遠くで見ながら、何か声が漏れ聞こえてこないかと耳を澄ませているだけである。

こんなことが刑事の仕事であるわけがない。非情になり切るんだ。そうやって自分を鼓舞しても、どこかで腰が引けてしまう。

「悪かったな、見舞いに来るのが遅くなって」

「いや、いいんだ」古橋の顔色は悪く、一気に老けてしまったようだった。ベッドから体を起こすのも大変そうで、大友が手助けしてやらねばならなかった。

「まだ悪いのか？」

「いや、毒は……」自分が発した言葉に、恐怖を思い出したようだ。蒼い顔で首を振る。

「大したことはなかった。お前のお陰だよ。今頃、死んでたかもしれないのに」

「それぐらいしかできなくて」大友は首を振った。「お詫びじゃないけど、これを買ってきた」

大友が掲げた袋を見て、古橋が一瞬だけ顔を綻ばせる。

「ヒロタのシュークリームか」

「お前、これ、好きだっただろう？　それとももう、好みが変わったか？」

「いやいや……懐かしいね。駅の中によくあるんだよな。昔は稽古帰りに、一個だけ買ってよく食べてたんだ。だけど、何でそんなこと知ってるんだ？」

「一度、一緒に食べたことがあるよ。日比谷だったと思う」

「そうだっけ？」古橋が首を捻る。「覚えてないな」

「シュークリームの立ち食いって、難しいじゃないか。それをお前、いかにも慣れた手つきで……僕は、手がべとべとになった」

「そうか」依然として思い出せない様子だった。「何だか最近、記憶力が危ない。年かな」

「そんな年じゃないだろう」大友はつい苦笑した。

「毎日忙しいせいかもしれないけどな……悪いけど、シュークリームは食べられそうにないよ」

「どうした」

「胃潰瘍が見つかった。どうも最近、おかしかったんだよ。胃が痛いし、吐き気もするし」

「胃潰瘍の原因は、大抵ストレスだよ」大友はサイドテーブルにシュークリームを置いた。困った。六つも買ってきてしまったのに。「話、できるかな?」

「いいよ」

答える古橋の喉仏が上下した。こういう会話がさらにストレスを呼び、彼の胃潰瘍が悪化するかもしれないと思いながら、大友は「非情になれ」と自分に命じた。昔の仲間としての軽い会話はここまで。あとは刑事として仕事をするんだ。

「あの時何があったか、思い出せるか?」

「何回も聴かれたんだけど、はっきりしない」古橋が首を振った。「そりゃあもちろん、誰かがグラスに毒を入れたんだろうけど、全然気づかなかった。だから怖いんだよ。夢に見るからな」

「夢?」

「俺があの店で倒れて死んでいて、その姿を上から自分で見てる。夢を見る度に臨死体験だよ」

「そうか」大友はうなずいた。もしかしたらこいつは、本当に死にかけていたのかもしれない。「大変だったと思う。でも犯人を捕まえないと、悪夢は消えないよ」

「そうなんだろうけど、分からないんだ」古橋がまた首を振った。「おかしいと思うよ? でも、誰でもできたんじゃないかな。俺は一回トイレに立ったし、その時にでも」

「誰が入れたんだ?」

「まさか、全員でやったってことはないだろうな」古橋の顔が一層蒼褪める。

首を横に振るだけで、大友は何も言えなかった。実際、その可能性は否定できない。「アノニマス」本来の筋書きのように、その場にいる全員が共謀して犯罪を実行すれば、絶好の隠れ蓑になってしまう。

「お前、どう思う」古橋が不安気に訊ねる。

「実際には、そういうことは起こり得ない。人を殺そうとする時に、わざわざ目立つ店を選ぶのは、意味がないしね」

「そうか……」

「気づいてたか？」

「何を」古橋が、サイドテーブルに手を伸ばした。水が飲みたいのだろうと思い、大友はペットボトルを素早く取り上げて渡してやった。古橋が「悪い」と短く言って、ほんの少し口に含んで飲み下す。途端に渋い顔をして、胃に拳をねじこむようにした。

「痛むのか？」

「沁《し》みる感じだ。あれから全然食べてないし、水もあまり飲まないように言われてる。点滴だけが生命線だよ」

「喉、渇かないのか？」

「点滴のせいかな、案外平気なんだ」平気だと言いながら、古橋が自分の左腕につながった細いチューブを恨めしそうに見詰めた。「それより、気づいてたかって、何の話だ？」

「今回の事件、『アノニマス』の脚本通りに進んでるって」

「ああ」蒼い顔で古橋がうなずく。

「途中までなんだけど」

「途中？」

「テレビ、見てないのか？」大友は消えたままのテレビをちらりと見た。朝からあれだけ大騒ぎしていたのに……。

「何だか見る気力もなくてさ。どうかしたのか？」古橋の顔がまた不安に染まる。

大友は声を低くして、早紀を警護していたこと、結果的に彼女ではなく長浜が襲われたことを説明した。

「早紀じゃなかった？」蒼い顔で古橋が確認した。

「ああ」

「じゃあ、脚本とは関係なかったんだ」

「結果的には」

「こいつは、警察的には難しい事件なんじゃないか？　それこそ、小説や映画の中でしか起きない、安っぽい事件だよ」古橋の顔に皮肉な笑みが浮かぶ。

「その安っぽい芝居を、僕たちは一生懸命演じてたんだぜ」

「舞台ならいいんだよ」古橋が強弁した。「複雑に入り組んだ人間関係や憎しみ合う気持ちをリアルに表現できる。虚構の世界である舞台だからこそ、できることなんだぜ」

「何だか、あの脚本を評価してないみたいだけど」

「まあ、その……ちょっとトリックと動機にリアリティがないじゃないか。俺の好みじゃないのは確かだよ」

「そうか……」

ふと、脚本通りになっていることが一つだけある、と思い出した。プライドや妬みが、劇団内に充満していること。

「笹倉さん、そんなに嫌われてたのかな」

「好き、と言う人間はいないと思う。でも、愛憎半ばだろうな」

誰かが同じように言っていた。殺してやりたいと思う反面、ふとした瞬間に押さえようのない愛情を覚えてしまう相手。そういう人間は確かにいるもので、結果が出れば「カリスマ」と呼ばれるようになる。それぐらいアクが強い人間でないと、どんな世界でも成功できないのではないか。

「脚本だと、結局劇団の主宰者を憎んでいる人間全員が共謀して、殺したことになってるよな」

「よしてくれよ」古橋が大袈裟に手を振った。半分ほどペットボトルに残った水が、中で泡立つように揺れる。「俺は被害者なんだぜ」

「二番目の事件、どういうことだったか覚えてるか？　事実を知った男が、警察に訴え出ようとして殺された」

「ああ」古橋が唾を呑んだ。「俺は、そんなことしようとは思ってなかったけど。一方的に犯人だって決めつけられて……だいたい、犯人が誰なのか、まったく分からないんだぜ。それは今でも変わらない」

「口封じじゃなかったんだ」

「違う」

「お前を殺そうとした人間は、何か勘違いしていたのかもしれない。お前が犯人を知っていて、皆の前で僕に打ち明けようとしていた……だから殺してしまえ、という考えは、それほど奇抜じゃない」衆人環視の中でそれをやるのは、奇抜どころか危険だが。その場でばれて、取り押さえられる危険性もある。

「早紀と長浜なんだけど……」古橋が言葉を濁す。

「二人がつき合ってることは分かってるよ」

「何だ、そうなんだ」自分の中だけに秘密を持っていなくて済んだと思ったのか、古橋が胸を撫で下ろす。「こういうの、お前的にはどう思う？」

「僕が？　どういう意味だ？」大友は胸に掌を当てた。

「ほら、お前みたいに普通に働いている人間から見ると、劇団の中のぐちゃぐちゃした恋愛関係は、変に思えるんじゃないか？」

「そんなことはない。人を好きになるのは止められないし、それはどんな組織の中でもあることだからね。ただ、劇団が特殊な世界なのは間違いない。世間よりちょっとだけ奔放なんじゃないかな」

「そうだよな」古橋がうなずく。「俺みたいな裏方はともかく、役者さんの発想ってのはちょっと違うんだろうな……あのさ、こんなこと言いたくないんだけど」

「何だ？」大友は緊張感を高めた。古橋の手招きを受け、顔を近づける。

「早紀とつき合ってた……というか、寝たことのある奴、劇団の中には結構いるよ。その中で長続きしてたのが、笹倉さんだったんだ」

「それが今は、長浜に乗り換えている」古橋の打ち明け話は、大友の胸に衝撃を与えた。だが、これをそのまま真に受けてはいけない、と自分に言い聞かせる。こういう話は尾ひれがついて、いつの間にか大袈裟になるのだ。

「だから、脚本と一緒で、劇団の中がぐちゃぐちゃだったのは間違いないんだ」

「早紀と長浜がつき合ってたこと、笹倉さんは気づいてたんだろうか」

「知ってたと思う。このところ笹倉さんがカリカリしていた原因の一つは、その辺にあったのかもしれないぜ。金の問題で大変だったのも間違いないけど」

「何でこんなに突っ走ったんだろう。少し焦り過ぎだったんじゃないか？」

「あの人が心の底で何を考えてるかは分からないよ。功名心としか言いようがないけど……」古橋が溜息をついた。「人間、金がないと駄目だよな。金さえあれば、気持ちに余裕もできる」

「お前もか？」

「もちろん。だけど俺は、笹倉さんを殺してないぞ。それに誰が犯人かも知らない」

話が最初に戻ってしまった。結局、何も分からないままか……しかし大友は、古橋が無垢な被害者だとはどうしても思えなかった。何か知っている——隠しているのか、忘れているのか。

「脚本か……」古橋がペットボトルを抱いたまま、腕組みをした。「この脚本って……何かあったような気がするんだけどなあ」

「いや、ちょっと思い出せない。お前、何か知らないか?」

「何かって?」

「僕は何も知らない。『アノニマス』の脚本は、初稿から見てるけどね」

夢厳社のやり方では、出来上がった脚本はミーティングで徹底的に叩かれる。それはほとんどの場合、笹倉が中川を一方的に吊るし上げる場になっていたが。初稿の段階で脚本がどんな感じだったかは覚えていないが、決定稿とさほど変わらなかったような気がする。笹倉は、内容をブラッシュアップしたかったというよりも、中川をいびりたかっただけではないだろうか。独裁者は、権力を強める過程で、内部に攻撃相手を必要とする。誰かを徹底的に叩き潰すことで、他のメンバーに恐怖心を与えるのだ。健全なやり方ではないが、効果は大きい。

「途中で大きく変わってもいないし、議論が盛り上がった記憶もない」

「そうだよなあ」古橋が首を捻った。「そうなんだけど、何か引っかかるんだよ。何かあったと思うんだけど、思い出せない……」

「出てこないか?」

「無理」古橋が平手で顎の下を軽く叩いた。「嫌だな、こういうの。本当に記憶力が悪くなったんじゃないかね」

「そんなこと、ないだろう。何か思い出したら教えてくれないか?」

「分かった。でも、当てにしないでくれよ。本当に最近、記憶力が危ないんだ」

頼りにならないのは僕も同じだ。大友はつい自嘲気味に考えた。

2

事件の発生から二週間が過ぎ、捜査は完全に行き詰っていた。古橋と長浜は退院。劇団関係者への事情聴取は断続的に続けられていたが、はっきりした証拠は出てこない。聞き込みは、俳優たちが所属している事務所などにも広げられたが、こちらでも芳しい結果は得られなかった。大友は、長浜が退院した後で亜矢子に事情聴取をしたが、彼女の愚痴に圧倒され、仕事にならなかった。長浜が仕事を休んでいる間に、数百万円単位の金が流れてしまった、という。この損失を穴埋めするには、犯人に対して損害賠償請求するしかないから、早く逮捕して欲しい——大友は「努力します」としか言えなかった。

大友が長浜の病室前で見かけた人間は、行方知れずのままだった。「ランタン」に居合わせた五人に対しては、密かに尾行と動向監視が行われていたが、トリカブトを入手したかどうかはまったく分からなかった。

早紀には定期的に電話をかけ——まだ警戒は続いていた——様子を確認したが、彼女はいつも、素っ気無い返事しかくれなかった。自分に対する見方も変わってしまっただろう。確かにこれだけ頼りなければ、早紀だって愛想を尽かす。

クリスマスが間近に迫り、街を抜ける風は日に日に冷たくなっている。優斗には新しいサッカー用のスパイクを買ってやる約束をしていた。子どもの足はすぐに大きくなるから、一年も経たずに無駄になるのは分かっているが、約束は約束である。

寒風に背中を叩かれながら、大友はスポーツ用品店が建ち並ぶ神保町を歩いていた。プレゼントを買ったら、クリスマスまで隠しておかなければならない。職場に置いておくか……大友のロッカーは、変装用の小道具で一杯なのだが、スパイクを突っこんでおくぐらいの隙間はある。

普段なら、優斗に何かプレゼントする時には心が沸き立つ。そういうことを面倒臭がる父親もいるようだが、大友にとってはむしろ楽しみだった。その目的で街を歩いていると、自然とスピードが上がるほどに。

歩いている最中、携帯電話が鳴る。刑事総務課長の白木《しらき》だった。何となく申し訳なさそうに、「特捜本部から引き上げてくれないか」と切り出す。大友の隣席に座る先輩の畑野《はたの》が、膵炎《すいえん》で倒れたのだという。大事はないが、しばらく入院する予定で、新年は病院で迎えることになりそうである。その結果、畑野がやっていた年明けの研修プログラムの作成を、誰かが引き継がねばならなくなった。

「例の、外国人研修ですね」駿河台下の交差点近く、「ヴィクトリア」の前で立ち止まったまま、大友は訊ねた。ちらりと店の方を見ると、色の洪水だった。この季節、お茶の水のスポーツ用品店は、ほとんどスキーとスノーボードの専門店と化す。

「そういうことだ。資料は途中まで出来上がってる。畑野のことだから、すぐに誰でも引き継げるぐらいにきちんと材料を揃えているはずだ」

「分かりました。どうしますか？　今、聞き込みの途中なんですが」

「悪いが、すぐ戻ってくれ。実は、特捜本部にはもう話を通したんだ」

「そうですか……分かりました」

気取られぬよう、大友は小さく溜息をついた。今回の事件は特に難しいものであったが、いつの間にか、気分が開放的になっていたことに気づく。やはり、外を歩けるのは楽しいのだ。靴底をすり減らす聞き込みや尾行、暑さや寒さとの戦いになる張り込みにも、役得はある——自由に外の空気に触れられることだ。東京には様々な顔があり、街の空気を肌で感じるのは楽しいものだ。たとえそれが、午前三時の檜原村であっても。

「中途半端で悪いがね」

さほど悪くは思っていない様子で白木が言った。そこに潜む皮肉を、大友は敏感に感じ取った。感じたから何をするわけではないが、警視庁の中での自分の立場を意識せざるを得ない。一人で子育てしている男に対する反応は、無視六割、反発三割、同情一割。時折特命で仕事に出ることに関しては、ほとんどの人間が鬱陶しく思っているだろう。何とも思っていないのは、いつも命令を下す福原と柴ぐらいだ。

それにしても柴、結局お前の言う通りになったよ。「やめておけ」という忠告を、最初から受け入れるべきだったかもしれない。

「今お茶の水にいますから、このままそっちへ上がります」

「ああ、頼む」

ここからだと、千代田線で霞ヶ関まで出るのが早いか……さっさと買い物を済ませて、食事をする時間ぐらいはあるだろう。電話を切った後、特捜本部に電話を入れるかどうか、悩む。渡辺か美知に挨拶しておくのが礼儀なのだが、どうにも気が進まなかった。取り敢えず本庁に上がってからにしよう。もう少しだけ、自分の時間が欲しかった。

畑野が計画していた研修は、増加の一途を辿る外国人犯罪への対応に絶対必要なものだった。言葉の問題はどうしようもない部分があるが、応対に十分気をつけなければならない。様々な国にはそれぞれのタブーがあり、そこに触れると、まともに取り調べもできなくなるのだ。

今回の研修では特に、中国人対策に重点が置かれていた。資料を作り、講義してもらう専門家——大学の「チャイナウォッチャー」と呼ばれる教授が話してくれることになっている——と打ち合わせをする。大友は準備に難儀する畑野に対して、ずっと後ろめたい気持ちを抱えていた。本当は彼と一緒に、自分がやらなくてはいけない仕事だったのだ。打ち合わせはしていたのだが、その矢先に夢厳社の事件が起こり、離脱せざるを得なくなった。畑野は特に文句も言わなかったが、彼の腹の内を想像すると暗い気分になる。

どうして僕は、こんなに中途半端なのだろう。いっそのこと、思い切って捜査一課に転属を願い出た方がいいかもしれない。優斗ももう三年生、自分のことはかなり自分でできるようになっている。今まで以上に聖子に甘えるのも手だ。彼女はいつも突き放すように、「子育ては親の責任」と言うのだが、それでも何くれとなく優斗の面倒を見てくれているのだから、突き放すようなことはないだろう。

捜査をつまみ食いしているだけで、今回のようにまったく事件の解決に役立たないとしたら、今までと同じように続けていく意味はない。福原は時折、「スペシャルチーム」という言い方をする。難しい事件に投入される、特別な切り札。しかし福原は、本来の意味を知っているのだろうか――アメフトで、キックオフやパントの時だけに出てくる選手たちのことだ。

こんなことを続けていたら、常時オフェンスやディフェンスにかかわるレギュラーにはなれない。

畑野は確かに、きちんと研修の計画を進めていた。資料もほとんど揃っていたし、講師を頼んだ大学教授との打ち合わせも何度かしている。この分なら、それほど苦労しないで準備ができそうだ。実際に研修が行われるのは年明けだから、まだ二週間以上間がある。何とかなるだろう。

書類を精査して一段落した大友は、一息ついてコーヒーを呑んだ。朝からずっと保温されて煮詰まっているので、香りはほとんど飛んでおり、苦味しか感じられない。それでも目覚ましにはちょうどよかった。あるいは、中途半端な仕事をしてきた自分への罰にするには。

それにしても今日はどうするべきだろう。特捜本部からは外されたので、刑事総務課での仕事が終わったら、このまま帰ってしまってもいい。久しぶりに優斗と一緒に食事をすべきだろう。だが、夕方解放されれば、後の時間は自分で自由に使っていいのだ、と気づく。特捜本部の動きとは別に、自分で勝手に調べる手もあるではないか。もっともそれが渡辺の耳に入ったら、また溜息を漏らされるだろうが。

一段落つけるため、白木に状況を報告した。

「かなり進んでいたようです。資料もほぼ揃っていますし、後は講師の先生ともう一度打ち合わせをしておけば、万全です」

「研修対象者への通知は？」

「名簿も通知文書もできていました。来週にでも出せばいいと思います」

「畑野のことだから、それぐらいはやってると思ったがね」白木が満足げにうなずく。

「畑野さん、どうしたんですか？」急性膵炎の原因は様々だが、ストレスや過度の飲酒で引き起こされるケースが多い。最近やけにこの病気に襲われる人間が多いようで、今年一年、刑事部内では三人が病院に担ぎこまれていた。部長名で「過度な飲酒禁止」の通達を出すべきではないかというジョークが、刑事総務課内では飛び交っている。

「吞み過ぎってわけじゃないんだろうけどな。あいつはビール一本で真っ赤になる男だから。元々、仕事のし過ぎなんだよ。土曜日には、大抵出てるし」

それが、大友の分をカバーするためではない、とは分かっている。畑野は家にいたくないタイプなのだ。「人がいない時の方が仕事が進む」とよく言っているが、それが家を空けるための言い訳なのは、大友もよく知っている。四十代では、こういうのはごく普通ということか。

「とにかく、後は引き受けます」

「頼むわ……ところで、特捜はどうなんだ？」

珍しいことだ、と大友は戸惑いを感じた。大友が特命で仕事をした後、白木がその内容について聞くようなことはほとんどない。興味がないわけではなく、腫れ物に触るような態度なのである。

「非常に難しい事件です」

「だろうな。お前が行っているのに、ここまで動きがないのは不思議だ」皮肉ではなく、本心からそう思っている様子だった。

「すいません」

「指導官も苛々しているだろう」

「今回は、自分から手を挙げましたから。全部自己責任です」

「ああ、そうだったな」白木の表情が歪む。「まあ、こういうこともある。気にするな」

あまり慰めになっていないと思ったが、大友は頭を下げて苦笑を誤魔化した。白木は時々皮肉をぶつけてくるが、それでも理解のある方である。大友の直接の上司であることから、福原が裏であれこれ言ってくるせいかもしれない。

書類をまとめ、捜査共助課に話をしなければならない、と気づいた。以前公安部に在籍していた、中国語のエキスパートがいる。研修は、資料部分の解説を彼が行い、その後大学教授が講演で引き継ぐことになっている。捜査共助課には、担当が替わったと報告しておく必要がある。

部屋に入ろうとした途端、同期の高畑敦美《たかはたあつみ》と出くわした。両手を腰に当てた姿勢でまじまじと大友の顔を見詰め、首を傾げる。

「尻尾を巻いて逃げ帰って来たんだって？」

「本来の仕事が忙しくなっただけだよ」大友は思わず苦笑した。体の大きい彼女が言うと、責められている気分になる。

「だけどこの事件、テツにしか解決できないでしょう。劇団の中の事情なんて、昔俳優だったテツにしか分からないわよね」

「それが、そうでもないんだ」大友は壁に背中を預けた。「気持ちが入り過ぎるっていうのかな……友だちを助けようとしてるのか、きちんと捜査をしているのか、分からなくなってしまった」

「内部犯行なの？」

その可能性が高い。しかし大友は口には出さず、うなずくに留めた。

「やりにくいのね」

「馬鹿なことをしたよ」大友は溜息をついた。「どんな事件でも、知り合いを調べるのは難しいだろう？　そんなことは分かっているのに、僕はわざわざ手を挙げて、突っこんで行ったんだ。それで全然解決しないんだから、みっともない話だよ」

「切り分け、できないんだ」敦美が大友の横に並び、同じように壁に背中を預けた。高校時代にはハンマー投げ、大学では女子ラグビーで活躍したスポーツウーマンで、今も現役アスリートの気配を漂わせている。体は大きいが、太っているわけではなく、贅肉はほとんどない。横に並ぶと、圧倒される感じがした。

「それが難しいことは、君にも分かるだろう」

「もちろん。普通は、できるだけ近づかないようにするわね。利害衝突があるし、冷静に捜査できるはずがない」

「だから、わざわざ手を挙げた僕は馬鹿なんだ。確かに君の言う通りで、劇団の中の話は、僕が捜査するのがいいと思ったんだ……こうやって別の仕事が入ってきたのは、いいチャンスかもしれない。手を引く理由になる」

「ずいぶん弱気になってるわね」

「それは認める」

「それでいいんだ？」敦美が体を捻り、大友の顔を覗きこんだ。「アイドル系女子レスラー」と指摘する人間がいるほどで顔立ちは可愛い……本人の耳には入っていないはずだが、聞いたら激怒するような気がする。

「仕方ないんじゃないかな」

「仕方ないなんて、テツの口から聞いたの、初めてかもしれない」

「そうかな？」

「仕方ないって、諦める時の言い訳の台詞でしょう？　テツって、意外と粘り強いはずよね。そんな風に見えないけど、泥臭いところもあるし」

「そういう人間であることは否定はしないけどね」

「だったら、こういう時こそ本領発揮したら？　それとも、どうしても人間関係に絡め取られて、上手く仕事ができない？」

「どうかな」

「女、だ」敦美がずばりと言いきった。「女優さんと何か揉めてるとか？　劇団だから、綺麗な人、たくさんいるでしょう」

「どうしてそういう発想になるかな」苦笑して反論したが、敦美の真剣な表情は崩れなかった。

「テツは、女性関係では面倒なトラブルに巻きこまれやすいタイプだからね。私生活はともかく、仕事の面では」

「ああ」今年のはじめ、敦美と一緒に捜査をした事件では、女性弁護士に散々引っ掻き回された。あれも、自分の甘さが根底にあったせいだと思う。

「トラブルを呼んじゃうタイプっているのよね。刺されないように気をつけて」

「まさか」

「刺されないための一番いい方法、知ってる？　こっちから先に刺すこと。先制攻撃が一番よ」敦美が大友の顎に向かって、ぐっと拳を突き出した。


「パパ、どうかした？」

午後八時。少し遅めの夕飯の最中、優斗が突然訊ねた。

「何が？」

「全然食べてないけど」

「あ？　ああ」

慌てて箸を動かし、何か摘もうとする。しかし、目の前にある食べ物全てが、美味そうに見えないのだ。今日は豚肉とほうれん草の鍋。ほうれん草は、寒くなると出回る「縮みほうれん草」だ。葉が肉厚で、鍋に入れてもすぐにはくたっとしないし、味も濃い。野菜があまり好きではない優斗も、このほうれん草だけは積極的に食べる。

「クリスマス、どうなるかな」

「どうなるかねえ」

大友はわざと言葉を濁した。サンタクロースがどうこう、という話を、二人でしたことはない。優斗はそもそも信じていないのではないか、と大友は思っていた。だいたい菜緒は、毎年息子の枕元にプレゼントを置かず、夕食の席でいきなり手渡していた。夢も何もないじゃないか、と大友が抗議すると、「いつかは知ることになるんだから、早い方がいいんじゃない？」という答えが返ってきたものである。菜緒は徹底した現実主義者だった。「マラソンに挑戦する」と言っていたのも、単なる夢ではなく現実的な目標だった。そのためのトレーニングも始めていた矢先の事故だったのだが……。

「誰か、呼んでいい？」

「友だちか？」大友は動揺した。去年のクリスマス、優斗はクラスの友だちの家に招かれていた。迎えに行ったついでに、大友もその家に上がり、上等のワインをご馳走になったものだが……まさか、その時のお返しで、今年はうちに誰か呼ぶつもりなのか。

「うちへ来たいって……」優斗が遠慮がちに言った。

「そうか」やはり。立ち上がり、キッチンに置いてある卓上カレンダーを持ってくる。今日は十五日。あと十日か……仕事の都合はつくかもしれないが、料理はどうしよう。優斗が食べるぐらいの料理は作るが、大友は決して料理の腕に自信があるわけではない。ローストビーフを焼いたりケーキを作るなど、問題外だ。出来合いで済ませるわけにもいかないし、聖子に頼むのも気が引ける。誰か料理の上手な女性は……いや、そもそもパーティなど断るべきではないだろうか。

「彩香《あやか》ちゃんが、パパに会いたいんだって」

「彩香ちゃん、ね」

ガールフレンド、というわけではないが、優斗と同じクラスの女の子である。

「あと、怜奈《れな》ちゃんと優花《ゆうか》ちゃんも」

おいおい、何なんだ……小学生にもてても意味ないぞ。これは断った方が無難だ。言い訳を考え始めたところで携帯電話が鳴った。取り敢えず、結論を先送りにする理由はできたと思いながら、電話に出る。

「よう、テツ。腐ってるか？」柴だった。

「そうでもないけど」大友は、優斗に「食べるように」と合図を送ってから、自室に引っこんだ。仕事の話なのは分かりきっている。ドアは開けたままにしておいて、声を潜めた。「どうした？」

「動きがないことをご報告しようと思ってね」自嘲気味に柴が言った。

「それは分かってる。僕だって、今日も途中までは動いてたんだから」

「優斗のクリスマスプレゼント、もう買ったか？　スパイクとか言ってたよな」独身のくせに、柴はやけに優斗のことを気にする。

「ああ、済ませた」

「で、畑野さんはどんな具合だ？」

「それほど重症じゃない。年明けまでは入院することになると思うけど」

「オッサン、ちょうどいい骨休めになるんじゃないか？　あの人、家に居場所がないんだろう。入院してるのが一番気が楽だろうな。何か、差し入れでも持っていってやるか」

「本がいいよ。最近、歴史小説に凝ってるそうだから。時代小説じゃなくて、歴史小説」

「どう違うんだ？」

「歴史小説は、史実に比較的忠実に書く。時代小説はそこにこだわらない。『徳川家康』と『銭形平次』の違いかな」

「よく分からん。適当に見繕っておくよ」

「そうだね……ところで、敦美に怒られた」

「おやおや、怪我はしなかったかな？」柴が噴き出しそうになりながら訊ねた。

「無事だけど、精神的には結構ダメージを受けたな。僕はどうも、何事においても中途半端らしい」

「今さら何を言ってるんだ。そんなことは分かってて、できる範囲で頑張ってきたんじゃないのか」

「そのつもりだったけど、そろそろ何とかしなくちゃいけないと思う」

「さっさと再婚しろ」柴がきっぱりと言い切った。「それが一番手っ取り早い。見合いすればいいじゃないか。より取り見取りなんだろう？」

「そうはいかないよ」どうして聖子の勧める見合いを断り続けているのか、最近ようやく自分の気持ちが分かってきた。受け入れてしまったら、ずっと聖子の支配下に——精神的な支配下に置かれてしまうに違いない。

「文句ばっかり言ってないで、決断しろ。人生はシンプルであるべきだ」

「指導官みたいなこと、言うなよ。でも、できれば事件もそうあって欲しいね」

「……嫌なこと、言うな」

　むっとした口調で言って、柴が電話を切ってしまった。相当かりかりしている。統計的に、一月経っても解決の目処が立たない事件は、一気に解決率が低くなる。そこまでもう二週間しかないし、今回は年末年始の休みが挟まるから、さらに都合が悪い。日本人は、カレンダーが翌年にかかるタイミングで、全てをリセットしようとする。捜査員も、どうしても気持ちが揺らぐのだ。それに年末年始も関係なく動いても、世間が休みでまともに捜査できないことも多い。

　クリスマスまでが勝負だろう。そこまでに新しい動きがなければ、事件は迷宮入りしてしまう可能性が高い。そうなったら、しばらく間を置いて、捜査一課の追跡捜査係が乗り出してくるかもしれない。しばらく捜査に動きのない未解決事件に首を突っこんでくる追跡捜査係は、しばしば現場と衝突して、刑事総務課が仲裁に入らなければならない時もある。そういうトラブルを避けるには、早く事件を解決するのが一番なのだ。

　それにしても一件の殺人、二件の殺人未遂か……非常に大きな事件であり、世間の注目も集めた。特に芸能マスコミは大喜びで、連日大きく伝えていた。その中には、長浜と早紀が交際している、という情報も含まれていた。こういうことは結局、早晩漏れるのだろう。

「パパ、鍋、燃えちゃうよ」

「ああ、ごめん」気を取り直してダイニングルームに戻る。鍋は激しい湯気を噴き上げていた。慌てて電磁調理器をオフにする。さっさと食べて、明日からまた動き回るか。研修の準備が予想よりも面倒でなかったので、その気になれば定時に仕事が終わった後で自分の捜査をする時間もできるだろう。また優斗には迷惑をかけることになるが。

「優斗、明日からまた、聖子さんのところで大丈夫か？」

「僕はいいけど」ぼたぼたとだし汁を垂らしてほうれん草を引き上げながら、優斗が言った。「いい」と言いながら、やはり声には不満が滲んでいる。

「ごめんな。パパ、どうしても気になることがあって、調べたいんだ」

「大丈夫だけど」だけど、と言葉を濁す。来年は十歳になるし、いい加減、親離れしてくれないと困るのだが……三年生だと、まだこんなものかもしれない。かといって、反抗期に入って無視されたりしたら、今度はこっちが不快な思いをするだろう。

親子とは、どうしてこんなに面倒臭いのだろう。そういう面倒臭さが、大友は好きでもあるのだが。

3

学校へ行く優斗と別れ、駅まで早足で歩く。ここ二、三日でぐっと気温が下がり、大友はクローゼットからウールのコートを引っ張り出していた。今日は特に風が強く、足元から冷えが襲ってくる。

背広の胸ポケットに入れた携帯電話が鳴り出した。こんな時間に……嫌な予感を覚えながら引っ張り出すと、俳優の高山の名前が浮かんでいた。何だろう。このところ、連絡は途絶えている。また劇団内部のことについて愚痴を零そうとしているのか。いや、そんなことで、こんな時間に電話してくるのはおかしい。

「ああ、悪い。今大丈夫か？」

「駅まで歩いてるところだ。どうかしたか？」

「ちょっと、会えないか？」

「そうだな……」自分は捜査から外れた。やることもある。しかし、夜なら何とかなるだろう。どうせ今夜からまた、動くつもりでいたのだ。「急ぐのか？」

「できれば。ちょっと気になることがあるんだ。電話では話しにくいんだけど……」

大友はしばし思案した。どうする？　情報があるなら、積極的に話を聴くべきだ。そうしないとまた、中途半端に終わってしまう。

「分かった。どこへ行けばいい？」刑事総務課には断りを入れておこう。

「劇団へ来てもらえないかな？　場所は……」

「それは分かるよ。だけど、こんな早く、どうしたんだ」

「まあ、それは……来てもらったら話すから」

躊躇する声。大友はそれ以上追及せず、電話を切った。これで事態が動き出すのか？　予想は立たなかったが、今度は逃げてはいけない、と自分に言い聞かせる。

　高円寺は、どことなく吉祥寺辺りと雰囲気が似ている。ざわついた下町の雰囲気、そして若者の多さ。それに昔から、演劇関係者が多く住む街という共通点もある。友人が何人か住んでいたこともあり、学生時代には大友も何度も足を運んでいた。

　夢厳社の本部は、駅の南口から歩いて五分ほどだった。居酒屋やコンビニエンスストア、マンションが立ち並んだ道路を歩いて行くと、高円寺南四丁目の交差点のすぐ近くに、真新しいビルが見つかった。コンクリート打ちっぱなしの外観の四階建て。今まで聞いていた説明だと、一階がテナント、二階が稽古場で三階が事務所のはずだ。最上階の四階には、笹倉がほとんど毎日泊まりこんでいたという。

　高山は、ビルの前に出て待っていた。裏ボアつきのデニムのジャケットを着ているが、冷たい風は遮断できないようで、襟を立てて背中を丸めている。大友を見つけると、ポケットから右手を抜き出して振ったが、左手は深く突っこんだままだった。両手を外気に晒すと、寒さで凍傷にかかるとでも恐れている様子である。

「中へ入ろうや」挨拶もそこそこに、高山が踵を返す。カフェの脇のエレベーターホールに入り、すぐにボタンを叩いた。彼が三階のボタンを押すのを見て訊ねる。

「事務所？」

「ああ」

それきり、高山は口を閉ざしてしまった。いったい何があったのか……ここで事件が起きたわけではないだろう、と推測する。それだったら、僕を呼ばずに一一〇番通報しているだろう。いくら彼でも、それぐらいの冷静さは持っているはずだ。

エレベーターを降りるとすぐ目の前が、事務所の入り口になっている。ドアの上にかかっている「夢厳社」の看板。このロゴは、書道四段の笹倉が自分で筆を取って書いたのを元にしている。改めて見ると、非常におどろおどろしい感じがした。高山がドアを開けてくれたので、すぐに中へ入りこむ。南向きの一面が窓になっており、冬の光が増幅されて室内を満たしていた。

劇団の事務所だからといって、特殊なものではない。デスクやロッカー、ファイルキャビネットが並んでいるのは、役所や普通の会社と何ら変わりがなかった。違いは、壁に張られた公演のポスター。夢厳社の得意分野であるシリアスな芝居に合わせて、ポスターはどれも黒や灰色を多用したものなので、部屋全体の雰囲気が暗く沈んでいる。

「そこ……窓際にソファがある。何か飲むか？」

「わざわざ用意するなら、いらない」本当は缶コーヒーを飲んで、意識をはっきりさせたいところだった。

「缶コーヒーがあるぞ」

「それでいいよ」

大友がソファに腰を埋めると、高山がすぐに冷蔵庫から缶コーヒーを出してきた。ソファの隅で毛布が丸まっているのに気づく。夕べ、ここへ泊まったのだろうか。高山が立ったまま缶コーヒーを喉に流しこみ、「これが朝飯代わりだよ」と自嘲的につぶやく。

「夕べ、泊まったのか？」愚痴を無視して訊ねる。

「ああ」

「幽霊でも出たか」

「そうじゃないけど」

不安気に言って、高山が残った缶コーヒーを一気に飲み干した。大友は冷えたコーヒーを両手で握ったままで、掌《てのひら》から伝わる冷たさに耐えていた。

「座れば？　立ったままだと話しにくいだろう」

「あ？　ああ」自分が立っていることに初めて気づいたように、高山が慌ててソファに腰を下ろす。大友が座った長いソファと斜め向かいの場所に置かれた一人がけ。高山は背中を丸め、空になった缶を大事に両手で包みこんでいた。

「夕べここへ泊まった、それは分かったよ。それで？」

「酔っ払っててね。駅前で呑んでて、電車がなくなって……よくやるんだ」

「相変わらず学生みたいな生活をしてるんだな」少しだけ羨ましく思う。優斗がいる自分には、決してできないことだ。

「いい加減、そういうことはやめなくちゃいけないと思うけど」高山がぼさぼさの髪をかき上げた。いつの間にか、かなり白髪が混じっていることに大友は気づいた。

「そうだよ。お前、顔も知られてるんだから」取り敢えず、この界隈では。この男は、テレビや映画からはなかなか声がかからない。早紀たちと違って、街中を歩いていてすぐに気づかれるわけではないのだ。

「まあ、それはいいとして……」高山が、ソファを指差した。「昨夜はそこで寝てたんだ」

「何時頃から？」このままだと話がだらだら流れていきそうだったので、大友は要所で合いの手を挟んでいくことにした。

「ここへ戻って来たのが、一時半頃だったかな」高山が腕時計に視線を落としながら言った。「はっきりしないけど。相当呑んでたからね」

それは間違いない。空気に滲むアルコールの臭いを、大友は先ほどから敏感に感じ取っていた。

「とにかく、寝た。すぐ寝たと思う。あっという間に意識がなくなったから。で、しばらくして目を覚ましたんだ」

「何時頃？」

「四時半……五時だったかな。あまり記憶がないんだけど」

うなずきながら、大友は苛立ちが募り始めるのを感じていた。本来の仕事を放り出してここへ来てみたら、酔っぱらいのあやふやな記憶に引っ張り回されるだけとは。それでも辛抱強く、先を促した。

「時計は見たのか？」

「いや、新聞配達のバイクの音で、だいたい時間が分かる。配達は、毎朝四時半から五時の間に始まるんだ。バイクが何台も一斉に出て行くから、結構な騒音になる。で、水を飲んで」テーブルに置かれたペットボトルに目をやる。「寝直そうと思って横になったら、誰かが部屋に入って来たんだ」

この記憶は確かなのか？ 酔っぱらいの妄言ではないか、と大友は再び不安になった。

「間違いない？」

「間違いない……たぶん。それに、朝起きたら、金庫が開いてるのに気づいたんだ」

「金庫？」泥棒か。だったら、所轄の盗犯担当に連絡すれば済む話だ。自分に電話してくるにしても、その時事情を話してくれれば、すぐに連絡できた。

「金庫っていっても、大した金庫じゃないよ」高山が慌てて言った。「金が入っているわけじゃない。資料の保管庫みたいなものだ」

大友は立ち上がり、部屋の中をぐるりと見回した。それらしき物は見えない。よほど小さな金庫なのか。確認は後にしよう。

「その泥棒……侵入者は何をしてたんだ」

「金庫の中を漁ったんだろうな。どうも、俺には気づかなかったみたいだけど。歩き回ってる様子はあったけど、怖くて確認できないじゃないか。それで寝た振りをしてた。

体が凍ったね、あれは」

「その泥棒が事務所の中にいた時間は、どれぐらいだ？」

「五分か十分か……それほど長くない。探す物がどこにあるか、予め分かってたんじゃないかな」

「顔は見たか？」

「その時は見てない」

その時？　言い方が気になったが、大友は敢えて流して話を先に進めた。

「服装は」

「黒い、短い丈のコート。たぶんブーツを履いていた」

ブーツ。頭の中で、かちりと何かが嚙み合う音がした。

「どんなブーツだった？」

「そこまでは見てない。結構足音が大きかったから、重いブーツだったと思うけど」

「男か女か……」

「男だ」

「鍵はどうしたんだ？」

「かけていった」

「ということは、劇団関係者だな。鍵の管理はどうなってるんだ？」

「いい加減なもんだよ」高山が肩をすくめる。「合鍵を持っている人間は何人もいる。

ほら、夜中に突然稽古場に行きたくなるタイプとか、いるじゃないか」

「ああ」

「俺だって持ってるわけだし、な」自分のようにいい加減な人間が、とでも言いたかったのだろうか。高山の顔が微妙に歪む。

「その後は？」

「窓から下を見たんだ。その時間だとさすがに人通りは少ないから、ビルから出て行く人間がいれば目立つからな。それで、誰だったと思う？」

最初から分かっていたのか。大友は瞬時に怒りで頭が沸騰するのを感じた。最初に結論を言わない……昔からの高山の悪癖である。劇的な効果を狙っているのかもしれないが、大抵は大した話ではなく、聞かされてじれた人間の怒りを買うだけだ。

しかし今日は——大友が知る限り初めて——そのやり方が効果を発揮した。少なくとも大友を、再び事件の渦中に巻きこむぐらいの効果はあった。

夢厳社の現在の責任者として呼び出された武智は、不満を隠そうともしなかった。それでなくても警察の事情聴取を受け続けてげんなりしているだろうに、今度は事務所の家宅捜索である。正確には、家宅捜索はこの二週間で二回目だ。笹倉が殺された直後、一階のテナント部分を除いて、二階から四階までは徹底した家宅捜索が行われている。またか、とうんざりした様子で顔を出したものの、大友が事情を説明すると顔を蒼くした。

「市谷、ですか」

「確証はないけど」高山の記憶をどこまで当てにしていいのか分からないが。「彼は鍵を持っていたんですか」

「いや、それは……」唇を噛み、武智がうつむいた。「正直、鍵の管理は適当でした。誰でもコピーできましたから」

「彼は辞めた人間だけど」

「別に馘になったわけじゃないですから。ここにいる時にコピーしたんじゃないですか」

そんないい加減なことで、と思わず口に出しそうになった。しかし今は、防犯態勢について説教している場合ではない。だいたい、市谷の狙いが分からないのだ。

「この金庫なんですけど」

大友は、武智を金庫の前に誘った。たいそうな金庫である。高さ七十センチほど。ずっしりと重そうな鉄製で、ダイヤル式の錠がついている。色はくすんだグリーン。塗装の剝げ具合から見て、かなりの年代物のようだ。

「何なんですか？　ずいぶん昔の物みたいですけど」

「戦前の物らしいですよ。空襲の焼け残りとか」

「どういうことです？」

「笹倉さんがどこかで見つけて、持ってきたんです。ジョークのつもりだったんでしょうけど」

「開けられますか」

「もちろん」武智が不審気な表情を浮かべた。「だって、そこにナンバーが書いてあるでしょう」

確かに。ダイヤルのすぐ上に、紙が貼られている。コンピュータにログインする暗証番号をデスクに貼っている馬鹿者が時々いるが、それに匹敵する愚かな行為だ。

「開けてもらえますか」

武智が金庫の前に屈みこみ、ダイヤルを回した。左へ回して「7」。右へ回して「19」。最後にもう一度左へ回して「5」。かちり、と小さな音がして、扉がゆっくりと開いた。

「何なんですか」中身を改める前に、大友は訊ねた。

「期待しないで下さい。大したものは入ってませんから。前に警察が調べた時も、何も持っていきませんでした」

武智が脇にどいたので、大友は開いた金庫の前で片膝をついた。確かに、中はすかすかである。上下三段に区切られているのだが、物が入っているのは一番上の段だけ。書類……いや、全て脚本だ。手袋をはめて取り出し、傍らのデスクの上に並べて置く。すぐに、夢厳社がこれまで上演してきた芝居のものだと気づいた。

「これをわざわざ金庫に？」

「笹倉さんにすれば、これこそが劇団の歴史だったんだと思いますよ。でも、あくまで冗談ですからね。こんな、誰でも鍵が開けられるような金庫に保管しても、意味ないでしょう」

「笹倉さん、ギャグのセンスはあまりなかったからな」実際、笑っていいのかどうか困るようなことを、よく口にしていた。

「それはそうですね。本人には何か意味のあることだったかもしれませんけど、我々にはちょっと理解できないな」武智が肩をすくめる。

「市谷さんは、最近はここへ顔を出しましたか？」

「私が知る限り、ないですね。記念公演の前には何回か来たと思うけど、その後はないと思います——あの事件の後は」

鑑識の係官が外から戻ってきて、大友に向かって首を振った。ドア付近を調べていたのだが、指紋だらけで参考にならない、と言いたいのだろう。金庫は既に調べていたが、こちらも同様だった。それほど頻繁に開けるものではないだろうが、まったく人の手が触れない、というわけでもないはずだ。多数の指紋が検出されており、選り分けるにはかなりの時間がかかりそうだ。

ドアが勢いよく開き、柴が大股で事務所に入って来た。顔には薄い笑いが浮かんでいる。

「当たりだ」と短く報告したので、促して外へ出る。エレベーターの前に来ると、すぐに口を開いた。「すぐそこの、新聞販売店の店員が見てる。写真で確認したが、ほぼ間違いないようだ。午前四時半頃にこの辺をうろついている人は、多くないからな」

柴が、市谷の写真を顔の横に翳《かざ》した。事情聴取の最中、マジックミラーを通して撮影したもので、完全に正面ではないが、顔立ちははっきりと分かる。

「そうか」

「どういうことなんだ？」柴が壁に背中を預けた。「この男、もう劇団は辞めてるんだろう？」

「鍵はずっと持っていた可能性がある。管理がいい加減だったんだ」

「なるほどね」

「最近の彼の動向は？」

「それを言われると痛い」柴が頭を掻き、手帳を広げた。「監視はつけてたんだが、もう二十四時間態勢は解いている。昨夜は、十二時前に帰宅して、一時過ぎに部屋の灯りが消えたから、その時点で引き上げたそうだ」

「今朝は？」

「所在不明」柴が思い切り渋い顔をした。

「そうか」それを批判するつもりはなかった。大友も自分で動向監視を手がけていたわけではなく、昨夜のその時間は夢の中だったのだから。他人のやったことを批判するだけなら、誰でもできる。

「調べてみる必要があるな」柴が音を立てて手帳を閉じた。

「市谷に、足はあるのか？」

「バイクを持ってるそうだ」

「家は？」

「中野」

「すぐ近くだな。ちょっとノックしに行こうか」

「了解」柴が手帳を背広の内ポケットに落としこみながら言った。「だけどお前、いいのか？」

「何が」

「俺は忠告したよな。この事件に関しては、かかわらない方がいいって。最初からそう言ってたはずだぜ」

「敦美の説教が効いたんだ」

「そりゃ、確かに効きそうだ」柴がにやりと笑った。「どうだ？　どうせなら高畑と結婚して、毎日説教されるっていうのは」

「勘弁してくれ」大友は顔の前で手を振った。「僕の神経は、それに耐えられるほど太くないよ」

市谷は、ＪＲ中野駅から歩いて十分ほどの住宅街に、小さなマンションを借りていた。

広めのワンルームで、部屋数は全部で二十。管理会社によると、住人は独身のサラリーマンが多い、という。家賃は八万円。ノックに返事はなく、郵便受けには新聞が三紙、突っこまれたままだった。

「脚本家の見習いっていうのは、儲かるのか？」新聞の束を見ながら柴が訊ねた。

「たぶんこういうのは、必要経費で落ちるんだと思う。参考資料ということで」

「結構な額だぜ。このマンションの家賃だって安くない」

「脚本家見習いとしてなら、稼ぎはゼロに近いかもしれない。でも、テレビの構成作家なら、それなりの金になるみたいだよ。才能も搾り取られるだろうけど」

市谷の主たる収入源は何だったのだろう。かなり熱心に中川の面倒を見ていたのは間違いない。彼の仕事時間帯に合わせて生活していたら、市谷本人の生活も滅茶苦茶になっていたはずだ。夜になってから事務所に入り、明け方まで仕事を手伝って、寝かしつけてから帰るとか。そういう、世間のリズムからずれた仕事に対して、中川はいったいいくら払っていたのだろう。そんな中で、構成作家として仕事をしたり、古巣の劇団の公演を手伝っていたわけだから、市谷はスーパーマンに近い。

マンションの敷地内には、車五台分が停められる駐車場、それにバイク置き場があった。ただし、バイク置き場は空。柴が訊ねた。

「市谷のバイク、手配すべきだと思うか？」

「微妙なところだね」大友は腕組みをして、空のバイク置き場を眺めた。前輪をロックできるようになっているらしい。「今のところ、家宅侵入というだけだ。それに彼は、劇団の元関係者だ。元々合鍵を持ってるんだから、忍びこんだとも言いにくい」

「確かに微妙なところだ」

「だから、部屋に入るのもちょっと問題があるよ」

「様子見、か」

「取り敢えず、立ち寄り先を調べてみよう。バイクでツーリングに出かけたわけでもないだろうし」

今朝は、この冬一番の寒さを記録した。オートバイ乗りには辛い季節である。それに、高山の証言が正確なら、市谷は黒い短丈のコートを着ていただけである。この季節にロングツーリングに出かけるなら、ダウンジャケットか分厚い革のコートが必須だろう。

「ここには誰か張らせるよ」柴が丸めた両手に息を吐きかけながら言った。

「頼む」大友は携帯電話を取り出し、中川の事務所の番号を呼び出した。呼び出し音が一回鳴っただけで留守電機能が作動する。『中川です。電話に出る気はありません。用件があったら入れておいて下さい。気が向いたら電話します』

呆気に取られ、大友は発信音が鳴り出すと同時に電話を切ってしまった。柴が怪訝そうな表情で「どうした」と訊ねる。大友は力なく首を振った後、今度は中川の携帯の番号を呼び出した。電話に出るつもりがない——要するに、相手を選別するための留守電機能だろう。自分が名乗ったら受話器を取り上げたかもしれないが、もう一度電話して無駄玉を撃つ気分ではなかった。

携帯電話は、いつまで経っても鳴り続けるだけだった。十回呼び出し音が鳴ったところで諦める。

「直接行ってみる。もしかしたら、寝ているかもしれない」電話を畳みながら柴に言った。

「他に当たれるところは？」

実家はどこなのだろう。高山に聞けば、何か情報があるかもしれない。それと、仕事でつき合いがあるはずの、テレビ局の連中。

「高山に確認してくれないか？　あいつなら何か知ってると思うし、まだ事務所にいるはずだ」

「分かった」柴が腕時計を覗いた。「どうする？　こっちの現場に復帰するのか？」

「復帰するしかないだろう」

「高畑に蹴飛ばされないように？」

「そうじゃなくて、僕の助けが必要な人がいるからだ」

柴がにやりと笑い、乱暴に大友の肩を小突いた。くるりと踵を返し、肩を怒らせて去って行く。

一人残された大友は、不気味な渦が心の中に生じるのを感じていた。自分の知らない状況がどこかで動いており、こちらは何も察知できず、何もできないまま。もどかしさを通り越して、軽い吐き気さえ感じるのだった。

インタフォンの呼びかけに、返事はなかった。大友は管理人室に話を通し、取り敢えずマンションの中に入った。作業服を着た初老の管理人は人の良さそうな男で、部屋を調べたいと大友が言うと、そのまま中川の部屋の前までついて来た。

ドアの前に立ち、もう一度インタフォンを鳴らす。やはり返事はない。気を取り直して大きなドアハンドルを摑むと、呆気なく開いた。

「不用心ですな」管理人が顔をしかめて言った。

「いずれにせよ、これでご面倒をおかけすることはなくなりました」

「いいんですか？」

管理人の顔に不安の色が過《よぎ》る。彼が何を心配しているかは明らかだった。この部屋の中で、中川が死体になっていたら……大友はうなずき、彼に指示を与えた。

「これから私が中に入ります。三分経っても出て来ないか、何か大きな物音がしたら、すぐに逃げて下さい。それで、一一〇番通報を」

管理人の大きな喉仏が上下した。大友は名刺を渡し、自分の名前を彼の頭に叩きこませた。

「何もないですよね」心配そうに管理人が訊ねる。

「それは何とも言えません。だから、中に入るんです。ドアは、開けたままにしておいて下さい」

「ああ、ストッパーがありますよ」管理人が、作業服のポケットからゴム製の小さなドアストッパーを取り出した。こんなものをいつも持ち歩いているのだろうかと疑問に思いながら、ドアの下に嚙ませて、万が一の時の脱出経路を確保した。

玄関に首を突っこむと、むっとする煙草の臭いが鼻につく。原稿を書く連中は、どうして煙草を仕事の推進力だと言い訳するのだろう。マスクを持ってくればよかったと後悔しながら、玄関先で靴を脱いだ。本当はオーバーシューズを履いて上がりたいところだが、仕方ない。後で鑑識が必要になった場合に備えて、短い廊下の端を選んで歩くようにした。

リビングルームの扉は閉まっている。ノブを回してわずかにドアを開け、部屋の空気を感じ取ろうとする。廊下にいる時よりも一層強い煙草の臭いが染み出してくるだけだった。大友は姿勢を低く保《たも》ったまま、ドアに手をかけてゆっくりと開いた。顔を突っこみ、中の様子を感じ取ろうとする。低いモーター音が聞こえるのは、冷蔵庫か何かだろうか。それと、パソコンのファンが回るかすかな音。それに混じって低い寝息が聞こえてきた。

百パーセントの警戒を五十パーセントにまで引き下げる。しかしきちんと確認するまでは、完全には安心できない。

空気に染みついた煙草の臭いに悩まされながら、大友は姿勢を低くしたまま部屋に入った。淀んだ空気が顔の周りにまとわりつき、頭痛を予感する。中川はデスクにはついていなかった。とするともう一つの部屋か、ソファ。背がこちら側を向いていたので、ゆっくりと回りこんで確認する。

中川……大友はゆっくりと溜息をついた。ソファの上で胎児のように丸まり、軽く鼾をかいている。部屋の中は冷え切っているのに、毛布もかけていない。その代わりに、トレンチコートを首のところまで引き上げていた。

「中川?」小声で呼びかけたが反応なし。コートを剝ぐと、肩を震わせたが、まだ起きようとしなかった。いっそ水でも浴びせてやるかと思ったが、それよりも光の方が効果的だろうと、思い切りカーテンを開ける。午後の弱い陽射しが射しこんできて、薄ぼんやりとしていた部屋の様子が一気に分かった。ソファの前のテーブルに置かれた灰皿には、吸殻が山盛りになっており、そこから嫌な臭いが漂い出している。缶コーヒーの空き缶が二本。一本は倒れて、零れ出した中身が乾いて焦げ茶色の染みになっている。パソコンのモニターは二台とも暗くなっていたが、大友がデスクに腰をぶつけた拍子にぱっと明るくなり、パスワードを要求する画面が出てきた。電源も落とさずに……大友は首を振りながら、早く管理人に合図しなければならなかったのだ、と思い出した。仮に中川が病気でも、自分一人で対応できる。

今度は遠慮せずに、足早に玄関に向かい、室内を覗きこんでいた管理人に笑いかけた。

「大丈夫でした。お騒がせして申し訳ありません」

「そうですか？」疑わしげに管理人が首を傾げる。トラブルがなかったのが寂しい様子だった。死体でも期待していたとしたら、とんでもない話である。

「問題ありませんから、お引き取り下さい」

大友はやや口調を強めて言った。それに気圧されたのか、管理人がすごすごと引き返す。

さて、本番はこれからだ。大友は玄関を開け放したまま、もう一度窓に向かった。音を立てて全開にすると、寒風が窓から玄関に向かって流れ始める。部屋の温度が一気に下がったようだった。中川がくしゃみをして、跳ね起きる。目はまだ瞑ったままだったが、間違いなく目は覚めている。もう一度くしゃみをすると、ようやく目が開いた。

「テツ」ぼそりと言うと、両腕を天井に突き上げて、顎が外れそうな大欠伸をする。肩からばきばきと乾いた音が聞こえてきた。「何やってるんだ」

「市谷はどこだ？」

「ああ？」

「市谷だよ。こっちに来てないのか？」

「いないだろう」中川が肩をすくめる。「見りゃ分かるだろう、そんなこと」

「向こうは寝室？」大友は、閉まったドアに向けて顎をしゃくった。

「倉庫だよ。無理すりゃ寝られないこともないけど」

「調べさせてもらうよ」

「おいおい、何なんだよ」のっそりと動いた中川が、大友の前に立ちはだかった。寝起きで目が赤い。

「邪魔しないでくれ。怪我させたくないんだ」

「そういう台詞はお前らしく――」

大友は中川の肘を摑んで、すっと横へ押した。バランスを崩した中川がたたらを踏み、倒れそうになって慌てて踏みとどまる。

「何するんだよ」肘を押さえ、恨めしそうに大友を睨む。

「静かにしていてくれ。その後で、僕の質問に答えて欲しい」

「乱暴だな。お前、そんなタイプじゃないだろう」

「人は変わるんだよ。変わらざるを得ないんだ。お前みたいに、いつまでも昔のままでいられる人間なんて、ほとんどいないんだ」

呆気に取られて、中川がぽかんと口を開ける。大友も、自分の言葉に驚いていた。こんな激しい調子で言うつもりはなかったのに。うつむいたまま、倉庫のドアを開ける。手探りで照明をつけると、図書館の一角を切り取ったようなスペースが目の前に現れた。部屋全体に書棚を入れたようで、床から天井までが本で埋まっている。迷路を縫うように中を改めていったが、基本的には本と資料しかない。この部屋は作業部屋と違ってエアコンが入っている。温度・湿度を入念に管理しているようだった。

「いい加減にしろよ、テツ」髪に手を突っこんでぼりぼりと搔きながら、中川がドアの前に立った。「そんなところに市谷がいるわけないだろう」

「彼は、昨日はどうしたんだ？」

「夜になって帰ったよ」腕時計に目を落とす。直径が手首の幅ほどもありそうな巨大なクロノグラフだった。「十時頃だったかな」

「仕事に支障はなかったのか」

「あいつの仕事は、ここで原稿を書くことじゃないから。資料整理をしてもらって、一段落した時に、今日は帰りたいって言ったからそのまま帰したよ。何か問題あるのか？」

「分からない」大友は書棚を見上げた。スクラップブックが収まった一角で、たまたま目の前にあった物は、背表紙に十年前の日付が書いてある。ざっと見ただけで、スクラップブックは書棚の三段分を占めていた。百冊ぐらいはあるのではないだろうか。この資料の収集と管理を任されていたとしたら、市谷の仕事の荷重も相当なものだったに違いない。

倉庫を出て、窓を背にして立つ。中川は面倒臭そうに頭を掻きながら、ソファに腰を下ろした。

「で、何なんだよ。今度はあいつが殺されたのか？」

「彼は夢厳社によく出入りしていたのか？」

「さあ、どうかな。そういう話は聞いたことがない。でもあいつは、俺と違って喧嘩して辞めたわけじゃないから。単にあそこでやっていけないと思って、笹倉さんも引き止める理由がなかったから、円満に辞めたはずだけど」

「何か、笹倉さんに対して文句は言ってなかったか？」

「ないわけじゃないけど……」中川がぴしりと膝を叩いた。「まさか、あいつが犯人なのか？」

「そういうことを言ってるんじゃない」大友はデスクに尻を引っかけた。どうにも居心地が悪いが、立っていると完全に見下ろす形になってしまうので、話がしにくい。中川は、今は大物然として不機嫌そうな表情を浮かべているが、元々は気の弱い男である。しつこく引っかくような攻撃を続けていけば、表面的な傲慢さは消えるはずだ。

そういうことをするのを後悔しない自分がいる。

「彼は今日の明け方、正確に言うと午前四時半から五時の間に、夢厳社のビルに忍びこんでいる」

「へえ」

「どうしてそんなことをしたか、心当たりは？」

「さあね。でもあいつ、あそこの鍵を持ってるはずだぜ」右手を捻って、鍵を開ける真似をする。

「鍵を持っているからと言って、忍びこんでいいという法はない。彼は今、夢厳社の人間じゃないんだから」

「何なんだよ、その面倒な話は」

「金庫を漁って何かを探していたんだ。結果的に、何も持ち出さなかったみたいだけど」

「分かった、分かった」中川が首を振った。「あいつが泥棒しようとしてたわけだな？　それで俺のところに、あいつに十分金を払ってるかどうか、金に不自由してないか確認しにきた」

「茶化してる場合じゃない」大友は右手を上げ、デスクを平手で叩いた。短く鋭い音。中川は何の反応も示さなかったが、耳が少しだけ赤くなったのを大友は見逃さなかった。

「実際のところ、どうなんだ？　貧すれば鈍するって言うだろう」

「奴には、月十万払ってる」

「それだけ？」

「あのな」苛立ちを隠そうともせず、中川が言った。「ここは会社じゃないし、あいつも、俺の部下というわけじゃない。ただのスタッフで、脚本の手伝いをしてもらってるだけだからな。その代わりにあれこれノウハウを教えたり、業界の関係者を紹介したり、仕事も回してる。しかも、あいつが構成作家としての仕事で忙しい時は、無理にここへ来なくてもいいルールだ。それで毎月十万円も小遣いを貰えるんだぜ？　こっちが逆に金を貰いたいところだよ。上納金とかな」昔の夢厳社のシステムを口にして、中川が表情を歪める。

「市谷は、その十万円の他に幾ら稼いでるんだ？　東京で暮らしていくには、結構金がかかるんだぜ」

「構成作家は、頑張れば儲かるもんだ。あいつの場合、今のところ一本十万円クラスだけど、まだまだ伸びる余地はあるよ」

だからといって、贅沢ができるわけではあるまい。金を狙って夢厳社の事務所に忍びこんだとしたら、とんだ勘違いだ。いや、彼は元々、金など期待していなかったのではないか。夢厳社にいた頃も、厳しい財政状況は目の当たりにしていたはずだし、今回、笹倉の事件をきっかけに、巨額のローンなど様々な実態を知ったはずだ。金庫の存在は昔から知っていただろうが、そこに現金があるなど、考えもしなかっただろう。もしかしたら、あの中に何が入っているか知っていて、狙った？　その狙いが何だったのか……脚本を盗みに入るというのは、どう考えてもあり得ない話である。

知らないだろうと承知の上で、中川に訊ねてみた。

「夢厳社に、でかい金庫があるのを知ってるか？　戦前の物らしいんだけど」

「いや」きょとんとした表情で中川が答える。「何の話だ」

「知らないならいい」大友も今日まで知らなかった。ということは、大友と同じように、十数年前に劇団と縁を切ってしまった中川が知るはずもない。今も密かに劇団とつながっていたとしたら話は別だが、それは考えられなかった。この男は、夢厳社に——笹倉に対して特別な嫌悪感を抱いているはずである。それは薄れこそすれ、消えることはないだろう。

「何なんだよ、いったい」中川が立ち上がり、胸をそらして、小柄な体を精一杯大きく見せようとする。「だいたい、何で俺のところに来るんだ？　俺は市谷の保護者じゃない」

「しかし、動向を一番よく知っている人間なのは間違いない」

「ここを出た後のことまで、責任は持てないよ。頼むぜ、本当に。俺は忙しいんだから」

「そう言う割に、寝てたじゃないか」

「朝まで仕事してれば、この時間に寝てるのは当然なんだよ。公務員には分からないだろうけど」

「僕たちは、徹夜で仕事しても、そのまま眠らないで次の日の仕事に入る」

二人はしばし睨み合った。このままでは埒《らち》が明かない。中川も静かに怒りを燃やし続けている。仮面を剝がせると思った自分の甘さを、大友は思い知った。フリーになって十数年の厳しい毎日は、この男を本来の性格とは違う、傲慢で強い人間にしたのだろう。あるいは僕が弱いのか。攻め切れなかった自分の情けなさを嚙み締めながら、大友は部屋を後にした。

4

事務所に居残っている高山に電話をかけ、今朝方の出来事を誰にも喋らないように念押ししてから、大友は美術スタッフの石本に会いに出かけた。今日は自宅にいるというので、近くのファミリーレストランで会うことにする。相棒は連れずに出向く。これも原則的にはルール違反なのだが、この際普段の約束事は無視することにした。石本を少しだけ油断させたかったのだ。

約束の時間に五分遅れて着くと、石本は既にボックス席に座って、寒さを感じないようにアイスコーヒーを飲んでいた。だいたい服装も、冬向けではない。長袖のTシャツの上に、肩のところに切り返しがついたダウンベストだけである。しかもTシャツは、袖を肘の近くまで捲り上げていた。

「申し訳ない」詫びて座ると同時に、大友は近くにいたウェイトレスを呼び止め、コーヒーを頼んだ。

「暇だったからいいけど、どうしたんだよ、いきなり。不意打ちも捜査のテクニックの一つか？」

大友は彼の皮肉を受け流した。真剣な眼差しで一瞬だけ睨み、こちらの本気が伝われば、と願う。

「一つ、聞きたいことがあるんだ。事務所に金庫があるよね」

「ああ……」何のことか分からない様子で、石本の顔に戸惑いが広がる。

「あの金庫、何が入っていたんだ？」

「お前が何を言いたいのか分からないけど、あの金庫は冗談だよ」

「冗談」大友はゆっくりと繰り返した。武智と同じことを言っている。ということは、あの金庫の由来は、夢厳社の人間なら誰でも知っているということか。「どういうことかな」

「どういうことって、笹倉さんが一人で喜んでやってただけだから。劇団の財産は脚本だから、ちゃんと金庫にしまっておくのが相応《ふさわ》しい、なんて言ってさ。馬鹿だよな。脚本なんて、全部データで残っているのに、わざわざ綺麗に製本した完成品をしまっておくんだから。」

「他には何も入ってなかった？」

「だと思うよ」涼しい表情で、石本がコーヒーを啜った。

「実際に見たことは？」

「ある、かな？　何かの拍子で笹倉さんが開けた時に、見たと思う。でも、見ただけだぜ。中に何が入ってるかは分かってたし、俺には興味ない話だからな」

「今日、市谷らしき男が事務所に忍びこんで、金庫を開けた」

「はあ？」石本が目を見開く。「何だよ、それ。初耳だ」

「この話はあまり広めていないんだ。彼の目的が分からないから」

「俺に聞いたって無駄だぜ」石本が先手を取って言った。「市谷とは、ほとんどつき合いがないんだから」

「彼は、どんな人間だった？　何で夢厳社を辞めたんだろう」

「馘になったんだよ」

「円満に辞めたんじゃないのか」

中川から聴いた話とは違う。馬鹿にしたように笑い、石本が首を振った。

「笹倉さんもさ、脚本家は欲しがってたんだ。今時流行らないけど、座つき作家っていうのかな。いつも手元に置いて、自分の考えを反映させたいって思ってたんだろうな。そこへ、脚本家志望の若い奴が来たから……」

「チャンスだと」

「いろいろやらせてみたんだけど、正直言って、あいつには脚本家としての才能はないと思う。それは笹倉さんだけじゃなくて、俺も感じてた」

大友は、意外な話の流れに戸惑いを感じていた。

「じゃあ、彼はどうして、中川のところにいるんだ？　鍛えてもらえば、何とかなるとでも思ってたんだろうか」

「それは分からないけど。中川とも市谷とも、全然話してないからな」

「ああ」

「今回、どうして笹倉さんがあいつを記念公演に呼んだかも分からないんだよな」グラスを取り上げ、石本がアイスコーヒーを一口飲む。

「本人は雑用係で呼ばれたと言ってたよね」大友は念押しをした。

「俺たちも変だと思ったんだ。笹倉さんに徹底的に駄目出しされて、完璧に凹んで辞めたんだぜ。笹倉さん、『あいつは使い物にならない。この世界で生きていけなくしてやる』なんて、ひどいこと言ってたな」

「実際、そうなった？」

「いやあ」石本が苦笑する。「あの人も、それほど暇じゃないよ。他の劇団の知り合いなんかに、『あいつを使うな』って言うぐらいはできたと思う。だけどあの人、一晩経つと忘れるようなところ、あったじゃない？　口は悪いけど、執念深くはなかった」

「確かに」些細なことで激怒する。「下手クソ」「やめちまえ」が口癖。だが翌日になると、何事もなかったかのようにけろりとしているのだった。こういう性格だと分かってはいても、やられた方は怯え、傷つく。何故か大友は、一度もそういう被害に遭わなかったのだが。

「だから、追い出した後は、完全に忘れてたんじゃないの？　実際市谷も、他の劇団の仕事なんかもしてたわけだし。その後は、笹倉さんの口からあいつの名前が出たことなんか、一度もなかったと思うよ」

「だったら今回、何で呼んだんだろう」

「うん……」石本がグラスの中でストローをかき回す。「はっきりしたことは笹倉さんも言わなかったんだけど、何となく想像はつくな」

「どういうことだ？」

「市谷の脚本、今度映画に使われることになってさ」

「そうなんだ」ということは、市谷に対する笹倉たちの評価は間違っていたことになる。「来年、撮影に入るらしいけど、あいつにとっては映画デビューなんだ。上手くいけば、構成作家から抜け出せる」

「構成作家は泥沼か？」

「そりゃそうだよ。番組の数字が取れなければ、責任を問われて、いつでも切られる。あの連中は使い捨てなんだから。局の連中には頭を下げ続けなくちゃいけないし、ストレスが溜まるよな。映画の脚本なら、レベルが違う。何段階も、一気にステータスが上がる。それはもちろん、また監督なりプロデューサーの言いなりに書き直さなくちゃいけないんだろうけど、構成作家よりはましじゃないかな。映画が失敗しても、脚本が悪かったとはあまり言われないわけだし」

「分かった」大友は、ようやくコーヒーに口をつけた。かなり前からの作りおきのようで、苦味が強い。「市谷にとってはめでたい話じゃないか。でも、それと笹倉さんが彼を呼んだのと、何の関係があるんだ」

「そういうことが、笹倉さんには気に食わなかったんじゃないかな……いや、これはあくまで俺の想像だけど。自分が才能に見切りをつけて追い出した人間が、別の世界で認められる。これって、笹倉さんみたいな人にとっては、かなり苛々することだと思うよ。自分に見る目がなかったっていうことになるだろう」

「ちょっと話が飛び過ぎてる感じがするけど」大友は首を捻った。

「実際、そうなんだって。間違いないよ」想像だと言いながら、石本の口調は熱を帯び、己の想像が事実だと確信している様子だった。「だいたい今回、市谷の方にだって、呼ばれても来る理由がないじゃないか。もう脚本はあるわけだし、芝居をさせてもらえるわけでもない。それを笹倉さんは、わざわざ『アドバイザーとして』なんて猫なで声で言ってね。それで実際に呼んでみたら、雑用係だよ。俺らの手伝いをさせてるんだから、ひどい話だ」

「だけど彼は、最後まで——芝居の本番までつき合ったんだろう？」

「そこは、俺にも分からないんだけど」半分ほどに減ったアイスコーヒーに、ガムシロップを少しだけ加える。「そんな風な扱いを受けてても、あいつ、何だか嬉しそうにしてたんだよな。また笹倉さんの悪い癖が始まったって、慰める奴もいたんだけど、市谷は全然平気だった。これは想像なんだけど、あいつはあいつで、笹倉さんに対してある種の優越感を抱いていたんじゃないかな。脚本を書く人間の中には、時々そういうタイプがいるじゃないか。自分が書かないと何も始まらないって思ってる奴。勘違いなんだけど……中川なんかもそうかもしれない。あいつは今は、本当に偉くなっちまったんだけどな」

「何だか、市谷の行動はすごく自虐的に見えるんだけど」

「顎で使われて馬鹿にされて、裏で逆に馬鹿にしている……そういうのもありなんじゃないか？　確かに自虐的だし、俺はそんなこと、できないけどね。それよりあいつ、いったい事務所で何をやってたんだ？」

「それはこっちが知りたい」

「金庫、ねえ」アイスコーヒーを一口飲み、石本が顔をしかめる。ガムシロップを入れ過ぎたようだ。「笹倉さんにとっては、あの金庫こそが劇団の歴史だったのかもしれないけど……全公演の記録みたいなものだから。何か、あの人らしいよね。案外、感傷に浸るタイプだったと思うよ。でも、十何年もつき合ってるけど、俺には結局あの人のことが分からなかったけどね」

それは僕も同じだ、と大友は思った。しかも僕の場合、十数年も彼と離れていたのだから、その間の変化も知らない。

一つだけはっきりしているのは、笹倉自身が原因で、彼を取り巻く人間関係が嫌な感じに歪んでいた、ということだけである。

「足りない……感じがするんですよ」武智が自信なさげに言った。石本と別れて駅へ向かう道すがら、彼からかかってきた電話。

「金庫の中身が？」

「ええ。中身を全部把握していたわけじゃないんですけど、脚本が一冊足りないみたいです」

「それが何なのか、分かりますか」大友は足を止め、歩道の鉄柵に体を寄りかからせた。枯れ葉が溜り、足の下でかさかさと乾いた音を立てる。

「自信はないですよ」弱気に前置きしてから、武智が打ち明ける。「『アノニマス』だと思うんですけど」

「いや」大友は即座に否定した。「あれはあったでしょう。さっき、私も見ましたよ」

「違うんです。確かに、『アノニマス』はありますよ。今回の上演に当たって手を入れた最新版の脚本も、初演の時の脚本も。最新版は、私が自分であの金庫にしまったから、よく覚えてます」

「金庫の管理は笹倉さんがやってたんじゃないんですか？」

「今回は、『しまっておけ』って言われて。その時に中を見たんですけど、もう一冊、『アノニマス』があったはずなんです。つまり、合計三冊」

「どういうことですか？」大友は額を揉んだ。何か、話がずれている。

「だから、なくなってるとしか言いようがありません」

「笹倉さんじゃないんですか？」笹倉の部屋、劇団内のデスクにも、徹底的な家宅捜索が行われている。その中に、「アノニマス」の脚本はなかったはずだ。

「そうかもしれないけど、もしかしたら、市谷が……」

「彼が脚本を盗んだって言うんですか？　だいたい、もう一冊の『アノニマス』って、何なんですか」

「中身は私も見てないんだけど……何なんでしょうね」頼りなげに、武智が聞き返した。

「私に聞かれても分かりません。とにかくもう一度、そちらへ伺いますから」久しぶりに将棋の駒になったような気がした。東京を西から東へ、南から北へ走り回る。そして駒である大友を動かしているのは、大友自身なのだ。

「アノニマス」の脚本は、ただ懐かしい。自分でもオリジナル版を持っているのに、改めて手にすると、その思いが強くなる。薄い緑色の表紙。かっちりしたゴシック体で書かれたタイトル。使われぬまま保存されていたので状態はよく、十数年前、初めて手渡された時の興奮が蘇ってきた。一度も開かないまま保管されていたようで、折り目が一切ない。折らないように気をつけながらページをめくってみたが、書きこみなどがあるわけではなく、まったく綺麗なままだった。他の脚本も同じ状態なので、金庫は本当に保管用だったと言っていいだろう。

今回上演された脚本を手に取った。表紙がグレーに変わり、書いた人間の名前がない。ページをめくって、出演者とスタッフの箇所を確認しても、中川の名前は見当たらなかった。あっさりした男のはずなのに、笹倉はまだ中川を嫌っていたのか……胸の奥がざわめく感じが強くなる。辞めて十年も経った人間を、まだ認めたくないということか。わざわざ二十周年記念公演のために選んだということは、笹倉がこの芝居に自信と執着心を持っていた証拠なのに。

そういう背景があるにもかかわらず、市谷が中川の弟子だと分かっていて、彼を芝居に呼んだ。笹倉のメンタリティも分からないが、市谷が何を考えていたかも理解不能だ。こうなると、彼ともっとみっちり話しておかなかったのが悔やまれる。

「もう一冊の脚本がどんな感じだったか、覚えてませんか？」

「いや、さすがにそれは……」武智が申し訳なさそうに言った。「正直言って、表紙がどんな色だったかも覚えてません。緑色でもグレーでもなかったのは確かですけど」

「厚みは？」

「同じだったと思いますけど……ごめんなさい、それも何とも言えません」

彼のこの記憶が確かならば、大幅に書き足し、あるいは削除された改訂版ということではない。大友は、まだ事務所に居残っていた高山にも声をかけた。

「知らないなあ」高山は無責任に首を捻るだけだった。「だいたい俺、その金庫に手をつけたこと、ないから」

「そうじゃなくて、『アノニマス』の別の脚本のこと」

「別って、表紙をつけ替えただけじゃないのか？」

「その程度の別バージョンを、わざわざ保管しておく意味はないだろう」

「ああ、まあな」不満そうだったが、高山が認めた。「でも、俺に聞くなよ。全然分からないからな」

結局謎が増えただけか……大友は金庫を閉め、ここまで分かったことを柴に話そうか、と思った。渡辺に報告するためには、まだ材料が薄い。柴と話して、考えをまとめたかった。何だかんだ言って、あの男と話していると考えに筋が通る。

そうしようと思って電話を取り出した瞬間に、鳴り出す。着信を確認すると、古橋だった。退院後は一度も会っていなかったのだが……嫌な予感を覚え、慌てて電話に出た。

「どうした？」前置き抜きでいきなり訊ねる。

「ちょっと、変なことを思い出してさ。今回の事件に関係あるかどうか、分からないんだけど」

「何でもいいよ。思い出したら話してくれって、頼んだよな」相手が病み上がり――殺されかけた人間であることを考慮して、大友はできるだけ優しい声を出した。

「入院してる時、お前と話したよな」まだ自分の話に自信が持てない様子で、古橋は慎重に言葉を選ぶように話した。

「ああ」

「あの時、何か思い出しそうだって言ったの、覚えてるか」

「覚えてる。それを思い出したのか？」

「たぶん……でも、何のことか、自分でも分からないんだ。どうして気になっていたか

「話してくれ」さすがに苛立ちを覚え、大友はわずかに声を大きくした。「何がヒントになるか分からないんだから」

「馬鹿にするなよ？　本当に、何のことか分からないんだから」

「それでも構わない」

「そうか……」

古橋が息を呑んだ。そこまで覚悟を決めないと話せないことなのか、と大友も呼吸を止めた。彼が話し出したことは、古橋はともかく、大友には呼吸を止めて気持ちを整えるだけの価値があるものだった。

「『アノニマス』の脚本、もう一種類あったんじゃないか？」

5

古橋の部屋は、いかにも独身男性のそれらしく、雑然としていた。その中で、液晶テレビの横の棚につい目が行ってしまう。細かい細工を施されたパイプがずらりと並んでいるのが、部屋の雰囲気に合っていない。

「何だい、あれ」

「パイプだけど」

「それは分かるけど、お前、煙草も吸わないじゃないか」

「作ってるだけだよ」

「お前がパイプを？」大友は仕事を一瞬忘れ、並んだパイプに顔を近づけた。乳白色のパイプは、サイズは様々で、施された細工も一つ一つ違う。今目の前にあるのは、人の顔を象《かたど》った物だった。短い吸い口の先に、首がついた感じ。高さ五センチほどの小さな物なのに、険しく厳しい性格が滲み出るほど、精密な彫刻だった。

「笹倉さんに似てるな」かすかな恐怖を感じて、大友は顔を離した。

「あの人の顔、彫りやすいんだ」照れたように古橋が言った。「こんなの、ばれたら殺されてたかもな。俺の顔に火を点けるのかって」

「こんなこと、いつからやってたんだ？」

「結構昔からだよ」

「石なんだ」握り締めると、ひんやりと硬い感触が手に伝わる。

「海泡石《かいほうせき》っていうんだ。柔らかくて加工しやすいから、パイプの素材としては定番なんだよ。大して金もかからないし、夜中に一人で石を削ってると落ち着く」

「いい趣味だね」

「ああ、どうも……座れよ」

言われるまま、大友は床に直に腰を下ろした。大き目のラグが敷いてあるので、フローリングの冷たさは遮断されている。古橋はキッチンに消えていた。

「さっき、何であんなに驚いたんだ」キッチンから、古橋が声をかけてきた。

「たまたまお前から電話がかかってくる前に、『アノニマス』の話をしてたからさ」

古橋がマグカップを二つ、持ってきた。床に置かれたそれを覗きこむと、緑茶である。ありがたい。今日はもう、コーヒーを飲み過ぎていた。一口飲み、柔らかい味わいにほっと一息つく。すぐに顔を上げ、自分の前で胡坐をかいている古橋に訊ねた。

「さっきの話、もっと詳しく聞かせてくれないか」

「詳しくって言ってもな……ちょっとビビったよ。お前があんな怖い調子で聞いてくるとは思わなかった」

「それぐらい、大事な話なんだ」

「『アノニマス』の脚本が？」

「ああ」

「中身については分からないよ」古橋が先に防御壁を張り巡らせた。「ただ、もう一冊、脚本があるんじゃないかって思っただけだ」

「どうしてそう思った？」声が尖るのを自分でも意識する。

「中川がそんなことを言ってたんだよ。昔、あいつと二人で呑んだ時なんだけどな」

「中川が劇団にいた頃？」

「ああ。酔っぱらって愚痴を零して、『勝手過ぎる』って言ってた」

「笹倉さんのことかな」

「いや」短く否定したが、古橋の言葉に自信はなかった。「そういう文脈での話じゃなかったと思うけど、何しろ十年以上前の話だからな。今思い出せって言われても無理だ」

「でも、中川の言葉は思い出したじゃないか」

「だってあいつ、あまり愚痴を零さないタイプだったじゃないか。だからだと思うよ」

確かに。中川は攻撃されると、ひたすら内へ籠ってしまうタイプである——少なくとも昔はそうだった。あれだけ笹倉に痛めつけられていたのに、表立って文句を言うことはほとんどなかったし、仲間たちに愚痴を零した記憶すらない。用心していたのではないかと思う。酒の席での戯れ言であっても、回り回って笹倉の耳に入るかもしれない、と。

「それだけ印象的だったなら、まだ忘れてないんじゃないか？　もう少し頑張って思い出してくれよ」

「無茶言うな」古橋が苦笑したが、大友の真剣な表情を目の当たりにしたせいか、表情を引き締める。

「いや、必ず思い出せる」大友はマグカップを床に置き、身を乗り出した。人の記憶を引き出すのは、ほんの些細なきっかけなのだ。「まず、場所から行こうよ。どこだった？『小豆屋《あずきや》』か、それとも『ミストラル』か」学生時代、大友たちがよく通っていた下北沢の店である。今はどちらも閉店しているはずだ。

「その二つじゃないな」古橋が即座に断言する。「あの辺に行く時は、いつも大人数だったじゃないか」

「だったら、『珈琲山脈《コーヒーさんみゃく》』？」山小屋風の造りの喫茶店だが、午後五時を過ぎるとアルコールを出す。テーブルが小さかったせいもあり、大抵一人か二人で行ったはずである。

「あそこ？　うーん」古橋が腕組みをした。「どうだろう。そもそも下北じゃなかったかもしれない」

「となると、新宿か？　渋谷？」

「分かった」古橋が突然膝を打ち、地味な駅の名前を出した。「世田谷代田だ」

「だったらあそこだね？　『レッドベリー』だ」世田谷代田は昔から住宅街で、繁華街を形成するほど店がない。「レッドベリー」は、住宅街のただ中にぽつんとある一軒家の店で、隠れ家のような存在だった。何故か古いアコースティック・ブルースばかりを流しており、大友は一人でゆっくり呑みたい時に、よく出かけた。頻繁に通うようになったのは、警察学校を出て、所轄に配属されてからである。寮暮らしはどうにもがさつで、大友の性には合わなかった。時折、どうしても静かな空間が欲しくなり、非番の時などによくこの店に逃げこんで長い時間を過ごしていた。

「間違いない」古橋が満面の笑みを浮かべる。「何で間違いないかっていうと、その時中川、店の人と一悶着起こしたんだ。何でそんな辛気臭い曲ばかりかけるんだって文句を言ってさ」

「辛気臭いって……それが売りなんだけどな」

「あいつは、その時が『レッドベリー』初体験だったんだよ。それで、店の仕組みもよく分からなかったんだろう」

「よし、いい調子だ。季節は？」

「冬、かな」古橋が顎を撫でた。「確か俺、買ったばかりのダウンを着てて、あいつにからかわれたんだよ。物凄く発色のいい緑色でさ。冬山で遭難しても、救助のヘリから絶対に見えそうなやつ」

時期的には合っている。「アノニマス」の初演は、大友が三年生になったばかりの春だった。脚本の準備が進められていたのは、暮れから年明けにかけてだったと考えるのが自然である。大友は、話をリードする形で情報を引き出すのはやめた。古橋は、できるだけ人の希望に応えようとするタイプである。だから今も、大友を喜ばせようとして、無意識のうちに話を作り上げている可能性がある。

「話の内容についてはどうだろう」敢えて抽象的な質問に切り替える。

「それは……どうだったかな。確かめたような記憶もあるけど、覚えてない」

「勝手過ぎるっていう発言だけど、何に対して『勝手』なんだろうか」

「確か、『自分で書きもしないで生意気だ。勝手だ』とか言ってたような気がするんだけど……言葉は正確じゃないと思うけどね」

笹倉に対しての言葉ではないだろう。中川にとって笹倉は絶対君主、まかり間違っても逆らえない存在である。だからこそ、恐怖政治に屈して、酒の場でも悪口を言えなかったほどなのだから。「生意気」というかなり強い調子の批判を口にするとは思えない。だとしたら、誰に対して？　笹倉の他に、脚本に口出しするような人間がいたのだろうか。

「困ったな……」古橋が顔を擦る。「でも、たぶん俺は、あいつが誰に対して怒っていたかは聞いてないと思うよ。あいつ、そういうことに関してはやけに慎重じゃないか。愚痴を言う時も、言質を取られないようにするぐらいでさ。だから、聞いてないと思うんだ」

「あいつらしいね」大友は苦笑した。

「それよりお前、どうしてこんなに敏感に反応したんだ？　こんなの、役に立つかどうか分からない情報じゃないか」

「市谷が、夢厳社の事務所を家捜ししてたんだ」

「何だって？」

古橋の顔が蒼褪める。大友は個人的な推測を交えず、淡々と事情を説明した。聞き終えた古橋は目を閉じ、情報を咀嚼《そしやく》している様子だった。

「金庫に脚本が保管してあった話、知ってたか？」

「金庫？　何となく聞いた記憶はある」古橋が目を細める。

「『アノニマス』の脚本は、オリジナルがもう一つあったらしいんだ」

「それは俺が言ったこと……お前、何が言いたいんだ？」

自分の推測を話していいものかどうか、迷う。しかし古橋は、貴重な情報提供者でもあるのだ。さらに何か思い出す可能性に賭けて、説明した。

「上演された『アノニマス』の前に、初稿というか、一度は完成した脚本があった。ところが何らかの理由でそれがボツになって、中川が書き直した物が採用された。上演されたのは、そっちだ」

「誰かに文句を言われて、それを受け入れて書き直したとかいう意味か？　俺が見たのは、あいつがそれで悶々としている場面だったかもしれないと？」

「それだと、綺麗に線がつながるんだ。笹倉さん以外に、中川に文句をつけられる人間、いたか？」

「それこそ誰でも」古橋が皮肉に唇を歪めた。「あいつ、言い返さないから、標的になりやすかったじゃないか」

「今はだいぶ変わったみたいだけど」

「そうかね」古橋が首を傾げる。「偉くなったってことか？」

「強くなった、という方が正確かな。ああいう業界で生き延びるためには、相当な図々しさが必要だろう？　自然に面の皮も厚くなるんじゃないかな」

「そうかもしれない」

「市谷は、まだそこまで行ってなかったみたいだけど」

「まだまだ可愛い坊やだよ」古橋がお茶を一口呑んだ。「もっとも、これから図々しくなるんだろうけど」

「彼が事務所に忍びこむ理由、何か考えられるか」

「分からない。誰かに頼まれたとか？」

「誰に？」

古橋は口を閉ざし、答えを拒否した。分からないのではなく、この場で言っていいかどうか、悩んでいる様子である。大友は黙って待ったが、古橋はやはり自分の口からは言いたくない様子だった。

「分かってるんだろう？」ぼそりとした口調で、大友に同意を求める。

「推測に過ぎない」しかも、あまり根拠のない推測だ。

「テッ、俺と同じことを考えてるんじゃないのか？」古橋は少しだけしつこかった。

「そうかもしれない。分かってるなら、お前が言ってくれないか」

「やだよ」言下に拒否する。「厄介なことに巻きこまれたくない」

「これは捜査なんだよ。厄介だろうが何だろうが、やるしかないんだ」

「それは、お前の仕事だろう」古橋がのろのろと首を振った。「俺は勘弁して欲しいな。これから身の振り方をどうするか、考えていかなくちゃいけないんだから」

「劇団、どうするんだ？」

「辞めるしかないんじゃないかな」古橋が両手で顔をごしごしと擦った。「何しろ俺は、笹倉さん殺しの最有力容疑者なんだから」

「警察ではそんなこと、言ってないぞ」

「内輪では相変わらず犯人扱いだよ。仮にお前が真犯人を捕まえてくれても、関係ないだろうな。それで皆納得してハッピーエンド、なんて風にはならない。一度こんな感じで人間関係がぎすぎすすると、二度と元に戻らないんだ」

「ああ」大友はゆっくりとうなずいた。「知ってる。僕は、この仕事を始めてから、そういうことばかり見てるんだ」


ずっしりと重い気分を抱えたまま、大友は早紀の事務所に連絡を入れた。「アノニマス」のもう一つの脚本について話を聴こうと思ったのだが、不在だと知らされた。「捜査だから」の一点で押し通して彼女の居場所を聞き出した結果、寒風が吹きすさぶ路上で待つはめになった。


ドラマのロケ中で、原宿の裏道が一時的に封鎖されている。異常に明るい照明の下で、早紀の姿がちらりと見えた。膝まであるダウンコートを着て、リズムを取るように両手を打ち合わせながら、同じ場所で小さな円を描くような動きをしている。台詞の確認をしているのだな、と思うと頬が緩んだ。昔と全然変わっていない。集中している時は、何故か歩き回るのだ。

どうしたものかと迷っているうちに、使えそうな人間を見つけた。裏道とはいえ公道を閉鎖しているので、所轄署の制服警官が歩行者を誘導している。大友はバッジを示して彼を呼び、柔らかい声で話しかけた。

「一つ、頼まれてくれないか」

「はい、何でしょうか」足下からしんしんと冷えこむ夜なのに、声は熱い。

「ロケの現場まで行けるかな」

「大丈夫だと思いますが……」急に自信をなくしたように、声が低くなる。

「箕輪早紀、分かるよね」

「ええ」怪訝そうな表情が広がる。

「彼女にメッセージを渡して欲しいんだ。事件の関係で話が聞きたい」

「例の劇団の事件ですか」制服警官が声を潜める。やけに背が高いので、大友と顔の位置が同じになるように、背中を丸めていた。

「そういうことだ。よく勉強してるね」

「話題になりましたから」照れたように言って、急に真顔に戻った。「やってみます」

「頼む」

大友は手帳を広げ、「現場に来ている。話したい」と走り書きした。ページを破き、丁寧に折り畳んで制服警官に託す。彼は、一緒に交通整理していた相棒に一言声をかけると、惚れ惚れするようなダッシュで——重い装備があるのを考えると驚異的だった——撮影現場の奥深く突っこんで行った。その姿は、すぐにマイクロバスの陰に隠れて見えなくなる。

大友は肩を上下させ、体内に溜まってきた緊張を何とか抜いた。もしも早紀が、本当に僕のことを鬱陶しく思っているなら、こんな手は通用しないだろう。実際、最後に会った時はかなり険悪な雰囲気だった。だが早紀は、元々気まぐれなところがある。機嫌が悪かったかと思えば、次の瞬間には、「この世は素晴らしい」とでも言いたそうな満面の笑みを浮かべることも珍しくなかった。

五分ほどして、制服警官が戻って来た。息を弾ませながら「渡しました」と告げる。

「どんな様子だった？」

「いや、特に何も……メモは読まれていましたが」

「そうか」無反応。悪い兆候だ。

「綺麗な人ですね。画面じゃなくて生で見ても綺麗な人って、珍しいんじゃないですか」

「そうかもしれない」これ以上この話を進める気になれず、大友は顎を引き締めて会話を打ち切った。制服警官も、無駄口を叩いている場合ではないと思ったのか、大友に背を向けて、収録現場の方に向き直った。

早紀の動きが見えないのに、大友はその場を離れられなかった。駄目かもしれないと思いながら、コートのポケットに両手を突っこみ、両足に順番に体重をかけて体を揺らしながら、時間が過ぎるのを待つ。

いきなり後ろから肩を叩かれて、飛び上がりそうになった。だが、ここでこんなことをしそうな人間は一人しかいないと思い、ゆっくりと振り返る。

「お待たせ」

笑みを浮かべた早紀が立っていた。黒い、長いダウンコートの前をきっちり閉じているので、全身が闇に溶けこみそうになっている。大友は軽くうなずき、ちらりと横を見た。隠れて話ができる場所はない。早紀は目ざとくそれに気づいたようで、「ロケバスがあるけど」と申し出てきた。

「他の人がいるとまずいんだ」

「じゃあ、ここで話す？」

「君の出番は？」

「しばらくないわ」

少し歩けば、原宿の明るい灯が待っている。人目を気にせず話せる場所もあるだろう。だが、そこまで移動している時間はなさそうだ。大友はできるだけ歩道の端に寄り、声を小さくして話すことで妥協した。ロケの見物をしている野次馬は、ロケ車を挟んだ反対側に集まっているので、この辺りはそれほど人気も多くない。

「市谷がいなくなった」

「どういうこと？」形のいい彼女の眉が、くっと持ち上がった。

大友は事情を説明し、その間ずっと早紀の顔を真っ直ぐ見詰めて表情の変化を読み取ろうとした。できない。撮影用にメイクが濃いので、本当の顔は隠れてしまっているようだった。困惑の表情がずっと続いているが、もしかしたら心の中では舌を出しているかもしれない。

「『アノニマス』の別バージョンのこと、知らないか？」市谷はそれを探していたようなんだ」

「別バージョン？」早紀が顎に拳を当てた。「そんなもの、あったの？　私は、テツ君たちと同じ脚本を貰っただけよ」

「中川が別のバージョンを書いていた可能性がある。それを誰かにボツにされたんじゃないかと思うんだ」

「どうかなあ」早紀が首を捻る。「そんなこと言われても……今回の脚本も、初演とほとんど同じだったし。変わったところって、少し火浦の出番が増えたことぐらいじゃないかな？」

「長浜が客演だったから？」

「笹倉さんも、それぐらいの気持ちはあったんじゃない？　私は脚本の方には全然タッチしてないから、どういう経緯で変わったのかは分からないけど」

「二人の関係は、本当はどうだったんだ？」さっさと劇団を飛び出して、俳優として成功した長浜。そして彼と笹倉の間には、早紀がいる。二人は一つの恒星の周囲を巡る二つの惑星で、それぞれの引力が微妙に影響を及ぼし合っていた、ということはないだろうか。

早紀は無反応だった。ただじっと、感情を殺したまま大友の顔を見詰めている。痺れを切らして、大友は質問を継いだ。

「嫌なことを聴いていいかな」

「テツ君がそういう風に言う時、ろくなことがないのよね」早紀が苦笑する。

「君と笹倉さんは、完全に切れてるのか？」

「私を疑ってるの？」瞬時に、早紀の顔から全ての表情が消えた。演技だとしたら大したものだし、そうでなければ本気で怒っている証拠だ。

「どうなんだ」大友は彼女の質問に答えず、畳みかけた。「こんな言い方が下品なのは分かってるけど、二股をかけていたわけじゃない？」

「私はそこまで器用じゃないし」自嘲気味に早紀が笑う。「あなたが想像しているようなことはないわよ」

「僕は何も想像していない」大友は胸に掌を当てた。「ここが真っ白な状態で聴いているだけだ」

「だったら私も、真っ白な状態で話すけど、そういうことは絶対にないから」

「完全に笹倉さんと別れた後で、長浜とつき合いだした？」

「そう」

「笹倉さんも長浜も、それで納得していたんだ」

「勘弁してよ」早紀が両手を広げる。やけに世慣れた口調と態度だった。「そんなこと、突っこまれても困るわ。こんな場所で話せると思う？」

「密室が必要なら、一番近い所轄の取調室を用意できるけど」

大友は自分の台詞を、他人事のように聞いていた。こんな風に人を脅すことなど滅多にないし、しかも昔の仲間に対してなど……自分は完全に過去を吹っ切ったのだろうか。この事件の捜査を「仕事」としてこなしているのだろうか。それならそれでよいのだが、何か大事な物を失った気がしてならない。

睨み合いの時間は、一瞬にして過ぎ去った。早紀の怒りの表情が崩れ、戸惑いに切り替わる。演技ではなく、本当に困っている様子だった。

「別の脚本って言ったわよね？」

「ああ」

「そういう物があったかどうかは知らないけど、笹倉さんが変なこと言ってたわ。『元のバージョンもありだけどな』って」

「いつ？」

「今回の準備中に。稽古場で読み合わせが終わって、階段で事務所に上がる時だけど……あの時は、周りに私しかいなかったはずよ」

「どういう意味だろう」

「分からない。私も聞き流しちゃったし」早紀が首を振る。「でも、それって、あなたが言ってる別の脚本のことじゃないの？　もしかしたら初演の脚本の前に、別の脚本があったとか」

「『元の』っていうと、確かにそういう風に聞こえるね」

大友は、脳が音を立てるように動き始めるのを意識した。脚本の入っていた金庫を漁っていた市谷。「勝手過ぎる」という中川の発言。そして「元のバージョン」。全て、オリジナル脚本以前の脚本の存在を示唆している。素直に考えれば、中川が書いた脚本の書き直しを誰かが指示し、中川自身は渋々従ったものの、そのことに相当の恨みを抱いていた、ということだろう。しかもボツになった脚本は、夢厳社の金庫でずっと眠っていた可能性が高い。

「笹倉さんがどういう文脈でその話をしたか、覚えてないか？」

「どういうって……独り言だったから」

「その前はどうだろう。稽古場で何かなかった？」

「なかったと思う。台詞を変更したところを中心にチェックしただけで、そんなに揉めたわけでもなかったし」

「長浜は来てたのか？」

「彼は舞台稽古まで来なかったわ」

「出番が増えたのに？」

「あのね」早紀が皮肉に笑った。「彼はプロなのよ？　プロなら、中抜きでも絶対本番には間に合わせるの」

「そうか……」

「気になるなら、中川君に直接聞いてみればいいじゃない」

「ああ」昼間の衝突を思い出す。今ならあの男は仕事の真っ最中だろう。もう一度襲撃してやるか。「ところで、市谷っていうのはどういう男なんだ?」

「よく知らないのよ。私、あまりつき合いがなかったから。でも、中川君に心酔してたのは確かよ。一度呑んだ時、ずっと中川君の話をしていたから。ちょっと変な感じだったけどね」

「あまりにも心酔し過ぎて?」

「そう。心酔というか、崇拝ね」

本当に? 中川の部屋での市谷の様子を思い出す。少し疲れて、それでもボスの面倒を見ざるを得ない秘書、という感じだった。無条件で崇拝していたら、もっと背筋がぴしりと伸びるような態度を取っただろう。

「そんなに好きなら、最初から中川君のところに弟子入りすればいいのに。夢厳社に入るってことは、笹倉さんの圧政に耐えなければいけないっていう意味でしょう? それが分かっていて、わざわざ来るのも理解できないわね」

「結局辞めたわけだし」

「単に回り道しただけみたいよね。彼のことは、どうもよく分からないわ」

「ああ」

早紀がちらりと腕時計に視線を落とす。顔を上げると、表情は引き締まっていた。

「ごめん、そろそろ出番だから」

「仕事中に申し訳ない……ところで、事務所にあった金庫のことは知ってるよね?」

「もちろん、知ってるわよ。あれは、笹倉さんにとっては劇団の歴史そのものだから。でも、今考えると本当に変な人だったと思う。だって、似たような金庫を、四階にも置いてあったのよ」

「笹倉さんが実質的に暮らしていた部屋?」

「そう。テツ君、入ったことある?」

「いや」

「だだっ広いワンルームみたいなところなんだけどね。ベッドにもなるソファとテレビが置いてあるぐらいで、あとは半分衣装の倉庫。そこに古めかしい金庫をおいてあるんだから」

何度も部屋に入ったことがあるのだろう、早紀の説明には淀みがなかった。

「その金庫に、間違いなく脚本が入ってる?」

「入ってるわよ。私、見たことあるもの」

「そこに『アノニマス』の別バージョンがあったかどうかは?」

「ごめん、そこまでは……」早紀が唇を嚙み、もう一度腕時計を見た。「もう、行かなくちゃ」

「引き止めて悪かった」

うなずき、早紀が歩き出した。そんなことなどまったく気にしていないという態度だったが、唐突に足を停め、振り返る。

「一つ、言い忘れてた。テツ君の仕事には関係ないかもしれないけど」

「何？」

「長浜君とは別れたから」

「あれから？」

「そう……でもずっと、燻ってたのよ」早紀が事情を話してくれた。大友は、自分も「そんなことではないか」と想像していたのだと思い至ったが、彼女の口から聞かされると重みが違う。

「でも、あなたには関係ないわよね」

早紀が浮かべた表情は、どこか妖艶で、しかも悲しみを押し隠したようでもあった。

「あると思う」

大友は短く反論した。プライベートな問題ではなく、あくまで捜査としてだが。それを受けて、早紀が突然、堰が切れたように喋りだす。とりとめもない言葉の羅列だったが、一つ一つは何故か大友の頭に染みついた。

柴が両手を腰に当て、胸の高さほどもある金庫を見下ろした。

6

「笹倉って人は、金庫フェチだったのか？」

「まさか。そんな性癖の人がいるとは思えない」大友は答え、ラテックス製の手袋をはめた。

「市谷は、何でここを家捜ししなかったのかな」

「ここは笹倉さんの部屋だから。さすがに合鍵は持ってなかったんだろう」

元々、四階は全て倉庫として使うように設計されていたのではないだろうか。ほぼ同じ広さの部屋が四つ。そのうち三部屋は、実際に衣装と小道具の類いで埋まっていた。いずれも巨大なポールハンガーと壁一面の棚を除けば、何もない、真四角のスペースである。笹倉が使っていたのも、同じような部屋だった。十メートル四方ほどの、がらんとした正方形。大き目のソファは座り心地がよく、ベッドにしたら安眠が期待できそうだが、金がかかっているのはそれぐらいである。早紀が覚えていた通り、床に四十二インチの液晶テレビが置いてあったが、他には傷だらけの事務用のデスクが一つ、窓際にあるだけだ。上にはノートパソコンと、乱雑に書き散らしたメモ帳。ほとんど解読不能の文字を書いた付箋が、デスクのあちこちにべたべたと貼ってあった。結局一番目立つのは、この金庫である。

「で、開けられるのか？」

柴が訊ねる。大友は返事をせずにうなずいた。大抵の人間は、非常に面倒くさがりで記憶力もない。いい例がパソコンだ。ログインIDとパスワードを、あらゆるサービスで一緒にしている人も珍しくない。そうでなくても二種類程度を使い分けるだけとか。笹倉も、性格からいって、それほど徹底的に機密保持に気を使っているとは思えなかった。この金庫には、下の金庫と違って解錠のためのメモが貼ってあるわけではなかったが、同じではないかと大友は踏んでいた。しゃがみこみ、大きなダイヤル錠に手をかける。金庫に耳をくっつけるようにして、ダイヤルを回し始めた。

左へ回して「7」。右へ回転させて「19」。もう一度左へ回して「5」。硬い「かちり」という音が金庫の中から聞こえ、扉が一センチほど自動的に開いた。

「すげえな」柴が心底感心したように言った。「お前、金庫破りになれるぜ」

「笹倉さんの用心が足りないんだ。下の金庫と同じなんだよ」

大友はしゃがんだまま、扉を大きく開けた。こちらは、中の棚は二段。早紀が指摘した通り、上段に脚本が積み重なっていた。当たり。大友は鼓動が速くなるのを感じながら、脚本を取り出して金庫の上に置いた。上から順番に見ていくと……あった。白い表紙の「アノニマス」。他の脚本を全てチェックしてから、中に戻す。大友の手に残った白バージョンの「アノニマス」は、そんなことはないはずなのに熱っぽい感じがした。

「こいつか」

「ああ」

「チェックしよう」

「少し時間がかかる」大友はソファに腰を下ろした。ふいに、このソファベッドの上で笹倉と早紀が抱き合ったことがあるのではと考え、居心地悪さを感じる。浅く腰かけ直し——そんなことに意味があるとは思えなかったが——ページをめくり始めた。指紋をつけないようにと手袋をはめたままなので、ひどくもどかしい。

「コピーして、手分けして読むか？」

「いや、その時間が勿体ない。とにかく、先に読ませてくれ」

「鑑識の連中を呼ぶよ。この金庫も調べてもらおう」

「頼む」言いながら、大友の意識は既に脚本に向いていた。どこが変わっているのか……比較用に、今回の上演に使った脚本も用意した。

第二部の半ば以降が、完全に別物だ。

酒場で話し合う劇団員たち。二番目の毒殺事件の容疑者が誰なのか、激論が続いている。だが決定的な証拠が出ないまま、全員が沈黙、舞台が暗転。

ピンスポットが舞台の左側を照らし出した時、そこに倒れているのは「火浦」だ。頭を殴られ、うつぶせに——もう一つのピンスポットが左手から中央へゆっくり動いていく。その中に、探偵がいる。客席を向いて立ち、宣言。

「これで全て分かった。二件の事件を起こしたのは、火浦だった」

そこから延々と、劇団主宰者とスタッフを火浦が殺した理由の独白が続く。女絡みである。劇団の看板女優——当然、早紀だ——を巡っての醜い争い。さらに結末は、上演されたものとまったく違っている。この脚本は大きなヒントをくれたが、逆に謎も深まったと言える。探偵は死なない。最後まで読み終えた後、大友は混乱していた。

脚本を閉じて立ち上がり、大友は金庫を調べる鑑識の係員の姿をぼんやりと見詰めた。彼らが入って来たのにも気づかないほど、集中して脚本を読みこんでいたのが分かる。

「どうだ、テツ」苛々した口調で、柴が訊ねる。

「僕たちは、全然違う筋を追っていた」

「何だって？」

「いや、方針は合っていたんだ。ただ、物語の筋が違っていた」

「それが別バージョン、という意味なのか？」

「ああ」

しかし、それも破綻している。脚本では三人が殺されているのに、実際に死んだのは笹倉一人だけだ。犯人が失敗したのか、あるいは別の意図があるのか……それは、聴けば分かる。聴くべき相手も、今は分かっている。

中川は姿を消していた。何もない時なら、大友も何とも思わなかっただろうが、場合が場合である。

逃亡だ。

大友は、激しい後悔の念に襲われていた。何しろ今日、あいつと会っている。その時に脚本の事情が分かっていれば、もっと突っこんで話が聴けたのだ。手遅れだとは分かっていても、何とか時間を引き戻せないかと大友は悔いた。

「どうする？」柴は困惑を隠そうともしなかった。

「取り敢えず、中川が立ち寄りそうなところを調べよう」

「当て、あるのか？」

「ない」

柴が目を細める。が、自分の苛立ちを大友に向けるのは場違いだと思ったようだった。柔らかい口調で話し出す。

「関係ありそうなところを割り出して、片っ端から聴いてみるしかないな。それと、この部屋は監視しよう」

「そうだな……でも、一つ気になることがあるんだ」

「何だ？」柴が右目だけをすっと細める。

「別バージョンの脚本によると、最初の二つの殺人事件を起こしたのは、火浦だった」

「看板俳優。すかした役の奴」

「看板女優を巡る三角——四角関係の末、ライバルの二人を殺した。ところがもう一人、その女優に思いを寄せている人間がいて、そいつが看板俳優を殺した」

「その犯人が脚本家か……おい、何だか変じゃないか？」

「何が」

「中川は、自分をモデルにしていたみたいじゃないか。当時の劇団内部の人間関係も、こんな感じだったのか？」

「僕は関知していない」

「こと色恋沙汰に関しては鈍いからな、大友先生は」柴がにやりと笑った。「もしかしたら中川は、自分の思いを誰かさんに伝えるためにこの脚本を書いたんじゃないか？ややこしいことするけど、こういうことをやる奴の神経ってのは、そもそもそういうものかもしれんよな」

「ああ」当時の中川——笹倉の攻撃対象であり、劇団の序列では最下位とも言える人間。そんな自分が、看板女優に愛を告白しても笑い者になるだけだ、と自虐的に考えていたとしてもおかしくはない。

「中川は、こっちの脚本通りに事件を起こしていたのかもしれない」

「ああ」

「だったら、最後はもう決まってるんじゃないか、探偵さんよ」

大友は無言でうなずいた。部屋に入れないまま、ずっと廊下に立っているので、冷たい風が容赦なく吹き抜けて体を痛めつける。

「脚本家は、最後に自殺した。探偵に追い詰められて」大友はぽつりと言った。

「お前が追い詰めれば、同じようなことになるかもしれない」

「そんなことはさせないよ。あいつはまだ、僕が真相に迫っているとは思ってないんじゃないかな」

「それはどうかな。市谷が行方不明になった件で、お前はあいつに話を聴いている。その時に勘づいたかもしれない」

「いや、それに関しては、否定的な材料がある。脚本通りの事件は、もう破綻しているんだ。仮に中川がやったとしても、二回目と三回目は失敗しているんだから」

「だからこそ、自棄になって自殺するかもしれないぜ」柴が両手を擦り合わせた。寒さのためだけでなく、顔色が悪い。「場所、どこになってるんだ？」

大友は、そもそものオリジナル脚本の、最後の場面を思い浮かべた。舞台上手で、大友が劇団員を相手に謎解きをする場面だった。「これから話をしようと思う」と言った瞬間、暗転。今度は舞台の左側にスポットが当たり、浮かび上がった脚本家が毒を仰ぐ場面でいきなり終わる。そこには椅子があるだけで、場所を推測させる記述は何もなかった。中川の頭にはあったかもしれないが――しかし、考えられる場所は一つしかない。

「舞台だな」

「下北の？」柴が訊ねる。

「そこか、あるいは夢厳社の稽古場。あそこだって舞台と言える」

「調べさせよう」柴が携帯を取り出し、すぐに指示を飛ばした。

彼が特捜本部相手に話している間、大友はコートのポケットに両手を入れたまま、もう少し事件の奥に突っこもうと意識を集中させた。

何らかの目的を持って、中川が自分のオリジナル脚本通りに事件を起こそうとした。だが彼は、今回夢厳社の団員に接触した形跡がない。となると、実行犯がいたはずだ。市谷――ふいに、糸がつながった。市谷が夢厳社に忍びこんだのは、オリジナル脚本を盗むためだったのではないか。誰かに読まれれば、中川の企みが漏れてしまう。それを恐れて証拠の隠滅を図った？

違う。やはり筋が合わない。中川が今でも笹倉に恨みを抱いている可能性は高いが、それなら何も、こんな殺し方をして、他の人間を巻きこむ必要などないはずだ。

いや……全ては目くらましだった可能性がある。上演された芝居の脚本通りに事件が起きたと見せかけ、警察を混乱させるのだ。いずれは本筋に気づくかもしれないが――その際、中川の念頭にあったのは僕の存在だろうと大友は思った――時間稼ぎをすれば、警察は自分に辿り着けない、とでも考えていたのか。

「テツ！」柴がいきなり大声を上げ、大友の思考を中断させた。「市谷のバイクが見つかったぞ」

考えるより走れ。大友は柴の説明を待たずに、エレベーターに向かってダッシュし始めた。

市谷は、オートバイを乗り捨てたわけではなかった。銀座の、オートバイ専用の駐輪場に停めていたのである。機動捜査隊の手柄だった。最近はオートバイの路上駐車取り締まりも厳しくなり、その結果、都内のあちこちに専用の駐輪場ができている。捜索の手配を受けて、機動捜査隊はそういう場所を虱潰《しらみ》しにしていたのだ。

「こいつか」時折吹きつける強いビル風に首をすくめながら、柴が言った。コートが激しくはためき、改めて風の強さを意識させられる。

ビルの壁に向かって設置されたオートバイ置き場には、一台しか停まっていなかった。スズキのオートバイで、やけに太いタイヤとシートの下まで跳ね上げられたマフラーが目立つ。オドメーターは三万五千キロを越えていた。タンクの色は少し褪せ、座布団のように分厚く大きなシートにも皺が寄ってへたっている。

「しばらくここで監視だな」柴が言った。「テツ、お前、大丈夫なのか？　優斗は……」

「心配いらない」大友は首を振った。夕方聖子に電話を入れ、例によって一悶着があった後、優斗を引き受けてもらった。優斗とは少し話をしたのだが、あまり気にしてない様子なのが気になった。子どもは気まぐれなものだが、父親がいなくて寂しい、という意識もそろそろ薄れつつあるのだろうか。子どもの成長は好ましいことだが、逆に自分が取り残されたような気分になる。親離れよりも子離れの方が難しいのだろう。

「よし。取り敢えず、機捜さんにも応援してもらおう。俺とお前で午前二時まで、その後機捜さんが朝までということでどうだ？」

「僕はそれでいいよ」

「お前は目立たないようにしてろよ。市谷にはよく顔を知られてるだろう」

「何とかする」大友は覆面パトカーのサイドミラーを覗きこみ、髪の分け目を変えた。さらにいつも用意している伊達眼鏡をかけ、顔の印象を変える。

「普通の人はそれで騙されるだろうけど、相手はこういうのに慣れてるんじゃないか？」柴が疑わしげに言った。

「それでもやらないよりはましだと思う」

「まあ、そうだな。車で待っててくれ」

疲れも見せず、柴が走り去った。少し離れた場所にいる機動捜査隊の連中に事情を話し、張り込みの応援を頼むつもりなのだろう。大友は、運転席のドアを開けて覆面パトカーのシートに滑りこんだ。エンジンは止まっており、車内の熱はとうに奪われている。駐輪場までは十メートルほど。市谷が戻って来れば見逃すことはないが、逆にこちらも目立つ。もう少し離れた方がいいだろうと思い、車を動かすために運転席に移る。キーに手を伸ばした瞬間、視界の隅に人影が映った。

市谷。

こちらには気づかない様子で、急ぎ足でオートバイに向かって行く。財布を覗いて小銭を取り出すと、すぐに精算してチェーンロックを外した。クソ、柴はまだ戻って来ないのか……市谷は目と鼻の先だし、制圧するのは簡単だろうが、僕一人だと取り逃がす恐れがある。電話をかけて連絡している暇もない。どうする？　迷っている間に、市谷がオートバイに跨《また》がった。大友は急いで窓を巻き下ろし、こちらの音を消すために、市谷がセルモータに指を載せたタイミングを見てキーを回した。エンジンが生き返り、中途半端に暖かいエアコンの風が吹き出してくる。

市谷のオートバイがゆっくり後ろに下がった。後ろ向きに歩道を横切り、車道に出て行く。大友はサイドブレーキをリリースし、思い切りアクセルを踏みこんだ。ヘルメットを被っている市谷は、覆面パトカーの接近に気づかない様子である。車道に出た後、彼の体がオートバイと一緒に一瞬だけ揺れたので、ギアをローに入れたのが分かった。大友はオートバイを追い越した瞬間、思い切りハンドルを左に切り、市谷の行く先を塞いだ。急ブレーキを使ったのか、オートバイががくりと前に沈みこむ。フロントタイヤが、ほとんど車にぶつかりそうになっていた。よし、これでいい。一度後ろへ下がらないと、この場から脱出はできないのだ。今にも市谷が、爪先立ちでオートバイを後ろへ下げようとするのではと思ったが、自分の進路を塞いだのが大友だと気づいたようで、予想外の行動を取った。サイドスタンドも立てずに飛び降り、オートバイが倒れるのも無視して、覆面パトカーに背を向けて走り出す。

大友はドアを開け放したまま車を離れ、市谷の背中を追い始めたが、追跡は長くは続かなかった。彼のすぐ前に飛び出した柴が、市谷の首に腕を回すように抱きついたのだ。

その場で動きを止められた市谷は、もがいてその縛めから逃れようとしたが、柴は右手で市谷のコートの襟をしっかり摑み、さらに左手で腕を巻きこんで抵抗を封じている。

「市谷！」大友は叫び、空いていた市谷の左腕を摑んだ。

「何だよ！」市谷がなおも抵抗しようとしたが、二人がかりで押さえつけられ、何もできない。そのうち巨体の機動捜査隊員が二人参加したので、ついに抵抗を諦めたようだった。

柴は、市谷を隊員に引き渡し、ぐるぐると右肩を回して顔をしかめた。

「捻ったな」

「大丈夫か？」

「駄目だ、とは言えないだろうが。本番はこれからだぜ」

彼の言う通りだ。大友はうなずき返し、左右から機動捜査隊員に腕を摑まれた市谷の前に立った。

「中川はどこだ？」

「知らない」

「あいつも行方不明なんだけど」

「俺には関係ない」

「だったら、笹倉さんを殺した罪を、君が一人で背負うか？　警察としては、それでも一向に構わない。よく考えてくれ。一人殺して、二人に対して殺人未遂。裁判員の心証は最悪だよ——誰かに指示されてやったとしたら話は別だけど」

腕というか、肩に近いところを押さえられているせいで、市谷は腰を曲げている。しかし顔を上げ、大友を睨む元気は残っているようだった。

「脅したって無駄だ」

「君は、『アノニマス』の元々のオリジナル脚本を読んだか？　あるいは中川から話を聞いたか？　中川は、オリジナルの脚本通りに事件を起こしているんだろう。最後がどうなるか、君も知ってるはずだよな。中川は自殺するんだぞ。それを止められるのは君しかいない」

瞬時に市谷の顔が蒼褪めた。膝から力が抜け、崩れ落ちそうになるのを、二人の隊員が左右から引っ張り上げる。

「中川を死なせたいのか？　今ならまだ間に合うぞ」

市谷ががくがくとうなずいた。大友は興奮が速やかに体から抜けるのを感じながら、市谷に歩み寄った。

「僕は、彼を死なせたくない。今でも仲間だと思っているから」

7

ここだったのか。

大友は己の不明を恥じた。この場所は、最初から想定に入っていて然るべきだったのに――「アノニマス」の初演が行われた中野の小劇場「シアターオレンジ」。客席は二百ほどだが、大友にとっては初めての本格的な劇場で、足が震えたのを覚えている。

覆面パトカーのハンドルを握るのは柴。後部座席に市谷と並んで座った大友は、ダッシュボードの時計をちらりと見た。午後九時半。この時間に劇場が開いていても、不思議ではない。多くの劇場は、午前の部、午後の部、夜の部と、数時間単位で貸し出す。夜の部の最後は、大抵十一時だ。中川は、どういう名目で劇場を借り出したのだろう。

大友は緊張感を保ったまま、シートに背中を預けた。市谷は手錠をかけられておらず――容疑を特定できないままなのだ――機動捜査隊員と大友に挟みこまれていた。抵抗する気配をまったく見せず、ずっとうなだれている。大友が質問すると、常にわずかな間を置いて答えた。一つ一つの言葉が、自分を破滅させる可能性があると分かっている。慎重になるのは当然だ。

車内に沈黙が満ち、大友はひどく居心地の悪い思いを味わっていた。もう少し早く、どこかがおかしいと気づいているべきだった。そのきっかけとなる言葉はあったのに、受け流してしまったのが悔やまれる。ほんの数時間の差ではあっても、それが手遅れになるかもしれない。

柴が、車を路肩に停めた。エンジンを切り、後ろを振り向いた瞬間、すぐ後ろに停まった機動捜査隊のパトカーのヘッドライトに目を細める。

「突入するか？」

「ああ」

「こいつはどうする」

険しい表情で市谷を見やる。視線の鋭さに怖気づいたのか、市谷がまた下を向いた。

大友は彼の横顔を一瞥《いちべつ》して「連れて行こう」と告げた。

外に出ると、柴が目の前のビルを見上げる。ここの地下一階から二階までが「シアター・オレンジ」なのだ。地味な看板があるだけで、外から見た限りでは、ビルの中に非日常の空間が広がっているとは思えない。

一階がこぢんまりとした入り口。階段を上がって行くと、そこが劇場の正面入り口だ。記憶を引っ張り出し、大友は先頭に立って階段を上がった。ここで芝居を見たこともあるのだが、狭い階段がいつも大混雑していたのを思い出す。一階の奥にある事務所に顔を出し、今夜中川がここを借りているのを確かめた。

「目的について、何か言ってましたか」

応対してくれた劇場の職員は、五十絡みの小柄な男だった。デニムのシャツにスエードのベストという格好で、白髪がかなり混じった髪を長く垂らしている。

「舞台の確認をしたいって言ってましたけどね。中川さんって、あの脚本家の中川さんでしょう？」

「ええ」

「もう舞台の仕事はやらないかと思ってたんだけど、久々にやるみたいですね」

大友は市谷に目を向けた。彼が力なく首を振る。嘘……彼はやはりここを、最後の舞台に選んだのか？

「そういう風に言っていたんですね？」大友は念押しした。

「ええ。久しぶりに小さい劇場でやるんで、感覚を摑んでおきたいって。彼が脚本を書いたら、うちの劇場なんか、溢れちゃうでしょう」

「世界レベルのバンドがライブハウスでやるようなものですかね。でもたまには、自分の原点に戻る必要があるんじゃないですか」その場の緊張を解すため、大友は軽口を叩いた。

「なるほどね」職員がにやりと笑った。「あなたも詳しそうだ」

「元、役者です」大友は微笑を浮かべてうなずき、すぐに表情を引き締めた。「十一時までですか？」

「ええ」

「中の様子、見ましたか？」

「いや、見ないで欲しいって言われてるので。集中したいそうです」

「一人で？」

「いや、もう一人いらっしゃいますよ」

「誰ですか」嫌な予感が背筋を走る。中川は何を考えている？　誰かを巻きこもうとしているのか？

「俳優さんですよ。あの、長浜護さん。中川さんの舞台に出るんですかね」

まずい。大友は礼を言うのも忘れ、走り出した。記憶にある限り、客席への入り口は左右一か所ずつ。いきなりそこへ踏みこめば、中川を驚かせて、予想もしていない動きを誘発してしまうかもしれない。だが、焦りを押さえることはできなかった。

防音処置が施された重いドアを、体が入れる分だけ開け、ゆっくりと客席に踏みこむ。客席は前部がフラットな配置、後部が階段状になっている。シートの色が、いつの間にか濃いオレンジ色に変わっているのに気づいた――昔は淡いブルーだったのだが。客席の灯りは灯っていたが、舞台上は暗く、人気はなかった。すぐに客席をぐるりと見回してみたが、見える範囲には誰もいない。

前部座席と後部座席の境目は、広い通路になっている。大友は通路の真ん中まで走り出て、舞台に向き直った。誰もいない。意外に奥行きのある舞台は、背景の白い壁を晒していた。どこに……大友は前部座席の間の通路を、慎重に前進した。途中で膝をつく姿勢で停まって振り返り、柴たちが着いて来ているのを確認する。腰高で前進する柴は、大友とは反対側の通路に向かっていた。軽く右手を挙げて大友に合図を送り、通路の陰に身を隠す。その後ろから、機動捜査隊員が二人、客席に入って来た。市谷は引っ立てられ、特に抵抗もしないまま歩いている。隊員の一人が市谷を席に座らせ、自分はその横に立った。これで、自由に動ける人間は三人。向こうは二人しかいないはずだから、数の上では有利である。ただし、こちらには武器がない——中川が何を持っているかは分からないが。

大友は、舞台とその裏側の様子を何とか記憶から引っ張り出していた。設備は舞台の右側に集中している。楽屋が二つ。隣にシャワールームとトイレがあり、一番奥に洗濯機室があったはずだ。隠れる場所なら幾らでもある。

若い機動捜査隊員が、大友のすぐ後ろまで迫って来た。振り返り、「客席の確認を」と命じる。うなずき、隊員は大友に背中を向けて、低い姿勢を保ってコートを引きずりながら、後部座席の方に向かって行った。

十席分の座席を挟んで反対側の通路にいる柴の頭が、上下にひょこひょこと動く。劇場全体を確認していくのは、かなり大掛かりな作業になる。念のため銃を持った援軍が必要だ、と大友は考えた。再び振り返り、市谷を監視している隊員に向かって、電話のダイヤルを回すジェスチャアを見せる。事情を察した隊員は、座席の間を確認し始めた若い隊員を手招きで呼び寄せ、市谷の監視を引き継いでから、外へ出て行った。全ての準備が完了したのを確認し、大友は素早く舞台の端まで近づく。木の床から、冷たい気配が立ち上ってきた。

柴が音もなく近づいて来る。二人は舞台の端から頭が出ないよう、中腰のまま話し合った。

「どこを探す？」

「舞台の右手の方に楽屋が固まっている。そっちかもしれない」

「分かった」柴が舞台の袖に手をかけた。

「ちょっと待て」大友は彼の肩に手を置いて引き止めた。いきなり舞台上に立つと、自分の姿を無防備に晒してしまうことになる。そんなことはあり得ないとは思うが、階段席に誰かが潜んでいたら、狙撃には絶好の標的だ。大友の意図を読んだのか、柴が無言でうなずき、床に片膝をついた。

音がない。その静けさに、大友はかすかに身震いした。劇場ではいつも、大小は関係なく音が渦巻いているものである。芝居が動いている時は当然だが、幕が開くのを待つ間、期待をこめて話し合う観客の囁き声、咳払い。芝居がはねた後のざわめきと、熱っぽく感想を語る声。考えてみれば、こんなに静かな劇場にいたことはなかった。

「奴、どこにいると思う?」柴が囁くような声で訊ねる。

「分からない」大友は腕時計を見た。中川が借り切っている時間が終わるまで、あと二十分。何かをやらかそうとしているなら、時間も何も関係ないだろうが、何故か午後十一時が幕切れではないか、と大友は思った。あいつのことだ、時間きっちりに幕が下りるエンディングを考えているのではないだろうか。

援軍を呼ぶために電話をかけていた機動捜査隊員が戻って来た。大友は挙げた片手をぐるぐると回して合図をする。うなずいた隊員が、階段席の一番後ろまで一気に駆け上がり、座席を覗きこみながら降りてきた。前部席と階段席を分ける通路まで出て、大友に向かって「OK」のサインを出す。

「よし、行こう」

大友は一気に立ち上がり、舞台の袖に手をかけて飛び上がった。その瞬間、舞台の上が白く染まる。誰かが照明を全て点けたのだ。余計なことを……膝をついて姿勢を低くし、舞台全体を見渡す。誰もいない。続いて舞台に上がって来た柴も、大友の脇で同じ姿勢を取った。

「奥だな？」

「僕が先に行く。援護してくれ」

若い隊員が走って来て、背広の裾を捲り上げ、ベルトから特殊警棒を抜き出した。受け取った柴が、左の掌に一度、二度と叩きつけて感触を確かめる。スナップを効かせて上手く殴れば、相手の手首の骨を折るぐらいはできる。

「最初は？」

「楽屋だ」

大友は記憶を頼りに、舞台の右袖へ走った。短い通路の向かいに、楽屋が二つ並んでいる。まず、大きい方の楽屋の前に立った。ドアは閉まっているので、耳を押し当てて中の様子を聞く。かすかに空気が流れる音がするぐらいで、人の気配は感じられなかった。柴にうなずきかけ、思い切ってドアを開ける。手探りで照明を点け、中に踏みこんだ。

正面に、六つのスツールが並んだメイク用のカウンター。壁一面の長さがある鏡に自分の姿が映っているのを見て、大友はすぐに振り向いた。ドア側にも二脚のスツールがある。その横には洗面台。

「いないな」特殊警棒を肩の高さに上げていた柴が、右手を下ろした。

「奥にトイレがあるはずだ」大友は部屋を横切り、もう一枚の扉を開けた。楽屋の照明で照らし出されたトイレの中は空。大きく吐息を吐いてから、大友は「次だ」と短く、鋭く言った。

柴が先に部屋を出て、もう一つの楽屋のドアを開ける。今度は彼が先に立って部屋に入ったが、ここにも人気はない。しかし、まだ調べなくてはならない場所がいくらでもあった。シャワールーム、洗濯室、もう一つのトイレと、次々と確認していく。しかし中川も長浜も見つからなかった。軽い焦りを感じながら、他に探す場所はないかと考える。

ある。舞台の一角がピアノ室になっていたはずだ。ここでは芝居ばかりではなく、小規模なコンサートが開かれることもあり、その時のためにピアノが用意されているのだ。大きく横に開くドアが、舞台側だけにある。大友は柴の腕を摑んで引き寄せ、小声で説明した。

「何でそんなところに？　自殺する場所としてもどうかと思うぜ」

「どうして」

「分からないのか？」柴がまじまじと大友の目を見た。「役者さんっていうか、演劇関係者の基本的なメンタリティっていうのは、目立ってなんぼ、じゃないのか。隠れた場所で何かやっても意味はないだろう」

大友は、あやふやな想像がしっかりした推測に変わりつつあるのを意識した。非常に嫌な想像だし、筋が通らない部分もあるが……同時に、もう一つ隠れる場所があるのを思い出した。

「取り敢えず、ピアノ室を調べよう」

だが、グランドピアノがスペースのほとんどを占める部屋に、二人の姿は見当たらなかった。となると……大友は柴に推測を説明した。柴は納得していない様子だったが、一応は大友の説明を受け入れた。すぐに舞台を降り、事務室に走って行く。

大友は一人、舞台に立った。客席に向き直り、下から上までずっと視線を動かしていく。人のいない客席は奥行きが深く、一番後ろの席ははるか遠くに見えた。次第に鼓動が高鳴る。そもそもこの事件は——一人が死んだという重大な結果は別にして——馬鹿馬鹿しいものだったのかもしれない。普通の犯罪の常識では考えられないような。

動機は後回しだ。今は結果だけを見よう。

大友は両足を肩の高さに広げ、思い切り踏ん張った。計画通りにやれば、自分も彼らの計画に組みこまれてしまうかもしれない。だが、ここでやらないと、話は終わらないかもしれないのだ。自分たちの計画通りに物事が進んでいると油断させておいて、世の中はそんなに上手くいかないと最後に思い知らせなければならない。

頭の中で台詞を反芻する。十数年も経つと、ほとんどの台詞は抜けてしまうものだが、これだけは残っていた。それほど印象深いものだったし、今回脚本を読み直して記憶を新たにしたためでもある。高い天井を仰ぐ。強烈な照明が目を焼き、視界を白くした。目を瞑り、意識を集中させる。再び客席に視界を転じて深呼吸し、久しぶりに腹の底から芝居用の声を出した。

「これが終わりの始まりだ！」

自分でも予想していなかったほど張りのある大きな声が出た。馬鹿なことをしたか、と一瞬悔いる。これで中川が見つからなかったら、間抜けな一人芝居だ。

叫びの余韻が消えると同時に、舞台の中央後方にあるせりがゆっくりと動き出す。三メートル四方ほどの大きさのせりが一度下り、舞台上にぽっかりと暗い穴が開く。せりがもう一度上がり、すっかり姿を現すには十秒以上かかるはずだが、その前に二人の頭が確認できた。

当たった——しかし推理の正確さに興奮するよりも、これから一人の人間を破滅させなければならないという事実が、気持ちを暗くさせる。

「遅かったな、テツ」

中川がゆっくりと立ち上がる。顔には、何かを自慢するような笑みが浮かんでいる。一方長浜は、片膝をついた姿勢のまま、立とうとはしなかった。こちらの顔色は蒼く、全身から力が抜けているようだった。楽な姿勢を取っていることで、辛うじて崩れ落ちずに済んでいるように見える。だが、何故か被害者には見えなかった。

「すまない。少し手間取った」

「お前なら、もっと早く来ると思ってたけど」

「これは芝居じゃないから。二時間で全てが終わるわけじゃないんだ」

「現実世界ってやつか？」中川が唇を歪めて笑う。「だけどお前が手がかりにしたのは、芝居だろう」

「ああ」

中川が客席に目をやった。釣られてそちらを見ると、必死で立ち上がろうとする市谷を、機動捜査隊員が押さえている。柴が客席に入って丁寧にドアを閉め、こちらに向かって来た。何か言いたそうだったが、黙って大友に向かってうなずく。舞台の袖まではたどり着いたが、上には上がらず、一番前の客席に腰かけた。

「これはこれは」中川が顔を綻ばせる。「観客がいるのはありがたい話だね。やりがいがある」

「中川さん！」

市谷がついに叫んだが、中川は呆れたような表情を浮かべたまま首を振るだけだった。

「馬鹿だね、あいつも。何も俺の手伝いなんかしなくてもいいのに」同意を求めるように、大友の目を見た。

「その手伝いは、仕事の上でのことか？　それとも今回の事件に関してか？」大友は彼の横顔を見ながら訊ねた。

「両方」中川がうなずく。「おめでたい話だよ。俺のところで仕事を覚えられると思ってるんだからな。誰が、他人に自分のノウハウを教えると思う？　死ぬほど努力して、やっとここまで来たんだぜ。ライバルを増やしてどうするんだよ」

「彼は、お前を脅かすような存在だったのか？」

「まさか」中川が肩をすくめる。「才能のかけらもないね。そんなのは、一言二言話してみればすぐに分かる。笹倉さんも同じように考えていたよ。だから今回、人手が足りないんで、雑用係として呼んだんだ。市谷のプライドはずたずたになっただろうね」

「だったらどうして手元に置いておいたんだ」

「テツ、下らない質問はよしてくれ。お前、全部分かってるんだろう？」

「いや、分からない」

「お前は探偵役だろうが。この状況の謎解き、よろしく頼むよ」

挑発的に中川が言った。よくよく見ると目は血走り、全身から疲労感が滲み出ている。先ほどから一言も発していない長浜に目をやると、明らかに戸惑っている様子だった。どうして自分がここにいるのか、大友と対峙しているのか、まったく理解していない感じ。すぐ、戸惑いが苛立ちに変わり、長浜が立ち上がった。誰に言うでもなく、「俺は帰らせてもらう」と吐き捨てる。しかし舞台の袖に向かって歩き出した瞬間、中川がジャケットの襟を摑み、強引に引き倒した。バランスを崩した長浜は背中から倒れこみ、悪態をついた。すぐに座り直したが、その目は大きく見開かれている。どこから取り出したのか、中川の手には、いつの間にかナイフが握られていた。刃渡り二十センチほど。これだけの長さのナイフなら、確実に人を殺せる――刺す場所さえ間違えなければ。

「説明してくれよ、テツ」嘲るように中川が言った。座りこんだ長浜の後ろに回りこみ、頭の上でナイフを躍らせる。

「長浜、動くな」

大友の忠告に、状況が分かっていない長浜は焦りの表情を見せ、ちらりと振り返った。中川がいきなり長浜の背中を蹴飛ばし、ナイフを持ち替えて柄で頭を殴りつける。長浜は頭を押さえてうずくまり、呻き声を出した。先日殴られたのと同じ場所に、またダメージを受けたのかもしれない。

「静かにしててくれよな、長浜」馬鹿にしたように中川が言った。

「お前、俺を裏切るつもりか」

舞台の床を凝視しながら長浜が言った。裏切る？　その言葉が、大友の頭を混乱させた。この二人は共犯者なのか……その想定は、大友の頭にはなかった。

大友は客席の市谷に目をやった。呆然としながら、泣いているのが分かる。隣に座った隊員が腕を抑えていたが、そんな縛めなど必要ない様子だった。中川の冷たい言葉にショックを受け、虚脱状態になっているのだろう。師匠と信じていた男は、ただ自分を利用しただけだった……彼に対する同情心が芽生え、大友は一人うなずいて中川に向き直った。

「お前は、笹倉さんを恨んでいたんだよな」

「当たり前だ」

「十年以上経って、経済的には笹倉さんをはるかに上回る成功をしていても――」

「関係ない。プライドは金で買えないからな」中川が肩をすくめた。「いろいろ考えたよ。あの人が俺を劇団から追い出したから、それがばねになって成功できたんだとか、今の自分から見るとあの人は虫けらみたいなものだから気にする必要はないとか。だけど、駄目だったんだ。どうしても忘れられない。お前にもそういうの、あるだろう」

「ない。人を殺そうと思うほどの屈辱は経験したことがないから」

「だったらお前は、幸せな人生を送ってるんだよ。羨ましいね」

大友は中川の皮肉を受け流した。

「二十周年記念公演がきっかけだったんだね？　忘れようと努力していたのに、いろいろ情報が入ってきて、笹倉さんの存在がまた目障りになってきた。市谷君も劇団に呼ばれたわけだし」

「あいつは行きたくないって言ったんだけど、俺が行かせた。劇団の中がどうなってるか、情報を知りたかったし」

「笹倉さんは相変わらず暴君で、皆を困らせていた」

「だから俺が、皆を助けてやろうと思ったんだよ。当然じゃないか。今の俺には力がある。それは、笹倉さんなんかが足元にも及ばない力だ。金と知恵があれば、世の中、できないことはないのさ」中川が、空いた左手の指でこめかみを突いた。

「それで市谷君を使って、笹倉さんを殺す手立てを整えた」ぽんぽんと行き交う会話のリズムは心地好かったが、一言一言が、大友の胸に鋭い楔を打ちこんでいく。

「そういうことだ……いつ気づいた？」

「今日の午前中、お前と会った後だ。確信はなかったけど、今思えばあの時、お前は口を滑らせたね」

「何だって？」

「市谷君が、夢厳社のビルに入る鍵を持っているはずだ、と言ったよね。どうしてそんなことを知っている？　お前は、夢厳社とはとっくに関係なくなっていたはずじゃないか。市谷君も、雑談でそんなことを話すとは思えない」

「ああ……」中川の顔が少しだけ暗くなる。「確かに、口が滑ったな」

「あれで、お前が夢厳社の内部事情について、今でも知っていることが分かったんだ。鍵を持っている人は多かったし、管理は杜撰《ずさん》だったけど、そういう情報をどうやって知ったのかな？　市谷君経由だろう」

思えばあの時、大友の頭の中には小さな疑問が芽生えていたのだった。それをすぐに大きく育てて追及できなかったのは、自分のミスである。大友は気合を入れ直した。

「最初の犯行はどんな風に？」

「分かってると思うけど、小道具に細工するのは簡単だった。ナイフを本物にすり替える……笹倉さんは、全力でナイフを胸に突き立てるからな。本物だと気づかずに、そのまま死んだんだ。あまりにも計算通りで、ちょっと驚いたよ。まあ、市谷が上手くすり替えをやってくれた」

中川の台詞に、大友は狂気の臭いを感じ取った。長浜も同じようで、引き攣った顔には汗が浮かび始めている。強烈な照明で舞台の上は暑いのだが、それよりも狂気を帯びた人間が頭の上でナイフを振りかざしている状況が、緊張感を限界まで高めているようだった。

「それが最初の事件」大友は人差し指を立てた。「古橋のことは？」

「脚本通りだよ」

「スタッフが殺される」

「そう」

「あの時、周りにいた人間の目を盗んで、古橋のグラスに毒を入れたのも市谷君だね？」

「だから、あいつは人殺しの天才なんだ」中川が喉の奥で笑った。「まったく、敵に回したくないね」

「今は敵になっていると思うよ。君に見捨てられたわけだから。でも、どうやって犯行を引き受けさせた?」ちらりと客席を見る。市谷は感情を失ったように、唖然と口を開けていた。

「そんなの、仕事を振ってやるって言えば、簡単だった。とにかく俺は、お前たちの手の届かないところへ行くからな」

「よせ」

大友は、握り締めた掌がじっとりと濡れるのを感じた。一歩踏み出すと、中川が長浜の髪に指を絡めて頭を持ち上げ、ナイフを振りかざす。長浜が助けを求める声は、かすれて言葉が聞き取れなかった。しかし中川の声は冷静なままである。仕事場で原稿を書いている時のような調子で続けた。

「覚悟してるんだよ、俺は」

「どうしてあんなことをした？」

「分かってるだろう？　劇団の関係者は、俺にとっては全員敵だ。お前も同じだぜ？　さっさと辞めて、自分だけ幸せになりやがって」

「それは因縁だ」分かっていても、どこか後ろめたい気分になる。

「因縁でも何でもいいよ。しかしお前も、気づくのが遅かったな」

「どうして脚本通りにやろうとしたんだ？」

「だから、お前たち——お前を試したんだよ」

大友は急激に怒りが膨らむのを意識した。そんな理由で？　これは愉快犯の心理である。人があたふたするのを見て喜ぶのは、まともな神経の持ち主ではあり得ない。

「上演版じゃなくてオリジナル脚本を使ったのは、さらに混乱させるためか？」僕たちは、その違いで見極めを間違った」

「惜しかったな。もう一歩で、俺はやりたいことを全部やって逃げ切れた」中川が思わせぶりにウィンクして見せた。

「それで、これからどうするつもりだ？」大友は背筋が痛くなるほどの緊張を感じていた。中川の行動パターンが読めない。オリジナルの脚本通りなら、ここで自殺だ。だが、それだったらどうしてここに長浜がいる？　中川は頭の中で、ひっきりなしに脚本を書き換えているとでもいうのだろうか。

客席に目をやる。いつの間にか、柴の姿が消えていた。

「テツは、どういうエンディングがお好みだ？」中川の口調は、妙にテンションが高い。

「それを決めるのはお前だろう。脚本家はお前なんだから」

「そうじゃない」中川の顔が激しく歪んだ。「脚本家なんて、パーツの一つに過ぎない。お前らがみんなで寄ってたかって、ぶち壊しにするんだよ」

オリジナル脚本がボツになった経緯を聞かなくては……しかし大友が口を開く寸前、中川が大きくナイフを振りかぶった。慌てて走り出す。五メートルの距離が……間に合わない。一瞬、視界の端で何かが光る。次の瞬間、上から何かが落ちてきて中川の肩を直撃した。大きな鈍い音に重なって中川の呻き声が響き、ナイフが床に落ちる。大友は中川にタックルし、長浜から引きはがした。壇上に飛び上がった機動捜査隊員が、大急ぎで中川を押さえつける。

上を見上げると、細い足場が組まれたキャットウォークの隙間から、柴が顔を覗かせていた。にやりと笑い、大友に向かって親指を立ててみせる。舞台上には、ハンマーが一つ、転がっていた。あの馬鹿……頭に当たったら大怪我だ。だがここは、結果としてよしとしなければ。

「何で邪魔するんだよ！」機動捜査隊員に腕を捻られた中川が叫ぶ。痛みのため、体を折り曲げているのだが、首がねじ切れそうな勢いで顔を上げ、大友を凄まじい形相で睨みつけた。

「死のうとしている人がいれば助けるのが、僕の仕事なんだ。お前、長浜を殺そうとしたわけじゃないだろう？　自分で死ぬつもりだった……脚本通りに」

「あれは、俺が書いた脚本だ！　俺の脚本だ！　誰にもいじる権利はない」

中川の絶叫が、大友の頭をすり抜けていく。こいつは……現実の世界と、自分の頭の中の世界の違いが分からなくなっているのか？　だとしたら、まともに断罪はできないかもしれない。

しかしそれを決めるのは、大友ではない。そして今、目の前には、もう一人話を聞かなくてはならない人物がいる。

長浜の立ち直りの早さには、大友も驚いた。しかしすぐに、この男も中川と同じ、現実と夢想の曖昧な境目に生きているのだと気づく。世田谷北署まで移送する途中、ずっと喋りっ放しだったが、事件のことについては一言も触れない。まるで野球観戦をしていて、目の前でファインプレーを見た後のように興奮しきっている。

大友は一切、返事をしなかった。

取調室に入ると、長浜はようやく落ち着きを取り戻した。

「事務所へ連絡させてくれ」

「それは、こっちでやっておく」

「俺が自分で話したいんだよ」

「今は駄目だ」

「どうして！」長浜が両の拳をデスクに叩きつける。激しい音が空気を揺るがしたが、大友の心には一切響いてこなかった。全てが演技。架空の世界。灯りが落ちて幕が下りれば、あるいは誰かが「カット」の声をかければ、全てが終わるとでも思っているのではないだろうか。


どうしてこんな人間になってしまったんだ？　大友は悲しく自問したが、十数年前でさえ、長浜は既にこのような性格だったのだと思い出す。それが今は、分かりやすい傲慢さとしてはっきり表に出ていた。「俺はお前たちとは違う。向こうの世界では俺に敵う人間はいない」――彼は常に舞台の上に立ち、観客との間には目に見えない壁があると信じているのだろう。その壁がある限り、長浜が演じていることは全て演技だという、暗黙の了解が成り立つ。

だがこの男は気づいていない――今、壁はないのだ。

「逮捕されたわけじゃないんだろう？」

「ああ」

「だったら――」

「駄目だ」大友はゆっくり首を振った。「逮捕されていないだけで、お前は重要な容疑者なんだ。とにかく、素直に話して欲しい。変に隠し立てすると、厄介なことになる」

「脅す気か？」一瞬、長浜の顔に怯えが走った。

「忠告だ。変な風に受け取らないでくれ……早紀と別れたんだって？」

「それは、お前には関係ないだろう」長浜がそっぽを向く。

「ところが、あるんだ」大友は両手を組み合わせ、テーブルに載せた。「この問題にも、笹倉さんが絡んでいる。笹倉さんと早紀が昔つき合ってたのは、当然知っているよね」

「……ああ」嫌々ながら、長浜が認めた。「だけどそんなの、昔の話だぜ」

「ところが笹倉さんは、まだ早紀を諦めていなかった。最近、またちょっかいを出すようになってたんだね」

「さあ、どうかな」長浜が目を逸《そ》らす。

「早紀が教えてくれたんだけど」ロケ現場での会話。あんな場所で、よくこんなことを打ち明けたものだと思う。

「何だって？」長浜の顔が蒼褪める。「あいつ、どういうつもりで……」

「真意は分からない」大友は認めた。「彼女は女で、女優だ。分からない要素が二つも揃っているんだから、僕には理解不能だよ」

「そんな人間の言うことを信用するのか？」長浜が鼻を鳴らした。

「筋は通っている。僕が分からないのは、彼女がどうしてそんなことを教えてくれたのか、だ」

「結局あいつは、ずっとお前のことが好きだったんじゃないか？　だから、お前に手柄を立てさせようとしている」

「僕は、そんな形で手柄は欲しくない」

「冷たい男だな」長浜が目を細める。「というより、相変わらず菜緒のことしか目に入っていないのか？」

「何かおかしいかな」

「信じられない」長浜が呆れたように目を見開き、首を振った。「亡くなって何年になるんだよ？　いつまで引きずってるんだ」

「たぶん、死ぬまで。お前には分からないかもしれないけど、悪い気分じゃない。自分の中に、愛した人間がいつまでも住んでいるというのは」

「臭い台詞はよせよ。それこそ、お前が嫌いな芝居の世界じゃないか」

「僕は、芝居は嫌いじゃない——観る分には。当事者としてかかわりたくないと思っているだけだ」

「だったら、俺を解放してくれてもいいんじゃないか？　俺は、お前の嫌いな芝居の関係者だぜ」

「駄目だ」大友はゆっくり首を振った。「ここはお前の舞台じゃなくて、僕の舞台だから。お前の都合で勝手に降りるのは許されない」

長浜が腕組みをした。そうすることで何とか怒りを押し潰そうとしているようで、耳が赤くなっている。

「そもそもどうして、今回の二十周年公演の出演依頼を受けた？　いろいろ説明してくれたけど、どうしても僕は納得できない。お前は、笹倉さんとはかかわり合いになりたくなかったはずだよな」

「そんなこと、一言で説明できるかよ」以前同じ質問をした時には、すらすらと答えていたが、あれは演技だったのだろう。頭の中にあった脚本を読んでいただけ。おそらく今が本音だ。

「劇団を出て行った経緯、その後の早紀との関係……いろいろ考えると、どうしてもお前が『アノニマス』の舞台に立つ理由が理解できない……できなかった。早紀が教えてくれるまでは」

「あいつ、何だって？」

「結局、金なんだろう？」大友の指摘に、長浜の頰がぴくりと動いた。「表向きは友情出演の形になっていたけど、お前は笹倉さんに出演料を要求していた。金が動くなら、嫌な相手とも仕事するんだよな。だけど笹倉さんは適当に話を誤魔化し続けて、結局本番の日が来てしまった」

「それだけじゃない」突然、長浜が開き直る。「早紀が先に呼ばれて、二人がよりを戻すんじゃないかって、心配してたんだ。監視するために、俺もこの芝居に参加するしかなかった」

「分かった」がっかりさせないでくれ、と言いたかった。金や女のためではなく、志のために舞台に立つ――嘘でも、そんな言葉が聞きたかったのに。「もう一つ、早紀の問題がある。また彼女に近づいて来た笹倉さんの存在は、お前には邪魔だった。そこで、中川の存在がクローズアップされる。お前と同じように、笹倉さんをずっと憎み続けていた中川の存在が……厳密に言うと違うかもしれないけどね。中川は過去の恨みを引きずっていた。お前は現時点で、笹倉さんの存在が邪魔だった」

「あの人が、どれほどの存在だ？」嚙みつくように長浜が言った。「たかが貧乏劇団の主宰者じゃないか。今、人が集まってくるのは、単なるブームだよ」

「だから許せない？」

「そうじゃない！」長浜が叫ぶ。「そうじゃないんだ……」繰り返す言葉は、最初の勢いと裏腹に萎みそうだった。

「早紀のことか」

「こういう世界は、くっついたり離れたりが当たり前だと思ってるんだろう」

「そういう風には聞いてる」

「お前自身はどう思ってるんだ」

「聞いてはいる」大友は繰り返した。長浜は既に言い訳モードに入っている。少し苛つかせれば本音を吐くはずだ、という読みがあった。「特に何とも思わない。僕には関係ない世界だから」

「俺は本気だったんだよ。お前が信じていようがいまいが、本気だった。それを、笹倉さんは……」

「お前の力なら、やめさせることもできたんじゃないか。芸能界の枠組みの中で考えれば、笹倉さんの力なんて微々たるものだろう」

「話が大袈裟になる」

「だから自分で何とかしようとした？　それで殺したのか？」大友は頭が熱くなるのを感じた。「その方が、僕には理解できない」

「理解するもしないも、お前の勝手だ」長浜が開き直る。「今回の記念公演の話が来た時、俺は笹倉さんの図々しさに呆然としたよ。だけどこれは、決着をつけるチャンスだと思った。中川の弟子の市谷も参加しているのを見て、やれると思ったんだ」

「それで中川と連絡を取った」

「あいつは執念深い男だ。昔何度か、ドラマの仕事で一緒になったんだけど、いつまでも笹倉さんに対する恨み節を言ってたんだぞ。ちょっと焚きつけたら、話に乗ってきた」

「意味が分からないのは」大友は額を揉んだ。この事件で無事に公判維持できるだろうか、と不安になる。あまりにも身勝手で、この男の証言を裁判員がどんな風に解釈するのか、想像もつかない。「どうしてわざわざ『アノニマス』の脚本通りに事件を起こしたか、なんだけど」

「そのアイディアの出所は、中川だよ。劇団の中や警察を混乱させたかったんだ……それよりも、あいつの狂気と言った方がいいかな。中川の頭の中は、俺には読めない。この脚本を書いたのだって、笹倉さんに対する殺意をぶつけたんだから。『いつかはこの脚本を本物にしてやる』って言ってたんだぜ。そんなの、異常だろう？　でも、結局その通りになったんだよ」長浜が首を振る。

「でも、お前はその計画に乗った。ほとんどの人が知らないオリジナルバージョンの脚本を使ったのは、さらに混乱させるためだったんだよね。僕たちは、古橋が殺されかけたところまでは、採用された脚本通りに事件が起こっていると思っていた。だけどその後でお前が襲われて、推測が狂ったんだ。古橋まででやめておく手もあっただろう。何もお前が痛い思いをする必要はない」

「あれは……」長浜が後頭部に手をやった。先ほど殴られた痛みが戻ってきたかのように、びくびくした動きだった。「あれは、俺も想定外だった。全部中川の考えだぜ？　あいつは、オリジナルの脚本通りに全てをやり遂げようとした。古橋を殺して、あいつに笹倉さん殺しの罪を押しつけるつもりだったんだが……俺には理解できないよ。俺まで殺そうとするなんて」弱気と恐怖が零れ落ちる。

「じゃあ、襲われたのは芝居じゃなかったんだ」

「冗談じゃない」長浜の顔が蒼褪める。「誰が好き好んで頭を殴らせる？　あり得ないね」

ぴんとくるものがあった。大友はしばし口をつぐみ、混乱し始めた頭の中を整理する。筋が通る……やはり通らない。中川のような発想をする人間の本音を、自分のように普通の人間が読めるわけがない。一か八か、頭に浮かんだ考えをそのまま口にする。

「オリジナルバージョンの脚本は、ボツになった。それを指示したのは笹倉さんじゃなくて、お前だったんじゃないのか」

長浜が、顔面を殴られたように身を引いた。頰は引き攣り、ハンサムな表情が台無しになっている。

「オリジナルの脚本は、僕も読んだ。お前の役、ひどい書かれ方だったな。人間のクズみたいな感じで。あんな役をやるのは、お前のプライドが許さなかったんじゃないか」

「悪いかよ」開き直りに聞こえる台詞だが、彼の顔は怯えで蒼くなったままだった。

「悪くない。だけど、プロの態度とは言えない」

「あの頃俺は、プロじゃなかった」

アマチュア劇団。自分がいた頃の夢厳社は、確かに笹倉の厳しい統率の下にあったが、所詮金を稼げる存在ではなかった。単に、演じることを趣味とした人間の集まり。劇団員が「こんな役はやりたくない」と駄々をこねても許された。

「どうしたんだ？　中川を締め上げたのか」

「……ああ」渋々、長浜が認める。

「脚本は出来上がっていたのに？　笹倉さんも基本的にＯＫを出したんだろう？」

「中川に言わせたんだよ。納得できないから後半を書き直したいって。笹倉さんはたぶん、俺たちが揉めているのに気づいていたと思う。それを面白がって、中川の好きにさせたんじゃないかな。俺は、笹倉さんに何か言われるんじゃないかとびびってたんだけど……何もなかった。それきり俺は、そんなことはすっかり忘れてたんだぜ」

「ところが中川は、お前に書き直しを強要されたことを忘れなかった」執念深い男だから。過去の屈辱に固執するしつこさは、もしかしたら脚本家としての成功の要因だったかもしれない。「それで、こんなことに……」

「そうだな」長浜ががっくりとうなだれる。

「だけど中川は、お前を殺し損なった」

「あの時……早紀の家の前で俺を襲ったのは、中川じゃないと思うぜ」長浜がのろのろと顔を上げた。

「市谷？」

「中川は、自分で手を汚すタイプじゃないんだよ。その辺は、調べれば分かるんじゃないか？　柔らかい圧力ってやつか？　前に話を聞かせてもらった時、お前、そんなことを言ってたよな」

大友は黙ってうなずいた。誘導、脅迫は絶対に許されない。今はすぐに表沙汰にもなる。柔らかい圧力――容疑者が精神的な苦痛を感じず、いつの間にか話すようにしむける――を発揮する能力のある刑事だけが、長く仕事を続けられる。

「俺は被害者なんだぜ」

「どうして」

長浜は真面目に言っている、と大友は判断した。中川同様、彼の発想も大友の理解力の枠を超えている。やはり演じる世界は、狂気につながるのか――。

「襲われて怪我したじゃないか。今日だって中川に呼び出されて、殺されそうになったんだし」

「いや、謀議がある。お前は、直接中川に『笹倉さんを殺そう』と持ちかけたんじゃないかもしれない。だけど、相談はしている。学生時代から、中川が笹倉さんに対して本当に殺意を抱いていたこと、知ってたんだろう？　それを利用して中川を焚きつけたなら、それは立派な犯罪なんだ」

「まさか――」長浜が薄っすらと口を開けた。

「映画の仕事で僕に話を聞きに来た時、もう少しきちんと詳しい話をしておけばよかったね。そうすれば、こんなことは考えなかったかもしれないのに」

「冗談じゃない、俺は一切手を出してないんだぜ」

「そういう問題じゃないんだ。法律的には、立派な共犯なんだよ。僕たちは、法律に則って仕事をしているし、その枠からは一センチだってはみ出すことができないんだ。勝手に解釈を変えるわけにもいかない」

「まさか……」かすれた声で繰り返し、長浜が椅子に力なく背中を預けた。彼の体重で椅子が後ろに滑り、耳障りな金属音を立てる。

「残念だよ。これだけは覚えておいて欲しいんだけど、僕はお前のファンだった。もしかしたら自分がそうなっていた姿かもしれないと、のぼせたこともあったけど……とにかく、お前の演技は好きだった。もう見られないかと思うと、本当に残念だよ」

自分に、死刑宣告する権利などないことは分かっている。だが大友は、胸の中のもやもやした気分を吐き出さずにはいられなかった。

「ひでえ事件だな」柴が零した。

　事件が急転直下解決に向かった翌日。二人は昼時に特捜本部を抜け出し、小田急梅ヶ丘駅前にある中華料理屋で遅い昼食を取っていた。これから中川や長浜、市谷に対する本格的な取り調べが始まる。大友は今後も引き続き長浜の取り調べを担当するよう、渡辺から指示されたのだが、やんわりと拒否した。相当強烈な雷を落とされるだろうと覚悟したのだが、「昔の友だちを調べたくはありません」という極めて情緒的な理由を、渡辺はあっさり受け入れた。

「利害衝突があるかもしれないからな」と言った渡辺の表情は、ひどく同情的であり、大友はこの管理官に対する評価を少しだけ改めた。これ以上出世はできないかもしれないが、部下に嫌われることはないだろう。

「とにかく、理解不能……」

　柴の言葉の語尾は、頼りなく消えた。麵を啜りながらでは、愚痴も零せない。怒っている時、あるいは戸惑っている時の常で、柴はチャーシューメンにチャーハンをつけたセットを注文し、ひたすら炭水化物の摂取に努めている。大友は、タンメンを持て余していた。野菜のしゃきしゃきした歯ごたえさえ、今は鬱陶しい。重い風邪が治った後のような体の重さが、昨夜からずっと抜けなかった。

「あの世界は、俺には分からんことばかりだね」口の中を空にしてから、柴が言った。

「僕もだよ」

「自分もそういう世界にいたのに？」

「僕には狂気が足りなかったんだと思う。役になり切るというのは、一種のトランス状態に陥ることなんだ。正常な感覚が支配的だと、それができない。舞台に立った時だけ、それができるのが理想なんだけど……スイッチを入れたり切ったりするように」

「中川にしろ長浜にしろ、オンオフの切り替えができなかった。常に舞台上、オンの状態だったんじゃないか」

「そういうことだと思う」

「大スキャンダルだよな」柴が髭の浮いた顎を擦った。

「それは、僕たちには何の関係もない。自分の仕事をするだけだ」

「お前の仕事は何なんだ？　この段階じゃ、もう完全に手を引いてもいいだろう。肝心の二人を落としたんだから、立派な手柄だよ」

「事情を説明しなくちゃいけない相手がいるんだ」

「まさか」柴の目が暗くなる。「彼女のことなら放っておけ。誰かが話すだろう。お前は余計なことをする必要はない」

「そうはいかない。ちゃんと話すのが、僕の責任だと思う」

「だったら、忠告しておくぞ」柴が、濡れた箸で大友を指した。「パンツを二枚穿いて、絶対に脱がないように気をつけろ。ああいう女とは、かかわり合いにならないのが正しい人生だ」

「僕も、いつも正しい道を選ぶとは限らないけどね」

「心配するな」大友は穏やかな笑みを浮かべた。「僕は馬鹿じゃない。役者になりきれなかった、常識的な男に過ぎないんだから」

「テツ……」

そして早紀は、やはり女優だった。事前に電話を入れ、「会いたい」と言うと、面会場所に事務所を指定してきたのだが、遅れて現れた彼女は、黒装束だった。喪服というわけではないが、黒いブラウスに黒い膝下丈のスカート、濃い灰色の縁取りがある黒いジャケットという格好は、死を想起させる。

事務所の素っ気ない会議スペースが、彼女の存在で荘厳な葬儀の色に染め上げられた。自分が赤いネクタイをしているのが、ひどく間抜けに思える。早紀は一瞬だけ大友に微笑みかけると、静かに椅子を引いて座った。

「誰の葬式なんだろう」

「分からない。でも、大事なものがなくなった気がする」

「一つ、確認させてくれないか」

「私に言えることなら」

「長浜が笹倉さんを殺そうとしていたこと、君は知っていたのか？」

ほんの短い時間、早紀の目に怒りの焔が宿った。しかしすぐに、穏やかな――近親者を亡くした悲しみをようやく乗り越えたような――表情に戻る。

「知らなかった」

「分かった」

「信じるの？」早紀が首を傾げる。

「嘘をついているかどうかぐらい、分かるよ」

「演技かもしれないわよ」

「どうしても演技できないこともあるんだよ。経験的に、僕には分かる」

「そう」素っ気なく言って、早紀が窓の方を向く。「アノニマス」上演からわずか数週間で痩せて、顎の線が鋭くなったようだ。彼女なりの心労が透けて見える。

「長浜も中川も犯行を認めた。実行犯は市谷だけど、二人とも罪は免れないと思う」

「馬鹿よね……私、今さら笹倉さんの方を振り向くつもりなんかなかったのに、勝手に邪推して、嫉妬して。少し嬉しかったけど」

「そういう気持ちも、演技では出せない」

「愛の表現は、ギリシャ演劇の時代から永遠の課題だけど」

「完全に表現できないし、絶対に答えは出ないから、皆がやりたがるんじゃないかな」

「演劇論なんか、久しぶりね」

大友は、緩みかけた頬を引き締めた。

「結局、長浜と別れた原因は何だったんだ？」

「彼が何をしたかは、本当に知らなかった。でも、何かあるとは思ったのよ。記念公演の後からずっと、様子がおかしかったから。それに、私に妙に執着するようになった」

「執着？」

「上手い表現がないんだけど……普段はそんなことしないのに、妙にべたべたしたり、急に『結婚しよう』って言い出したり」

「それは嬉しい話じゃなかった？」

「普段と違うことをされると、女はいろいろ疑うものなのよ。それに彼は、私の言うことをまったく聞かなくなった。それで大喧嘩して……怪我した彼に、『別れましょう』って言ったのは、残酷だったかしら」

「いや」二人の修羅場を想像しながら、大友は否定した。「君の気持ちは自然だと思う」

「そう」溜息をつき、早紀が肩を一度だけ上下させた。

これでメッセンジャー役は果たせた、と思う。しかし彼女に対しては、もう少しだけ言うことがあった。

「菜緒のことなんだけど」

「何、いきなり」早紀が困ったような笑みを浮かべる。「今頃何で？」

「君には話しておかなければいけないと思うんだ」

「どうして」真顔に戻り、早紀が疑問を繰り返す。

どうして？　僕が彼女の人生をねじ曲げてしまったから？　十数年前、早紀の気持ちに気づいて何とかしていたら、彼女はまったく別の人生を送っていたかもしれない。それが幸せなものかどうかは分からないが、少なくとも今のようなトラブルに巻きこまれることはなかったのではないか。そういう負い目があるから……違う。彼女と再会しなかったら口に出すこともなかったはずだが、何故話す気になったかは、自分でも分からない。

「理由が必要かな」

「別に……」早紀が肩をすくめ、柔らかい笑みを浮かべた。「あなたが話したいなら、それだけで十分だと思うけど」

「菜緒は、強盗に襲われたことがある」

「本当に？」早紀が眉をひそめた。

「三年生の春だった。『アノニマス』の初演の直後だよ。そのせいでインカレに出られなかったんだ」

「ちょっと待って」早紀が目を瞑り、わずかに天井を仰ぐ。すぐに視線を大友に戻すと、素早くうなずいた。「インカレに出られなかったのは覚えてるけど、それって、捻挫か何かのせいよね」

「実際は骨折だった。剝離骨折だけど、あれは物凄く痛いんだよ」

「どういうことなの？」

「練習が終わった後、僕の家の近くで会うことになってたんだ。ところが約束の時間が過ぎても来ない。彼女、時間には正確じゃないか」

「いつも約束の五分前には来てたわよね」

「だから心配になって、探しに行った。そうしたら彼女、足を引きずりながら歩いて来たんだ。泣いているのを見たのは、あの時が最初で最後だった」

その時の光景を思い出すと、今でも胸が痛む。ビルの壁に手をついて杖代わりにしながら、左足を引きずって歩いて来る菜緒。髪は乱れ、白い綿のパンツが泥まみれになっていた……大友は最悪の事態を覚悟したが、駆け寄るまでの短い間に、服装が乱れていないのを見て取って、自分を安心させようとした。

「駅から待ち合わせた店に行く間に、暗い路地があってね。近道なんだけど、そこでいきなり襲われて、バッグを盗まれた。その拍子に倒れて、怪我をしたんだ」

「それでインカレに出られなかったのね？」

「そのことは、誰も知らない。菜緒は、周りには、自分の不注意で転んで怪我した、と言い張ったんだ」

「どうして」早紀が真剣な表情で言った。「不可抗力でしょう？　ちゃんと言えばいいじゃない。そうしたら、皆納得してくれたはずよ」

「悔しかったんだと思う。恥だ、と考えていたんだ。強盗に遭って怪我をして……そんな自分が許せなかったんだ」

「その理屈、ちょっと分からない」

大友はゆっくり首を振った。早紀には分からない。しかし僕には分かる。

「誰でも、自分がイメージする自分の強さがあると思うんだ。この程度の人間には負けない、この程度の状況だったら挫けない……強盗っていうのは、彼女の中では、自分よりずっと低いレベルの存在だったんだろうな」

「呆れた」早紀が肩をすくめる。「そんなの、どうしようもないじゃない。その程度の怪我で済んだのは、むしろ不幸中の幸いだったでしょう。分からないな」

「菜緒は、そういう人だから。誰にも負けたくない人だ。だからこそ、襲われて怪我した自分が嫌になったんだと思う」

「分かった」早紀がうなずいた。「だからあなたは、彼女を選んだ。傷ついた恋人の側にずっといなくちゃいけないと思ったんでしょう」

「それもある。でも、事情はもう少し複雑なんだ——事情というか、僕の気持ちが」

「何？」早紀が首を傾げる。

「僕が刑事になろうと思ったのは、確かにその事件がきっかけだった。元々、役者で食べていけるとは思っていなかったしね」

「そんなこと——」

「自分の力は自分で分かる」微笑を浮かべたまま、大友は首を振った。「菜緒のように苦しむ人を、少しでも減らしたかったんだ。もちろん、一人の刑事にできることなんて、限られていると思う。犯人を一人捕まえただけで、世の中がよくなるわけじゃないから。でも僕は、自分にできる範囲で、少しでも世の中をよくしたかった」

「そうなんだ……テツ君がそんなことを考えていたなんて、知らなかった」

「誰にも言ったことがないからね。こういうことは、大声で言うのは恥ずかしい。でも今は言える」

「どうして」

「君たちと再会して、いろいろ考えた。演じることの意味とか、ね。僕は警察官になったばかりの頃、結構苦労したんだよ。こういう性格だし、荒っぽいことには慣れてなかったから。でも、途中で辞めるわけにはいかなかった。だから、演じたんだよ」

「刑事という役目を」

大友はゆっくり表情の強張りを解した。早紀は分かっている。

「そのうち、被っていただけの仮面が顔に張りついて取れなくなった。刑事を演じているだけかと思っていたけど、いつの間にか、骨の髄まで刑事になっていたんだ」

「そう……」

「だから今回も、事件にかかわり続けた。本当なら、私情が混じって捜査ができなくなるところだったのに」実際は、中途半端な捜査だったと認識している。

「それで、昔の仲間を逮捕した」

早紀の声には棘があったが、今の大友は、そういう言葉を冷静に受け止め、やり過ごせるほどには「刑事」だった。

「菜緒ちゃんは、あなたの選択を喜んでいたの？」

「分からない。そういうことは特に話し合わなかったから」

「菜緒ちゃんのことだから、分かっていたと思うけどね」早紀が寂しそうに笑う。「そういうの、ちょっと羨ましいかもしれない」

「いずれ、君にも分かると思う。人間は、一人では完結しないんだ。誰かと出会って、初めて完全な生き物になれる。僕にとって、菜緒がそういう相手だった」

「残念ながら……私じゃなかった」

大友は素早くうなずいた。会話が危険な水域に入りつつあるのを意識し、話を打ち切る。

「このことは、何となく、君には話しておかなくちゃいけないような気がした」

「それはむしろ、残酷なことかもしれないけど。私が入りこむ隙間、今でもなさそうね」

「それだけは間違いない」

大友は立ち上がった。何か慰めの言葉をかけるべきだ、と分かっている。刑事としても、人としても。だが今の大友には、適切な言葉を拾うだけの力がない。彼女に向かってうなずきかけ、別れの挨拶にしては少しだけ長く、端正なその顔を見詰めるだけだった。

解説 ――フェイスメイカーのアナザーフェイス?――

仲村トオル

　このたび、『アナザーフェイス』が映像化(二〇一二年、ABC・テレビ朝日系列土曜ワイド劇場で放映予定)されることになり、その主人公・大友鉄を演じた御縁で、こうして解説なるものを書かせていただくことになった。力不足である気もするが、お引き受けしてみた。私でいいのか? 解説? と思いながらも書き進めてみる。

　プロのアスリートなら、新人としてその世界に入ってから、ほとんどの者が引退、リタイアさせられてしまうくらいの時間を俳優として過ごしてきた私は、おそらく何百冊という脚本を読んできたが、その台詞とト書きと行間の〈深層の真相〉のようなものを「読み違えてた、読めてなかった」ということが未だによくある。小説もそれなりに読んできたのだが、非力な読解力で四半世紀を切り抜けてこれたのは、幸運という理由だけかどうかはわからないが、そこそこは幸運だったのだろう。

　近年の幸運なできごとのひとつに、堂場瞬一氏原作ドラマ『棘の街』(二〇一一年六月・土曜ワイド劇場で放送)での上條元という役との出会いがある。

初めて、その名を目にしたとき肉片と読み違え「凄い名前だ！」と数秒間驚き、その後、その才能に驚かされ続けている内片輝監督が「これをやりましょう！」と声をかけてくれたのだ。だが、最初に脚本を読んだ私は「やりたくない役だ。内片監督じゃなかったら絶対やらない仕事だ」と感じた。正直なところ、主人公の上條に対して、私自身が、幾つかの点で好意的な印象をどうしても抱くことができなかったからだ。

クランクインの数日前に東京芸大の大学院で学ぶ若者たち（映画『紙風船』のスタッフ）に「大好きな監督を裏切りたくないから、やりたくないこともやる！　これが大人というものだ！」みたいなことを語ったりもした。

そんな刺々しい精神状態で『棘の街』は始まった。

メインのロケ地の街を本当に嫌いになりそうになったり、豪雨の夜、現場から運転して帰る道中、車内に侵入した蚊に「カー！」とか「アーッ！」とか叫びながら刺されまくるという悲しいできごともあった。イライラしながら〈これしかやりようがねえよ！〉的空気をおそらく発散させながら私は上條元という人をやってみた。

そして、そんなこんなの日々の後にできあがったのは、素晴らしい作品だった。

いや「手前どもの味噌は素晴らしいお味でございます」と言ってはならぬ！　という我が国の大人のきまりがあるので書き直すが、ほんとうに大好きな作品になった。

とくに私が「自分のこだわりをこんな風に人に押しつけるやつはやだ」とか、「ここらへん、なくても……」とか思っていたシーンが、それを観る私を叱り、嘲笑った。

「お前は、まだまだまだまだ未熟だ！」と。「読めてねえじゃん（笑）」と……。読んだ時には、わかっていなかった。薪の割り方、ベーコンエッグの焼き方、コーヒーの淹れ方……。「コーヒーじゃなくて、コーチャでもコーラでもコーンポタージュでも良いんじゃないか？」と思ってた。「コーじゃなきゃ駄目！　なんてキマリはないんじゃないの？」と笑ってた……。

ところが、ひとごとのようにドラマを観た私は感じた。〈只生きる〉のなら、そのやり方じゃなくても良い。もっと簡単な暖のとり方、空腹の満たし方は他にもある。だが、幼い頃に別れた我が子に「父だ」と名乗れない父親は、「どうせ生きるなら格好つけて生きたほうがいいんじゃねえのか⁉」ということを、男として伝えたかったんじゃねえのか⁉　と……。そう感じさせたのがテレビの中の私に似て非なる男だったせいか、私の心の変なところがチクチクした。人の心を読むのも、ちゃんと本を読むのも、そう簡単なことではないと今更ながらに思った。

そして、内片監督から、次に向き合うべき人物として『アナザーフェイス』の大友鉄を紹介された。『棘の街』の上條元とは一八〇度違う人格の男だ。

上條は、我が子が幸福な人生を送れるようにと、その手を放し、二〇年近い時を経て刑事と犯罪者として再会した可哀そうな男だったが、大友はひとり息子を不幸にしないように、自分のやりたい仕事よりも息子と過ごす時間を選んだ健気な男だ。その決断の直前に妻の唐突な死があったという共通点はあるものの……。上條は〈相手の神経を逆撫でする男〉で、大友は〈相手が閉ざしていた心の扉を開いてしまう男〉だ。私は少々、びびった。「大友って、演じるには随分と難しい人物じゃないか！」と。

取り組む役が難役であればあるほど燃える！　と書きたいところだが、難しさには程があるべきだ。たとえばダルビッシュと公園でキャッチボールはしてみたいが、打席に立って、彼の本息の真っ直ぐを打ってみたいとまでは思わない。「お前には絶対に無理」と誰もが思うようなことが「自分にはできるのでは？」と夢想するのは、現役の少年少女だけに与えられた（時に残酷な経験をさせる）自由だ。残念ながら私はもう少年ではないし、ハナから少女でもない。ハードルが高過ぎると、道具を使って跳んでから「棒高跳びかと思ってた……」と言い訳する、狡いところもなくはない大人だ。小説の主人公に「学生演劇やってたくらいで、〈他人になること〉に自信持ってんじゃねぇよ」と意地悪のひとつも言いたくなるくらいの経験も、たぶん、積んできた。

そんな私が大友に挑むためにとった作戦は〈とくに何もしないで誠実に演じる作戦〉だ。あるプロデューサーに教えてもらったのだが〈一番怖い演技というのは何もしないこと〉だそうだ。〈周りの人々がそいつを異様に怖がることでその演技は成立する〉という。

たとえば、何もせず佇む侍を、取り囲んだ忍者たちが抜刀するも、侍に切りかかることも、手裏剣のひとつも投げつけることもできずに、「引け！」と懐から取り出した火薬玉を地面に叩きつけ、煙に紛れて逃げ去った時、その侍は〈只者ではない〉ということになる。……なりますよね？　なるということで進めます。

私が大友鉄として、誠実に心をこめて台詞を言うと、不思議なことに頑なに心を閉ざしていた彼や彼女は何かから解放されたように、他の誰かには伝えようとしなかった大切なことを語りだす。周りの人間は「大友には他の誰かにはない特別な能力があるようだ」と感じる。それによって、視聴者もそのように感じる……、という仕組みである。

この作戦が功を奏したかどうかはドラマを観て確かめていただきたい。成功と感じていただけたなら、それはほとんど全て、監督と周りの俳優たちのおかげだ。

素晴らしいリアクションはアクションをおこさなかった者さえ素晴らしく見せる。

大友鉄には〈刑事らしくない刑事〉という評判もあるようだが、らしくない刑事とは、どんな刑事なのだろう？　正義感、行動力、洞察力、推理力、気力、体力……そこらへんを兼ね備えていれば〈刑事らしい刑事〉のような気がするが、大友にはどれもそこそこ備わっているように思う。それでも、らしくないと読者や視聴者が感じるとしたら、彼が〈今までの警察小説や刑事モノのドラマの主人公っぽくない〉ということなのだろうか？

個人差はあると思うが、私にとって〈刑事らしい刑事〉と言えば『太陽にほえろ！』の山さんである。〈何故かドアの外でだいたいの話を聴いていた〉山さんのように〈何故か相手が心のドアを開く〉大友も、私にすれば充分、らしい刑事、である。

また大友は、さまざまな顔を使い分ける。ときに刑事、ときに父親、ときに演劇をやっていた自分の顔を、作為的に使っている節もある。たぶん私も、撮影現場で見せている俳優の顔と家庭で見せる夫や父としての顔は違う。子供の友達の親御さんと接するときはとりわけ感じが良い人みたいな顔をしているだろうし、銀行や御役所では淡々とし、洋服屋さんやレストランでは穏やかで、近所のスーパーでは気さくに。旧友に会えばあの頃の俺のように。ジムでは自分に厳しい俺……と様々な局面でさまざまな顔〈アナザーフェイス〉を使い分けている気がする。

こういう人物を世間では〈八方美人〉などと呼ぶかもしれない。

大友も、私も、そのひとり……なのだ。だから、だいぶ前から私は〈八方美人〉という言葉を否定的には使わなくなっている。おそらく多くの人が、少なからず様々な別の顔を、良かれと思い、使いわけているのではないかと思うからだ。

撮影中のある日、『アナザーフェイス』の現場に堂場さんがやってきた。

どんな御客様より原作者の訪問に現場のスタッフ、キャストは、緊張を高める。どれほど惚れ込んだ小説でも、原作者の先生のお臍を曲げ、御機嫌を斜めにしてしまい「お前等には映像化させられん！（怒）」となったらオシマイだからだ。

《原作者御機嫌直立不動維持厳命》

昭和の不良が壁にスプレーで書きそうなかんじが撮影現場に漂う。

しかし、空気を読み違える能力に長け、七、八割の確率で二択の間違った方を選択する若手スタッフがいる時などは冷や冷やである。原作者の先生やスポンサーの方に「そこ邪魔なんスけど」などと言ってしまった若者が先輩に胸ぐらを摑まれロケ先の路地裏に引きずり込まれたとしても、その後、彼の身にふりかかるできごとは天罰とか自業自得といった類のことで、決して悲劇などではない。もしかしたら、先生扱いがお嫌いという可能性もあるが、「初めまして」の状態ではわからないので、私たちはとにかくBIGでVIPな御客様をお迎えする態勢を用意周到にしておかないと落ち着かない。

勝手に私たちが張りつめた状態の現場で、堂場さんは先生ぶることもなく、声をかけてくれ、『アナザーフェイス』の映像化を私たちに託してくれたわけをこう言った。

「『棘の街』を原作に忠実にやってくれたから」

……意外であった。想定外だった。申し訳ないが『棘の街』の現場にいた私たちに「忠実にやろう」という意識はほとんどなかった。端折った台詞もたくさんあった。私はツイッターではなく、胸の内で呟いた。〈忠実だった?〉と。

多くの原作小説がそうであるように、小説『棘の街』は、素材として切り刻まれ、加熱され、ドラマ『棘の街』という料理になって神様御客様の前に出されたはずだ。……シェフは肉片と見まがう姓をもつ男、内片輝監督だ。……「責任者出てこい！」という方がいらっしゃったら彼を呼んでください。

暫くしてから「もしかして……」と思いいたった。

「俺達は原作者の思う〈この小説の肝〉をハズさなかったってこと？」

「煮詰めて煮詰めて煮詰まったけど、残ったのは濃厚な堂場節の出汁だったたってこと？」

内片監督と私は〈堂場さんに喜んでいただけたもの〉と勝手に決めて喜んだ。

――しかし、今思えば、私たちを喜ばせた発言の主は百戦錬磨の小説家である。頭の中からあまたの老若男女の様々な顔を作り出すフェイスメイカーだ。考えてみれば敵は――いや敵ではないが、〈楽しませる方向に御客様を騙す〉ということを生業にしているということで言えば、我々の同業者であり、商売仇だ。いや仇でもないが……。仲良くしていただきたいのだが……。できれば末永く……。

閑話休題。私たちが、原作を自分たちなりに懸命に調理した後の、ささやかな罪悪感を隠して、いい感じの顔で御出迎えしようとしたように、堂場さんも、状況と相手を考えて、そこに最適な別の顔で、現場にいらしたのではあるまいか？　だから私たちが〈暫くしてから喜ぶ〉アラーム付きの気の利いた台詞がさらりと出てきたのではないだろうか？　あれは小説家というフェイスメイカーの〈アナザーフェイス〉だったのかもしれない。ドラマ『アナザーフェイス』が完成するのは来年二〇一二年。観る人を〈楽しませる方向に騙す〉ことができているだろうか？

さて。小説の大友は『敗者の嘘』そして、この『第四の壁』と、どんどん先を生きていっている。『第四の壁』では、劇団員だった大学生時代の大友にまつわる話が、描かれている。刑事総務課に異動を願い出たにも拘わらず、これまで事件の現場に呼び戻されていた大友だが、今回の事件では、初めて自ら事件に飛び込んでいく。――さらに、妻・菜緒との出会い――大友が警察という仕事を選んだ理由――。前作まででは触れられていなかった、大友の過去の心情も描かれている。詳しいことは、小説を読んでそれぞれが感じていただきたい。「え、解説じゃなかったの？」とここまで読んで、肩すかしをくったような気持ちになっている方には、申し訳ないのだが、逆にここまで読んで、私が〈解く説〉などあまりアテになりそうもないということは、伝わったのではないだろうか？

果たして。

私は、大友鉄という、いろんな顔をもつ男として撮影の現場に呼び戻されることがあるのだろうか？　そのいくつかの鍵のうち一番、大きな鍵を握っている堂場さんに一句捧げます。

待ってます　高いハードル　棒持って

二〇一一年一〇月

（俳優）

本書の執筆にあたり、シアターサンモールのご協力をいただきました。
この場を借りて御礼申し上げます。
著者

本作品は文春文庫のための書き下ろしです。

文春文庫

第《だい》四《よん》の壁《かべ》

定価はカバーに表示してあります

アナザーフェイス3

2011年12月10日　第1刷
2013年6月5日　第5刷

著　者　堂《どう》場《ば》瞬一《しゅんいち》
発行者　羽鳥好之
発行所　株式会社　文藝春秋

東京都千代田区紀尾井町3-23　〒102-8008
TEL　03・3265・1211
文藝春秋ホームページ　http://www.bunshun.co.jp

落丁、乱丁本は、お手数ですが小社製作部宛お送り下さい。送料小社負担でお取替致します。

印刷・凸版印刷　製本・加藤製本

Printed in Japan
ISBN978-4-16-778703-5